D1159956

TROP
PARFAIT
POUR ÊTRE
HONNÊTE

Traduit de l'anglais (États-Unis)
par Nathalie M.-C. Laverroux

Titre original : *Playing it cool*

300, rue Léon-Joulin, 31101 Toulouse Cedex 9, France
Loi 49-956 du 16 juillet 1949
sur les publications destinées à la jeunesse
www.editionsmilan.com
ISBN 10 : 2-7459-1986-5
ISBN 13 : 978-2-7459-1986-1

TROP
PARFAIT
POUR ÊTRE
HONNÊTE
JOAQUIN DORFMAN

MACADAM
MILAN

À Angelica

Prologue

En ce qui me concerne, tout a commencé par la décision d'un élève de seconde année : sauter du second étage de la maison de banlieue de ses parents.

Paul Inverso, quinze ans. Frère de Jenny Inverso, dix-huit ans.

Je pourrais tout aussi bien remonter quelques semaines en arrière, et parler de Jeremy King. Il était venu me voir après que sa mère lui avait révélé un secret, gardé depuis plus de dix-huit ans. Plutôt choqué d'apprendre que son véritable père n'était pas celui qui l'avait élevé. Toute une vie de suppositions mortes et enterrées. Un autre homme était responsable de sa naissance. La seconde moitié de son code génétique. Quelqu'un, avait-on dit à Jeremy, qui restait introuvable.

Je pourrais aussi évoquer en premier les investigations qui nous avaient conduits vers le père de Jeremy. J'avais fait appel à toutes mes relations pour réunir les informations nécessaires. Le résultat des enquêtes et autres recherches nous avaient orientés vers la côte de Caroline du Nord. La ville de Wilmington, à 225 kilomètres de chez nous.

Tout cela, naturellement, me conduisant à toi.

Mais je ne veux pas débuter par là. Je n'ai même pas envie d'y penser, pour l'instant, je ne suis pas encore prêt. Le contraste est trop violent, presque douloureux. Les événements, avant qu'ils évoluent, et la tournure qu'ils ont prise aujourd'hui. Quand j'y pense, j'essaie de les voir dans leur simplicité, mais je sais très bien maintenant qu'ils n'ont jamais rien eu de simple. Pas une seule fois je n'ai pensé à ce qu'ils cachaient, même lorsque les questions se sont déchaînées, cette semaine-là, me mettant K.-O. Trop accroché à tout ce que j'avais fini par croire. Trop confiant dans toutes les dernières démarches que j'avais faites. Le monde au bout d'une ficelle, et que la vérité éclate…

… Je pourrais partir de n'importe quel moment avant le 12 mars 1998, mais en ce qui me concerne, tout a commencé par la décision d'un élève de seconde année : sauter du second étage de la maison de banlieue de ses parents.

Paul Inverso, quinze ans. Frère de Jenny Inverso, dix-huit ans.

Bien qu'il me soit aussi possible de démarrer une ou deux heures plus tôt, ce qui ne serait pas un mal…

JEUDI

1

Sauf en cas d'urgence

Cesar nous déposa chez moi.

Il était 16 heures, et le printemps commençait à se faire remarquer. Soleil éclairant sous un angle flatteur les pelouses voisines, maisons d'un seul étage écrasées sous des ciels bleu clair. Légère humidité, oiseaux engagés dans des conversations douces à l'oreille. Les arbres régénérés bruissaient sous la brise du sud. Odeurs de cuisine, à proximité, gamins s'appropriant les rues sur leur bicyclette, musique échappée d'une fenêtre ouverte, remplissant les vides entre deux activités.

Un train siffla au loin.

Tous les faits trompeurs d'une petite ville de Caroline du Nord.

Je descendis de voiture et refermai la portière.

Jeremy s'extirpa du siège arrière. Il se dirigea vers la maison.

Cesar laissa ronronner le moteur de sa Pontiac rouge sale.

Visage franc d'un garçon de dix-sept ans, tendu vers moi à travers les vitres baissées. Première génération de

Mexicain américain, dont le regard n'avait pas oublié ses origines. Espoir sincère étalé en un sourire révélant des dents bien intentionnées.

– Tu es vraiment incroyable, Seb, me dit-il.

– C'est toi qui le lui as demandé, répliquai-je.

– Je ne croyais pas que Nicole accepterait !

– Tu t'inquiètes trop, Cesar.

– N'empêche que, demain soir…

– Bastian, on y va ? cria Jeremy dans mon dos.

Attendant près du trottoir, il s'agitait d'impatience. Une de ses bonnes vieilles habitudes.

Je l'ignorai. Une de mes bonnes vieilles habitudes.

– Justement, pour demain soir, j'ai réservé deux places à *La Mezzanine*, dis-je à Cesar.

– À *La Mezzanine* ?

Cesar se remit à paniquer.

– Je n'ai pas les moyens. Une soupe à dix dollars, et le poisson du jour aussi cher que le bateau de pêche.

– Pour l'argent, on peut se débrouiller.

– Mais je n'ai rien à me mettre !

– Je vais m'en occuper.

– Ma mère se sert de la voiture, le vendredi, marmonna Cesar.

– Dis à Nicole de te retrouver au restaurant à 8 heures précises. Je passerai te prendre chez toi à 7 heures.

– Et après, je suis censé l'inviter à faire un tour en bagnole, non ?

Je haussai les épaules.

– C'est les années quatre-vingt-dix.

– C'était pareil pendant les années quatre-vingt.
– Ne t'en fais pas pour ça.
Cesar soupira. Après un hochement de tête, il passa la première.
– J'espère que tu sais ce que tu fais, dit-il.
– Je sais toujours ce que je fais.
Cesar le savait aussi. Il démarra sans ajouter un mot.
Je le regardai s'éloigner.
– Je suis content de savoir que tu sais ce que tu fais, dit Jeremy. Parce que moi, je n'y comprends rien.
Il était assis sur le bord du trottoir. Son sweat marron et sa veste kaki pendouillaient autour de son corps maigrichon. Ses baskets tapaient le sol, ce qui le faisait légèrement tressauter. Ses cheveux blonds s'arrêtaient juste à la lisière de ses yeux bleus, qui reflétaient toujours le pressentiment de deux catastrophes à la fois, bien avant que le reste du monde en soit informé. Sa rangée de dents supérieure était toujours en train de mordiller nerveusement sa lèvre inférieure. Et il n'arrêtait pas de se triturer les doigts.
Je passai devant lui.
Il se leva et me suivit.
Nous longeâmes un revêtement extérieur en aluminium blanc avant de traverser le jardin de derrière. Baskets foulant l'herbe haute, bruits feutrés à chaque pas tandis que Jeremy déclarait :
– C'est après-demain qu'on part.
– Content ?
– Dis plutôt que je ne suis pas prêt.
– On est fin prêts.

J'ouvris la porte arrière, et nous entrâmes tous les deux dans la petite cuisine. Puis dans un corridor sombre, dont le plancher se mit à grincer.

– *Toi*, tu es peut-être fin prêt.

La voix de Jeremy commença à enfler, gagnant du terrain.

– Mais pour moi, tout arrive trop vite. J'ai besoin de tout revoir à mon propre rythme, et il me faut des détails. Des solutions d'urgence. On part après-demain, et aujourd'hui, on était censés travailler, mettre nos histoires au point. Mais jusque-là, qu'est-ce qu'on a fait ?... Après l'école, on a déposé Sara à la clinique, on est allés voir M. Wallace, et on a arrangé le rendez-vous de Cesar et de Nicole...

– Ton père est probablement aussi nerveux que toi.

Jeremy fit une pause pour reprendre son souffle.

– Lequel ?

– Celui de Wilmington, qu'est-ce que tu crois !

Encore une porte, et nous voici dans ma chambre. Rien de spécial à voir, dans cette pièce. Je n'ai jamais été doué pour la décoration. À la place des posters types et du capharnaüm propres aux adolescents, ma propre vision du monde, claire et sans bavure. La touche personnelle abandonnée au profit du strict nécessaire... un lit, deux chaises. Des étagères et une penderie. Un bureau d'occasion en bois massif.

Un répondeur téléphonique.

– Je crois, dit Jeremy en se laissant tomber sur une chaise, que ce n'est pas à toi de dire ce que mon... père pense.

– Il t'attend à bras ouverts, affirmai-je.

Retrouvant mon territoire familier, j'ôtai ma veste et m'appuyai au bureau, les bras croisés.

– Il nous attend tous les deux à bras ouverts. Ça devrait quand même compter un peu pour toi.

– Ça ne comptera pas beaucoup quand nous serons à Wilmington et que ton échange m'explosera à la figure.

– C'est *notre* échange, Jeremy. Et rien ne va exploser.

– Qu'est-ce que tu fais ?

Le doigt à quelques centimètres du répondeur, je suspendis mon geste.

– Je vais écouter ce message.

Jeremy prit un air lamentable.

– C'est juste un message, dis-je.

– Si tu crois que ça me rassure.

– Jeremy…

– Je n'ai même pas besoin de l'écouter.

Il se remit à parler vite, en se répétant.

– Ni de connaître les détails pour savoir ce qui va se passer. Tu m'avais *promis* qu'aujourd'hui, nous allions tout mettre au point, essayer d'aplanir les difficultés, et maintenant, on va encore passer à autre…

– Jeremy…

Cette conversation m'était familière.

– Tu m'as demandé de t'aider. Je le ferai. Mais pour l'instant, il faut que tu la fermes et que tu te maîtrises. Sinon, je laisse tomber, et tu n'auras plus qu'à te débrouiller tout seul face à ton père.

Jeremy leva les yeux sur moi.

– Il y a peu de chances.

– Comment ça ?

Je soutins son regard. Ne pas laisser une amitié de toute une vie interférer avec ce qui devait être réalisé. Ne jamais montrer un signe de lutte intérieure, malgré les questions récurrentes : était-ce Jeremy qui ne pouvait vivre sans moi, ou n'était-ce pas plutôt moi... ?

S'appuyant au dossier, Jeremy croisa les bras.

– Écoute ce message, concéda-t-il.

Quelques secondes plus tard, la voix de Sara s'éleva du répondeur.

– Bastian, c'est Sara... Je suis encore à la clinique. Oh là là, ça ne va pas te plaire... Ma mère est dehors, elle a amené une vingtaine d'amies avec elle. Elles brandissent des pancartes de protestation. Elles sont en train de prendre racine, Bastian, et la clinique ferme à 6 heures... Je t'en prie, trouve un moyen. Je ne peux pas rester ici éternellement...

Fin du message.

Sara Shaw, quinze ans. Fille d'Esther Shaw, chef de file du Mouvement des femmes pour le droit à la vie, en Caroline du Nord. Si Esther voyait sa fille sortir de cette clinique, ses questions ne pourraient conduire qu'à des réponses calamiteuses. Des témoins choqués. Et pour tout résultat, une punition qui durerait probablement le restant de sa vie. Sara Shaw, que j'avais toujours considérée, au lycée, comme une fille différente. Curieusement connectée à son environnement ; brèves conversations avec moi, révélant une forme d'adorable gentillesse. Rien de cette certitude naïve qui régit le comportement et l'état d'esprit des adolescents. Innocente, malgré ses nombreuses erreurs ; et je ne voulais pas avoir l'esprit envahi par son visage brouillé de larmes. Pas le temps de paniquer, pas le temps d'hésiter sous le regard furieux de mes quatre murs au visage de marbre.

J'étais déjà à la porte de ma chambre. Ma veste sur le dos, le loquet attendant d'être baissé, quand j'entendis Jeremy. Tournant la tête vers lui, je vis qu'il n'avait pas bougé de sa chaise.

– Qu'est-ce qu'il y a ? demandai-je impatiemment.

– La clinique ferme à 6 heures. Il est 4 heures. Dans soixante minutes, il sera 5 heures. On pourrait au moins passer cette heure-là à revoir nos plans ?

– Pour Sara, c'est important…

– Mon père aussi.

Deux ou trois mille idées me traversèrent la tête.

– Tu sais déjà grosso modo comment la faire sortir, continua Jeremy en fixant sur moi un regard intense. Je sais comment ton cerveau fonctionne. Ces protestataires ne vont pas bouger, et elle non plus. Alors, viens, Bastian. S'il te plaît, essayons de finir quelque chose aujourd'hui.

Ses paroles firent mouche, depuis l'autre bout de la pièce.

Je laissai ma main retomber.

Hochant la tête, Jeremy poussa un soupir.

– Bon… super…

Le téléphone sonna.

Jeremy sursauta et se redressa. Toujours assis, le corps de nouveau tendu à craquer, il attendit la seconde sonnerie, priant silencieusement pour que la première n'ait été qu'un mauvais rêve.

Raté. Le téléphone continua de sonner.

– Ne réponds pas ! dit-il.
– Et si c'est urgent ?
– On vient juste d'avoir un appel urgent.
– Et si c'en est un autre ?

Jeremy hésita, peut-être parce qu'il savait déjà… « Seulement en cas d'urgence. »

Le répondeur se déclencha.

« Salut, vous êtes sur le répondeur de Sebastian. Soyez bref. »

Un bip.

Puis la voix de Jenny.

– Bastian, c'est Jenny. Tu es là ? Décroche, décroche, décroche… D'accord, tu n'es pas là. Paul veut se suicider, il ne veut parler qu'à toi.

Jeremy :

– Bon Dieu !

Je pris le combiné.

– Salut, Jenny…

Une flopée de paroles, plus affolées les unes que les autres. Je l'interrompis. Rien que les faits. Paul. Sur le toit. Les jambes ballantes au-dessus d'un patio en briques rouges. Raison inconnue. Aucune réponse aux questions habituelles…

– Il ne parlera qu'à toi, Bastian, conclut Jenny. Maman et Papa seront à la maison dans une heure.

– J'arrive dans vingt minutes !

Je raccrochai et me ruai sur la porte.

Cette fois, Jeremy me suivit. Pas traînants dans le corridor, la cuisine, et de nouveau dans la lumière idyllique de l'après-midi. Encore une fois contourner la maison, encore une fois dans West Knox Street. Le sifflement lointain d'un train flottait dans l'air tandis que nous nous arrêtions à mi-chemin…

Quadrillage de marelle dans la rue où ma voiture aurait dû stationner.

Jeremy arriva à articuler :

– Bastian… Cesar nous avait déposés.

– Oui…

Je hochai plusieurs fois la tête.

– Oui. On dirait que ça se complique…

Il était 16 h 10.

2

Et Wilmington ?

Big Niko était un salopard rond et pugnace.

Un empilement de citrouilles vivantes, dotées de poumons. Nez bulbeux, moustache bien plus épaisse que sa tignasse, sur une tête démesurée. Fier propriétaire d'une chaîne de pizzerias qui prenait de l'ampleur. Trois à Durham, une à Raleigh, une autre à Chapel Hill. Et encore une à Charlotte, et sur la côte de Caroline du Nord. Il menait tout cela d'une main de fer, et ses employés faisaient en sorte que rien ne vienne entraver un service convenable. Les serveurs notaient les commandes dans le moindre détail, pour que ceux qui confectionnaient les pizzas ne puissent s'en prendre à eux s'ils se trompaient. Et ces derniers vérifiaient que chaque pizza correspondait bien aux exigences, afin que les serveurs n'aient pas à essuyer les reproches des clients…

Une équipe menée à la baguette, supervisée par Big Niko, qui veillait à ce que tout se déroule en douceur.

En douceur, bien que Big Niko eût ses problèmes personnels. Il avait la sale habitude de passer plus de temps avec un certain nombre de femmes qu'avec la sienne.

Incarnation de l'infidélité, c'était le seul homme capable, à ma connaissance, d'avoir aussi le temps de tromper ses maîtresses. Ce qu'elles lui trouvaient ? Je ne l'ai jamais très bien su. Elles admiraient l'homme d'entreprise, à en croire Big Niko lui-même.

Ses propres explications, les mensonges distribués à droite et à gauche à sa femme et à ses conquêtes, tout cela n'était jamais très convaincant. Niko avait l'esprit d'un homme d'affaires, mais dès qu'il s'agissait de se montrer subtil en société, les idées lui manquaient. Étrange contradiction pour un individu si enclin à vouloir que tout se passe bien. Mais le plus étonnant, c'est que je me retrouvais toujours en train d'arranger les choses avec l'aide d'un homme qui avait fait plus de conquêtes que don Juan. Cependant, après m'être dit pendant des années que c'était la façon dont le monde tournait, j'avais fini par croire que c'était normal.

Et en fin de compte, on ne pouvait pas nier que même les parfaits salauds étaient capables de tenir leur parole.

– Pizzeria Big Niko, dit la voix à l'autre bout du fil.

Je reconnus aussitôt l'accent grec, malgré le bruit et la fureur qui régnaient en toile de fond, avec les serveurs qui hurlaient leurs commandes.

– Ouais, Big Niko…

Je me fourrai un doigt dans l'autre oreille, en espérant que ça allait m'aider.

– C'est Sebastian, continuai-je.

L'horloge accrochée au mur de la cuisine indiquait 16 h 15.

– Salut, Sebastian !

La voix de Big Niko devint extatique.

– Comment va ?

– Maintenant que tu le demandes…

– Mon frère t'a envoyé le rapport que tu voulais ?

– Ouais, le truc de Wilmington, ça roule.

Jeremy surgit de la cuisine, un verre d'eau à moitié plein dans la main.

– Il y a un problème, pour Wilmington ?

Je lui enjoignis de se taire tandis que Big Niko poursuivait :

– Tu n'oublieras pas d'aller voir mon frère, le week-end prochain, quand tu seras à Wilmington avec Jeremy ?

Pas de temps à perdre en civilités. Je fonçai.

– Écoute, Niko, tu te souviens de Cindy ?

– Comment pourrais-je l'oublier ?

– Tu te souviens de Laura ?

J'imaginai la moue admirative se formant sur ses lèvres.

– Tu sais bien que oui.

– Tu te rappelles qui a sauvé tes fesses quand tu avais réservé la même chambre d'hôtel pour toutes les deux ?

Il y eut un long silence. Quelqu'un commanda une grande pizza aux poivrons…

– D'accord, Bastian. Qu'est-ce que tu veux ?

Voilà ce que je voulais entendre.

Quelques minutes plus tard, Jeremy et moi étions dehors.

Pour la troisième fois en une demi-heure. Les rues commençaient déjà à perdre leur exubérance. Les gamins rentraient chez eux à contrecœur, on fermait les portes à clé en attendant un coucher de soleil qui n'arriverait que dans une heure et demie. Acoustique d'un lieu déserté se prêtant à la prochaine question de Jeremy :

– Tu as envie de me dire quelque chose au sujet de Wilmington ?

– Ne t'inquiète pas, répondis-je en balayant la rue du regard.

– C'est ce que je dis à ma mère, et ça fait deux ou trois semaines que je lui mens.

– Elle t'a menti toute ta vie.

– Je ne devrais pas mentir à ma mère.

– Ne t'a-t-elle pas dit qu'elle t'avait menti pour ton bien ?

Jeremy fronça les sourcils.

– Si.

– Alors, où est la différence ?

– Je lui mens pour son bien ?

– Non, pour *ton* propre bien. Et ton bien, c'est exactement ce qu'elle veut, non ?

Au bout de quelques secondes, une camionnette s'arrêta devant nous dans un crissement de pneus. Couleurs criardes, inscription peinte sur le côté : GRANDE PIZZERIA BIG NIKO. Un enjoliveur avait disparu.

Jeremy et moi nous glissâmes à l'intérieur avant de refermer les portières.

Le conducteur était Olaf. Vingt-cinq ans. Un regard calculateur, des avant-bras d'aspect visqueux appuyés au volant. Je ne connaissais pas bien son histoire. Vie rude, temps difficiles, un dur à cuire qui avait passé le plus clair de son temps à élaborer des combines. Il était mince et ne manquait pas de charme, bien qu'il eût tout du fauteur de troubles. Peau claire et cheveux foncés. Des yeux bleus capables de transpercer du Kevlar.

– Je ne suis pas un putain de chauffeur, maugréa-t-il en faisant ronfler le moteur. On a perdu une commande à cause de toi.

Ce qui était sûr, c'est que la camionnette sentait à plein nez la pizza à l'anchois, sur laquelle Jeremy venait de s'asseoir.

– Big Niko sait ce qu'il fait, dis-je à Olaf.

– Et toi ?

– Je sais toujours ce que je fais.

Prenant le téléphone du véhicule, je composai un numéro.

– Tu permets ? dis-je.

Sans répondre, Olaf tourna à gauche.

3

Et si tu n'avais pas le choix ?

Je n'eus pas de chance avec mes deux premiers appels.

À la troisième tentative, je croisai discrètement les doigts.

Nous roulions dans West Chapel Hill Street. Partie de la ville mal entretenue. Dans ce secteur de Durham, on passait sans transition de la prospérité à la pauvreté. Stations d'essence abandonnées, fenêtres protégées par de tristes barres de fer. Rues décorées de bouteilles, trottoirs cassés, indifférents aux pas traînants des ouvriers mal payés. Le téléphone collé à l'oreille, je regardais par la vitre, tandis que les résidents adossés aux chambranles des portes suivaient des yeux les voitures lancées vers des destinations plus souriantes…

Ce fut la même réceptionniste qui décrocha. Une fois de plus, je demandai le bureau d'Anita.

– Essayez encore, dis-je.

Elle finit par me la passer.

Ma mère travaillait au *Durham Observer* depuis aussi longtemps que je pouvais me rappeler. Elle avait réussi à la force du poignet. Réceptionniste, assistante, elle avait fait aussi de la mise en pages et des corrections avant de devenir journaliste, en bas de l'échelle. Pas mal pour une mère célibataire de trente-six ans. Elle s'occupait de tout, elle était toujours là. Nous n'en espérions pas tant quand nous vivions à Chicago.

Quand elle prit le téléphone, elle semblait s'attendre à ma question.

– Ta voiture est au garage, dit-elle. Tu ne pouvais pas partir à Wilmington, ce week-end, sans que je la fasse réviser.

Je secouai la tête.

– Quand avais-tu l'intention de m'en parler, Maman ?

– Tu as un problème ?

Olaf roulait plus vite maintenant en direction de Forest Hills.

Assis sur le siège arrière, Jeremy avait l'air morose.

– Je dois aller à la clinique, dis-je à ma mère.

– La clinique ?

Sa voix trahit immédiatement de l'inquiétude.

– Pourquoi ? Est-il arrivé quelque chose à Sara ?

– Sa mère manifeste juste devant, avec une armée de défenseurs du droit à la vie prêts à se jeter sur tous ceux qui entrent ou qui sortent.

– Tu n'as rien trouvé de mieux ?

– Je ne plaisante pas.

– Moi non plus. Ça me met dans une situation délicate.

– En ce moment, Sara est dans une clinique qui pratique l'avortement, et qui est assiégée par sa mère. *Ça*, c'est une situation délicate.

Olaf me jeta un coup d'œil en biais.

Merde.

J'entendis ma mère crier quelque chose à quelqu'un. Au sujet d'une source fiable, puis elle me dit :

– Tu as mis Sara dans cette situation, tu n'as qu'à la sortir de là. Je suis désolée, mais j'en ai déjà trop fait pour cette fille. Il faudra que tu trouves autre chose.

– D'accord, d'accord… À ce soir, M'man.

– À ce soir, Seb.

Je raccrochai.

– Ta mère s'appelle Anita ? demanda Olaf.

– Oui, répondis-je en composant un autre numéro.

– Italienne ?

– Latino-Américaine.

– J'ai toujours cru que tu venais du Moyen-Orient.

Une fois mon numéro composé, je jetai un bref coup d'œil dans le rétroviseur latéral. Peau olivâtre, yeux noirs, sourcils épais. Nez quelque part entre trop long et plat. Cheveux bruns coupés court. Sans prétention…

Une infirmière répondit à mon appel. Voix calme, bien travaillée, professionnelle.

Je demandai si je pouvais parler à Sara Shaw. Quinze ans, peau claire, traits accentués, cheveux roux. Elle était sans doute assise à la réception. Une seconde plus tard, Sara était en ligne. Voix basse et tremblante, et je faillis être submergé par l'affection, que je redoutais presque. Je me souvins de la robe bain de soleil jaune qu'elle portait, le premier jour où elle m'avait parlé pour me demander de l'aide. Je la revis debout devant ma porte, apportant du nouveau dans une relation jusque-là distante.

Chaussée de sandales qui laissaient voir ses ongles peints en rose…

Mais cela ne servait à rien de s'appesantir. Ce n'était pas le moment de penser aux motifs floraux de la robe de Sara, ni à son regard sombre. Sa respiration haletante me rappela à l'ordre. Affrontant la réalité, je lui apportai un relatif réconfort en lui parlant. Je lui demandai de m'attendre, je serais là dans une demi-heure, promis.

– Que vas-tu faire ? demanda-t-elle.

– Tu vas bientôt le savoir.

Je replaçai le téléphone sur son support.

Nous roulions toujours. Une verdure suburbaine surgissait de nulle part. Nous passâmes en silence quelques feux de croisement, avant qu'Olaf finisse par dire :

– Alors, Sara Shaw s'est fait engrosser ?

– Ça ne te regarde pas.

Olaf garda les yeux sur la route, mais je les sentais sur moi.

– Et toi, je suppose que ça te regarde.

– J'essaie juste de l'aider.

– Ah ouais ? Je pourrais bien avoir besoin d'aide, moi aussi…

Cette voix très sûre d'elle. Un regard bleu glacier, celui de quelqu'un qui n'a jamais connu d'autres températures. Exigeant, sans demander franchement ce qu'il voulait.

– Écoute…

J'essayai de louvoyer.

– Je pourrais peut-être te donner un coup de main ?

– Et si tu n'avais pas le choix ?… rétorqua Olaf.

Ce n'était pas plus compliqué. Pas besoin de mentionner de nouveau Sara. Pas besoin d'aller immédiatement jusqu'au bout. Il parlerait quand cela lui conviendrait, et en attendant, je devais m'occuper de choses plus urgentes.

Un gamin de quinze ans suicidaire. Une barrière de protestataires prêtes à fondre sur n'importe quel employé ou patient entrant ou sortant de cette clinique. Un Jeremy de mauvais poil sur la banquette arrière, à deux jours, même un peu moins, de rencontrer pour la première fois son véritable père.

En route vers notre première étape, sous la conduite d'un gars de vingt-cinq ans au regard froid et calculateur.

4

Rien n'est gratuit dans ce monde, Paul

Forest Hills.

Arrivée chez les immensément riches et leurs secrets florissants. Des rues qui serpentent paresseusement, flanquées de demeures luxueuses, et bordées de trottoirs manucurés.

Multiples étages, longues allées, vastes pelouses, devant et derrière. Abritées des passants par un immense golf et une épaisse rangée d'arbres majestueux.

Olaf nous déposa chez Paul. Il rompit son vœu de silence juste à temps pour me faire savoir ce qu'il voulait, et à quel moment. Il ajouta un clin d'œil cristallin et démarra en trombe sans ajouter un mot.

Après avoir classé ces informations dans ma tête sous la rubrique « Nuisances temporaires », je passai à autre chose.

Jeremy et moi remontâmes l'allée centrale. Sol moelleux pavé de pierres, haies taillées de chaque côté, fleurs à couper aux changements de saison. Jenny nous attendait à la porte de chêne, vêtue d'un costume de corsaire, comme dans un film de cape et d'épée. Pantalon large, cheveux blonds en partie rejetés en arrière, chemise blanche déchirée, à moitié boutonnée. Maquillage très marqué autour des yeux. Chaussures marron à boucles de cuivre.

Jenny Inverso, la future perle du grand écran.

Je ne peux pas nier avoir eu une certaine attirance. Quand nous étions plus jeunes, un amour de collégiens. Je l'observais de mon bureau pendant qu'elle prenait des notes, ses cils se rejoignant toutes les deux secondes pour s'embrasser. Murmures du cœur, bonheur de l'attente anonyme ; tout cela paraît très lointain. Émotions sentimentales maintenant oubliées ; si les joueurs d'échecs apprécient leur reine, ce n'est pas pour autant qu'ils lui envoient des lettres d'amour…

– Je ne croyais pas que vous alliez y arriver, me dit Jenny en nous faisant entrer.

– Ta-ta…

Le père de Jenny est optométriste. Leur maison est l'œuvre de trois générations ayant exercé ce métier. Deux salons, huit chambres, quatre bureaux, deux tables de billard, une salle de gymnastique, un sauna, une piscine, treize WC, et seulement quatre vessies pour les remplir tous… Jenny nous fit passer d'une pièce à l'autre, par des corridors, des portes, tout en expliquant :

– Quand je suis rentrée de la répétition, il était là-haut. J'ai essayé de le faire descendre, mais il ne veut parler qu'à toi. Il ne m'a pas décroché un mot. Je ne pense pas qu'il ait arrêté de prendre ses médicaments, mais tu sais comment ça se passe…

Jenny nous emmena au premier étage.

Traversée d'une pièce bourrée de costumes, de celui du clochard à celui du cheik arabe en passant par l'uniforme d'un employé du gouvernement. Perruques de toutes tailles et de tous matériaux. La collection de Jenny, chaque accoutrement suspendu à sa place. Attendant d'être remarqué. Et d'être revêtu, pour n'importe quelle occasion théâtrale. Un ou deux attirèrent mon regard tandis que nous passions, et je pris mentalement quelques notes.

Ça pouvait toujours servir.

– Est-ce qu'on va bientôt arriver ? marmonna Jeremy.

– C'est par là ! répondit Jenny en indiquant d'un signe de tête une dernière porte à franchir.

La chambre de Paul était maculée de posters : James Dean, Jack Kerouac, Paul Newman, Humphrey Bogart, Richard Roundtree ; l'essence de la nonchalance affichée sur la moindre surface disponible. Même la moquette bleue et le mobilier en acier inoxydable dénotaient un détachement rêveur, reflétant le soleil de l'après-midi, qui s'engouffrait dans la pièce par deux fenêtres à l'autre extrémité.

L'une d'elles entrebâillée.

Et à travers cette fenêtre, Paul Inverso.

Nous tournant le dos. Assis au bord du toit, entouré de bardeaux rugueux. Veste grise enveloppant ses épaules voûtées. Tête aux cheveux blond terne penchée en avant, vers une possible destination.

– Jenny, attends-moi en bas.

Jenny ne bougea pas.

– Vas-y, dis-je. Jeremy te tiendra compagnie…

Jeremy lui adressa un sourire crispé.

Jenny hocha la tête. Elle me saisit la main, et ses yeux s'emplirent de larmes.

Étudiante en art dramatique.

Ce n'était plus du tout mon truc.

Jeremy la prit par le bras et l'entraîna. Il me décocha un regard irrité par-dessus son épaule. Mais j'avais d'autres chats à fouetter.

Paul.

Prenant une profonde inspiration, je retournai vers la fenêtre et grimpai. Posant le pied sur une inclinaison à quarante-cinq degrés, je m'éclaircis la voix.

– Paul ?

Pas de réponse.

– Arrête, Paul, je ne suis pas ta sœur !

Il soupira.

– Salut, Bastian.

– J'aime mieux ça.

J'approchai lentement du bord, en marchant de côté. Quelques branches tombées sur le toit s'éparpillèrent sous mes chaussures noires en imitation cuir. J'arrivai à côté de Paul. Baissant les yeux, je vis le patio de briques rouges. La piscine à quelques mètres sur la droite, le court de tennis à cent cinquante mètres à gauche. La maison était construite sur une pente, et la chambre de Paul, au second étage, se trouvait en fait au troisième par rapport au patio.

– Qu'est-ce qui t'arrive ? demandai-je. Est-ce que ce siège est pris ?

Paul secoua la tête. Il ramena ses genoux contre sa poitrine, les pieds à plat sur le toit.

Pas très rassuré, je m'assis et pris la même position. Le dépôt humide accumulé dans la gouttière menaçait de couler à l'intérieur de mon pantalon. Je sortis de ma poche un paquet de cigarettes et en offris une à Paul. Il l'accepta. Je lui tendis un briquet. Il restait cloué sur place, en sécurité.

Paul n'avait jamais fumé. Très concentré, il se débattit avec le briquet. Quand il parvint enfin à produire une flamme, il aspira de tout son corps, comme tous ceux qui fument pour la première fois. Il se mit à tousser et à avoir le hoquet. Je lui conseillai de s'allonger, sans bouger les pieds.

Pendant qu'il retrouvait son souffle, je fis ce que j'avais à faire.

Il se rassit et respira deux ou trois fois bruyamment. Puis il tira une autre bouffée, sans l'inhaler. Nous continuâmes à fumer en silence, et je laissai ce silence s'étirer aussi longtemps que l'horloge le permettrait.

Au bout d'un long moment, je finis par dire :

– Tu ne veux pas me dire de quoi il s'agit ?

– Tu dois me prendre pour un parfait loser parce que je t'ai appelé...

– Je ne te prends pas pour un loser.

– Si.

– De plus, qui se soucie de ce que je pense ?

Question discutable. Proche de la rhétorique. Paul m'admirait profondément.

Jenny n'était pas la seule à m'avoir dit qu'il rêvait d'être comme moi. Je ne savais pas très bien comment cela avait commencé, et j'ignorais aussi pourquoi le fait d'avoir des admirateurs à chaque coin de rue me mettait si mal à l'aise. Je savais seulement que Paul avait déjà fait une tentative de suicide, et que ses parents n'avaient pas réussi à infléchir sa dépression. S'ils arrivaient et le découvraient sur le toit, même si ce n'était qu'une simple menace de la part de Paul, il ne fallait pas demander ce qui se passerait. Un traitement. Un surcroît de médicaments. L'école remplacée par l'hôpital. Et comme d'habitude, Jenny serait rendue responsable de tout ce qui allait de travers dans cette maison.

Ces multiples possibilités me donnaient envie de fuir. Je ne voulais pas être pour eux une dernière bouée de sauvetage qui s'avérerait inefficace. Mais je n'avais pas le temps d'hésiter, car mes inquiétudes risquaient de se concrétiser dans moins d'un quart d'heure.

– J'ai un dernier recours, Paul. J'ai un plan pour te faire quitter ce toit sur tes jambes, mais j'aimerais mieux utiliser les bons vieux moyens.

– Qu'est-ce que tu veux dire ? interrogea Paul d'une voix atone.

– Tu ne sais pas où est ta place dans ce monde ? demandai-je.

Paul ne répondit pas aussitôt. Il baissa les yeux sur le vaste domaine d'arbres et d'herbe tondue.

– Ce serait chouette d'être comme toi…

– Comment ça ?

Paul resta encore silencieux quelques secondes, chacune ajoutant son poids à la petite aiguille de ma montre-bracelet.

Je m'éclaircis la gorge.

– Paul ?

– Tu as toujours l'air de savoir ce que tu fais, expliqua-t-il. Tu as un but, on dirait que tu comprends qui tu es, et moi, je me demande pourquoi je n'arrive pas à être comme toi.

– Peut-être parce que je suis censé être moi, dis-je. Pas de place pour l'incertitude.

– Comment fais-tu ? demanda Paul.

Malgré tous mes efforts, je laissai la sincérité faire une brève apparition.

– Je ne sais pas.

– Qu'est-ce que je peux faire ?

– Paul…

Je lançai ma cigarette par-dessus le bord du toit. En espérant que Paul n'allait pas la suivre.

– Si je pouvais t'aider sur ce point, tu aurais peut-être en partie raison d'avoir cette opinion de moi. Mais je ne peux pas. Je suis incapable de te dire ce que tu peux faire. Tu sais ce que ça signifie ?

Paul secoua la tête.

– Ça signifie qu'étant Paul Inverso, tu n'as pas à rêver d'être comme Sebastian. Parce que Sebastian n'est pas capable de te convaincre de quitter ce toit. Et Sebastian ne peut pas non plus te dire qui tu es. Tu me suis ?

Paul hocha affirmativement la tête, mais la partie n'était pas encore gagnée.

– Mais ce que Sebastian peut t'affirmer, c'est que ton père et ta mère vont arriver d'une minute à l'autre, continuai-je. Et tu sais aussi bien que moi qu'ils comprennent encore moins que toi ce qui t'arrive. Dès qu'ils auront pigé la situation, ils tireront des conclusions. Ils prendront des mesures, avec ou sans ta bénédiction. C'est vrai, tu es un type spécial, Paul, comme tous les adolescents. C'est leur malédiction. Alors, sur qui dois-tu compter ? Pas sur moi, mon vieux…

Paul soupira.

Dans ce souffle léger, je reconnus quelque chose. Un sourire, peut-être pas encore visible, mais à l'affût au coin de ses yeux. Faisant son chemin à travers la situation présente. Je me détendis, et laissai Paul faire le reste. Toute parole supplémentaire n'aurait servi qu'à souligner nos progrès, et je n'avais pas de temps pour ça.

Paul tourna la tête vers moi.

– C'est juste que… c'est dur.

– Tu peux m'en parler.

– Je ne veux pas être optométriste.

– Personne ne veut être optométriste.

Paul eut un rire bref.

– Jette ta cigarette, lui dis-je.

Il jeta sa baguette à cancer dans la gouttière. Elle s'éteignit.

– Merci de m'aider, dit-il.

– Rien n'est gratuit dans ce monde, Paul.

Il releva les sourcils, curieux. Curieux parce que, bien que le pire ait été évité, restait son indéniable admiration. Sa boulimie de faire plaisir. Son désir de suicide apaisé par le simple fait que j'étais venu le voir. Il pouvait y revenir un jour, mais pour l'instant, chaque chose en son temps.

L'aiguille se rapprochait de 17 heures.

Et dans une heure, de 18.

– Sebastian ?

– Oui, Paul ?

Le danger passé, Paul semblait presque décontracté.

– C'était quoi, ton recours ? Ton dernier recours pour me faire quitter ce toit sur mes jambes ?

– Chantage.

– Quoi ?

Je pointai le doigt vers le bas, et Paul le suivit du regard. Il observa longuement. Il ne saisit pas tout de suite, mais lentement, il finit par se rendre compte jusqu'où j'avais été capable d'aller. Une espèce de reconnaissance complètement cinglée, c'est bien la façon dont j'espérais qu'il prendrait la chose.

– Oh ! fit-il.

– Comme tu dis.

– Quand as-tu noué nos lacets ensemble ?

– Pendant que tu étais étendu sur le dos à cracher tes poumons.

Paul médita quelques instants.

– Une autre bonne raison de ne pas être moi, dis-je.

– Mais une raison assez bonne pour t'aider, non ?

– Si tu ne le fais pas, je n'aurai peut-être plus qu'à sauter…

Paul se mit de nouveau à rire et, sur le toit, l'après-midi commença à se rafraîchir.

5

Des services d'une autre nature

Une fouille rapide dans la collection privée de Jenny donna d'excellents résultats. Parmi les déguisements qui tapissaient le mur furent extraits une salopette marron et quelques accessoires. Paul s'habilla à toute vitesse. Le temps pressait. Quelques instants plus tard, nous étions prêts à partir.

Dans la voiture de Jenny, une super BMW des années soixante.

Je pris le volant, Paul s'installa à la place du mort, et Jeremy à l'arrière.

Enfilade de rues glauques. Fabriques de tabac en briques rouges, désaffectées depuis longtemps, petites entreprises enfoncées par la concurrence installée en banlieue, ribambelle de centres commerciaux. Structures de béton dont personne ne se rappelait la raison d'être. Bâtiments municipaux sur le point de fermer, là où je garai la voiture, à un pâté d'immeubles de la clinique.

Même à cette distance, nous entendions les cris outragés des protestataires. Elles étaient agglutinées dehors. Une vingtaine, vingt-cinq, peut-être. Difficile à dire. Pancartes brandies très haut. Équipes de télévision pour le journal du soir. Surveillance rapprochée, ajoutant l'insulte à l'injure. Pas très beau à voir, et je sentis la résolution de Paul fléchir.

– Est-ce que c'est trop tard pour que je me tue ? interrogea-t-il.

– Beaucoup trop tard.

Paul tirailla la salopette, qui n'était pas à sa taille.

– Ça me paraît un peu trop risqué, même pour toi. Ce n'est pas comme si Sara était ta petite amie.

– La question n'est pas là, dis-je. Sara n'a pas l'âge de décider toute seule de se faire avorter. J'ai demandé à quelqu'un d'imiter la signature de ses parents sur le formulaire d'entrée.

– Merde, Sebastian…

– Si la mère de Sara découvrait ça, la vie de Sara serait foutue. Je ne suis pas fier de ce que j'ai fait, et ça ne m'amuse pas plus que toi, mais…

– Et le père ?

– Sara refuse de dire son nom, répondit Jeremy.

Tous ces préliminaires semblaient l'agacer. Il voulait passer à l'acte.

– Et Bastian n'a pas réussi à découvrir qui c'était, ajouta-t-il.

Les yeux de Paul s'illuminèrent.

– Mais moi, je parie que je vais trouver !

Je ne voulais surtout pas que quelqu'un s'engage plus que nécessaire. Cependant, avant que je puisse exprimer quoi que ce soit, Paul commença à me tarabuster, disant que, d'ici un ou deux jours, il saurait qui était le père. Il avait tellement envie de se rendre utile que je finis par me laisser convaincre.

– Fais ce que tu voudras dès que tu pourras, Philip Marlowe, dis-je en lui tendant une casquette marron et une perruque blonde à longue queue-de-cheval. Mais pour l'instant, on a besoin de services d'une autre nature...

En soupirant, Paul coiffa la perruque et rejeta la queue-de-cheval dans son dos.

– J'espère que tu sais ce que tu fais, Bastian.

– Je sais toujours ce que je fais.

Il ajusta son déguisement. Vissa la casquette sur la perruque et tira la visière sur ses yeux. Prenant une profonde inspiration, il descendit de voiture. Par la vitre baissée, je lui tendis un paquet brun. Il le coinça sous le bras droit et partit à grandes enjambées vers la clinique. Je le suivis des yeux. Il s'approcha des manifestantes, qui commencèrent à l'entourer. Je retins mon souffle pendant qu'il prenait ses jambes à son cou pour traverser leurs rangs, en leur criant qu'il avait un paquet à livrer, qu'il faisait son boulot. Il me sembla apercevoir Esther, la mère de Sara, disant aux autres de le laisser passer. Paul disparut par la porte principale tandis que le groupe se reformait derrière son passage.

Première étape réussie.

À peine avais-je poussé un soupir de soulagement que j'entendis la portière arrière s'ouvrir et se refermer.

Jeremy se pencha par la vitre avant.

– Je me tire, Bastian.

– Où vas-tu ?

– Chez moi.

– On n'a même pas parlé de ton père.

– À qui la faute ?

– Écoute, je te promets que demain, tu auras toutes les informations que tu veux.

– Demain ?

La voix de Jeremy grésillait de colère, ce n'était plus de la simple exaspération.

– Avais-tu seulement l'intention de discuter de quoi que ce soit avec moi, aujourd'hui ?

– Jeremy…

– Garde ça pour ton putain de prochain client, Baz…

Jeremy fila vers l'abri de bus à grands pas furibonds. Les mains fourrées dans ses poches. J'imaginai facilement l'expression troublée et blessée de son visage. La moitié de sa lèvre inférieure disparaissant entre ses dents, qui devaient mordre avec toute la frustration du monde. Perdant un instant les pédales, je posai la main sur la poignée de la portière. J'allais l'appeler quand j'entendis celle du passager s'ouvrir et se refermer.

Je tournai la tête. Sara était là. Vêtue de la tenue de coursier de Paul, perruque blonde, casquette foncée, et tout. J'oubliai Jeremy. Retour à notre préoccupation du moment. Je demandai à Sara si quelqu'un l'avait reconnue quand elle était sortie.

Elle secoua la tête et ôta la perruque. Cheveux roux cascadant sur ses épaules, assortis au rouge de ses joues. Mains tremblantes.

J'hésitai.

– Ça va ?

– Un peu nauséeuse.

J'acquiesçai d'un petit signe de tête.

– Baisse la tête entre les genoux et respire à fond.

Sara s'exécuta et se mit à parler, sa voix assourdie s'échappant vers le tapis de sol.

– C'est bon, Bastian, je vais bien… je vais bien. C'est juste que… c'est vraiment basique, ce qu'ils te font là-dedans. Presque moyenâgeux.

Elle semblait sur le point de pleurer.

– En y allant, je savais ce qui m'attendait, mais il faut croire que je n'étais pas préparée. Bon sang, tu peux presque sentir…

– N'y pense plus. C'est terminé maintenant, tu n'as plus qu'à respirer… détends-toi.

Sa respiration ralentit. Ralentit.

Je vis son dos se soulever et s'abaisser.

Je tendis la main vers son épaule.

Et suspendis mon geste entre nous, doigts figés en l'air.

Incapable de faire quoi que ce soit.

La regardant respirer.

Soupirer.

Se détendre…

Quelqu'un sauta sur le capot de ma voiture en poussant un hurlement terrible.

Sara se redressa avec un cri de surprise. C'était Paul, étalé sur le pare-brise. Grands yeux terrifiés. Poursuivi par les protestataires, il me criait : « Roule, roule, roule ! »

Faisant démarrer la BMW, j'appuyai sur le champignon. Demi-tour sur l'aile, Paul toujours désespérément accroché à l'engin. Sa jambe gauche se balançait au milieu de la circulation. Il ne cessa pas de crier pendant que les manifestantes faisaient cercle autour de nous. Le pneu droit rencontra le trottoir, le pare-chocs faillit accrocher un horodateur. Je tournai abruptement le volant à gauche, arrivant je ne sais comment à redresser la voiture tandis que Sara éclatait d'un rire hystérique à travers ses larmes, qui séchaient rapidement…

– Bastian, tu es un génie ! s'exclama-t-elle.

– Je plaide coupable ! Tiens bon !

J'accélérai, laissant le rétroviseur s'inquiéter de la petite foule.

Au moment où j'arrêtai la voiture pour que Paul puisse monter à l'arrière, il était 18 heures.

L'heure de rentrer à la maison et de consulter mon répondeur téléphonique.

6

Premier interlude

Voici ce que Dromio me raconta…

Aux environs de l'heure à laquelle Paul m'avait déposé chez moi, le soleil se couchait sur la côte de Caroline du Nord. Jaune très foncé, orange, puis sur le point de virer au rouge tandis qu'il s'enfonçait vers une ligne d'horizon composée de maisons en front de mer.

Rien que deux ou trois citoyens sur la plage. Sous l'œil des maisons surveillant ceux qui n'avaient pas succombé à l'appel du dîner. Quelques joggeurs, des promeneurs nonchalants, les rares personnes qui ne se lasseraient jamais d'un coucher de soleil. De minuscules oiseaux montant et retombant en piqué au gré de la marée basse. Une vague recouvrit un coquillage d'une grosseur inhabituelle, et s'arrêta aux pieds de Dromio Johansson…

La quarantaine. Visage révélant un nez qui semblait avoir reçu sa part de directs du poing droit. Lèvres minces, sourcils arqués au-dessus d'une paire d'yeux que la sagesse avait fait rajeunir. Gestes vagues, sujets à interprétation, même quand il se pencha pour ramasser le coquillage, et qu'il se releva et l'approcha de son regard scrutateur…

– Ce coquillage existait probablement bien avant la cassure de l'Atlantique Sud. Il a vu les dinosaures apparaître et disparaître. En fait, l'iridium qu'il contient pourrait certainement nous apprendre si c'était une météorite ou…

– Papa… !

Voix hésitante venant de sa gauche. Intervention timide d'une jeune fille de seize ans, de petite taille, aux cheveux noirs très courts. Chemisier blanc et short en jean. Appareil dentaire dissimulé sous des lèvres boudeuses mais généreuses. Des yeux bruns, en amande comme ceux d'un chat, et le visage incroyablement intelligent d'une fille nommée Matilda.

– Papa, tu éludes ma question, dit-elle.

Elle lui lança un regard impatient.

– Tu éludes ma question !

– C'est ton frère, Mattie…

– Jeremy n'est pas mon frère.

– Il l'est, que tu le veuilles ou non.

– Par la génétique, mais je préfère voir la famille comme quelque chose qui échappe à l'ADN ou à des greffes de reins…

Matilda baissa les yeux sur le sable. Y enfonça les orteils.

– La vérité, c'est que Christina représente pour moi ce qui se rapproche le plus d'un parent. Et si Jeremy doit rester avec nous, je ne vois pas pourquoi elle ne pourrait pas passer la semaine avec nous, elle aussi.

– Peut-être que si tu apprenais à connaître Jeremy, à ne plus voir seulement en lui une question d'ADN.

– Tu n'aimes pas Christina, Papa.

Le vent faillit engloutir les murmures de Matilda.

– C'est la seule raison pour laquelle tu ne veux pas qu'elle vienne.

– Et toi, tu as déjà décidé de ne pas aimer ton frère…

Dromio garda les yeux rivés sur l'océan. Le coquillage à la main, comme s'il le soupesait pour en évaluer la valeur.

– C'est la seule raison pour laquelle tu souhaites la présence de Christina, conclut-il.

– Je veux qu'elle soit là parce que j'ai besoin d'une amie !

– Tu veux dire : d'une… alliée.

– De quelqu'un qui comprenne… insista Matilda.

La frustration menaçait de lui couper le souffle.

– Je veux voir quelqu'un qui comprenne que ce n'est pas normal d'accueillir pendant toute la semaine un fils avec lequel tu n'as jamais vécu *et* son meilleur ami. Tu y es peut-être préparé, mais pour moi, c'est allé trop vite… Jeremy est ton fils, et tu ne peux pas être là pour nous deux.

Dromio se désintéressa de la conversation pendant un moment. C'est ce qu'il m'expliqua. Il s'en éloigna pour se poser des questions différentes de celles que j'allais me poser la semaine suivante.

– Mattie, risqua-t-il. Je suis là depuis le premier jour. Chaque année depuis que tu es née. Tu m'as eu toute ta vie, alors pense au moins au courage qu'il a fallu à Jeremy pour me demander une seule semaine de la mienne.

Matilda était vaincue. Son exaspération contenue, tenue en bride par les paroles de son père. Épaules rentrées. Regard baissé, une fois de plus. Lèvres pincées sur ses dents armées, elle répondit de la seule façon possible, bien résolue ce soir à avoir le dernier mot au moins sur un point :

– L'iridium se trouve dans les roches sédimentaires, Papa… pas dans les coquillages…

Dromio la regarda. Reconnut une petite facette de lui-même quelque part dans ce bizarre fouillis génétique.

– Je te jure, si tu n'avais pas cet appareil dentaire, je ne croirais jamais que tu n'as que seize ans. Combien y a-t-il de semaines dans seize ans, peux-tu me le dire ?

– Huit cent trente-deux, marmonna Matilda. Et demie, je suppose, si on compte les quatre années bissextiles.

– Et dans quarante-sept ans ?

– Deux mille quatre cent quarante-quatre, à vue de nez.

– Alors, ça n'a rien d'étonnant qu'une semaine n'ait pas la même valeur pour toi que pour moi…

Dromio imagina quelques scénarios, puis il serra les lèvres avant d'émettre un léger bruit en guise de conclusion.

– Bien, je crois qu'il n'y a plus à discuter. Tu as gagné, ma chérie. Christina peut rester ici toute la semaine.

L'humeur de Matilda changea aussitôt. Ses grands yeux brillant derrière ses lunettes, elle se jeta au cou de Dromio et se mit à rire. Appuya son visage contre sa chemise jaune, le nez enfoui dans les palmiers bleus disposés en rayons. Le sourire de Dromio atterrit près de son oreille quand il ajouta :

– Mais il faudra que tu apprennes à connaître Jeremy.

Matilda recula pour le regarder.

– Est-ce que je suis obligée de l'aimer ?

Dromio haussa les épaules.

– Non, pas tant que je continuerai de ne pas aimer Christina.

– Marché conclu.

Matilda frappa dans la main de son père, Dromio Johansson, qui semblait avoir une idée derrière la tête. Travaux jalousement gardés d'un cerveau qui n'abandonnait jamais la partie. À la recherche d'une plage qui servirait de décor pour une visite inattendue du passé, il prenait note de chaque vague mourante comme s'il avait déjà pensé à elle…

Du moins, c'est ce que Dromio me raconta.

7

Le dernier paragraphe

Le soleil disparut, remplacé par des rues abandonnées et les ombres du soir, 21 heures.

Je m'assis à mon bureau, seul avec la faible lueur jaune d'une ampoule de 45 watts. Sur Radio jazz, des échos de Miles Davis remplissaient l'espace vacant laissé derrière elles par les activités diurnes.

Je tapai encore quelques phrases, il ne me manquait plus qu'un paragraphe pour terminer ma dissertation. Je fis une pause, écoutant Miles Davis. Remuai sur mon siège, dont les roues grincèrent tranquillement sur le plancher nu. Je baissai les yeux sur mon clavier.

Avant de les reporter sur le téléphone.

Le répondeur n'accueillait plus les problèmes des autres.

J'attendis.

Me tournant pour regarder par la fenêtre, j'aperçus un réverbère qui répandait une pâle lueur blanche. Un chat de gouttière se mit à rôder dans ce cercle brillant, à pas tranquilles et gracieux, perdu dans ses pensées…

Le chat retourna dans l'ombre.

Il se fondit dans l'obscurité.

Je fis un effort pour me remettre à ma dissertation. L'esprit ailleurs, je clignai des paupières ; sur l'écran, le curseur était coincé entre les mots *Psyché* et *Satisfait*.

Je tapai une rangée de 2.

Les effaçai.

Fis la même chose avec le chiffre 3.

Que j'effaçai.

Jetai un coup d'œil sur le téléphone.

Secouai la tête pour m'éclaircir les idées, et ma chaise à roulettes recula contre le mur, produisant un son léger.

Je sortis de ma chambre.

Dans le couloir, puis dans la cuisine.

Ma mère était assise à la table de bois massif. Ses cheveux, retenus derrière sa tête, formaient une masse bouclée, noire comme le jais. En pantalon de jogging et T-shirt noir, elle triait des factures sous l'œil indifférent du plafonnier, qui diffusait une lumière avare sur sa peau brune et satinée.

Au-dessus de l'évier, un tube fluorescent bourdonnait. Le réfrigérateur vert clair se joignait au concert. Je m'assis en face de ma mère.

Elle leva les yeux.

– Coucou…

– Coucou !

– Tu fais une pause ?

J'acquiesçai d'un signe de tête peu convaincu.

– Mon esprit vadrouille.

– Rien d'anormal, Seb. Ça arrive à tout le monde.

Mal à l'aise, je haussai les épaules.
– C'est le dernier paragraphe.
– N'en fais pas une maladie.
Je hochai encore la tête.
– Tu veux un peu de rhum ? demanda-t-elle. J'ai du Coca, aussi. Un petit Cuba libre ?
– Un Cuba libre se fait avec du rhum de Cuba.
– Tu veux nager jusque là-bas et m'en rapporter ?
Je souris.
– Va pour un Cuba libre.
Ma mère se rendit à la cuisine et remplit deux verres en plastique de Coca et de rhum. Sans glace, le freezer étant hors service depuis une semaine.
Je bus une gorgée, voguant vers un lieu où je n'avais jamais mis les pieds.
– Sara m'a demandé de ne pas aller à Wilmington, hasardai-je.
– À sa place, j'aimerais que tu sois près de moi.
– Elle s'inquiète.
– Pourtant, tout s'est bien passé, non ?
– Elle s'inquiète quand même.
– Sara a beaucoup de chance d'avoir quelqu'un comme toi pour la soutenir.
– Tu tries des factures ?
Ma mère sirota sa boisson.
– Les impôts. Cependant, il y a un bon côté. Je vais bientôt déposer le dernier chèque que tu as reçu.
– Mmm...
– Ça va te faire environ 26 000, d'après mes derniers comptes.

– Je ne veux pas de prêt pour étudiant.
– Je sais.
– D'accord, c'est un service, mais ils n'ont aucune excuse pour la façon dont ils traitent les gens.
– Ce sont les affaires, Seb. Tu le dis souvent, à ton sujet.
– C'est différent.
– Mm…

Ma mère sortit un paquet de Basics. M'en offrit une, et les alluma toutes les deux. La fumée s'enroula autour de notre conversation en suspens. Nous restâmes silencieux quelques secondes. Je buvais mon rhum-Coca, en m'émerveillant une fois de plus que ma mère n'ait que dix-huit ans de plus que moi.

– Tu sais ce qui est bizarre ? dis-je.
– Quoi ?
– Pour la plupart des garçons de mon âge, c'est la chose la plus étonnante au monde que tu me laisses boire et fumer. Dans notre maison, en plus.
– Eh bien…

Elle termina sa boisson.

– Tu es probablement le seul, parmi eux, qui n'en profite pas pour passer en douce de la Boca Chica et te mettre à en fumer.

Je fis une grimace.

– La drogue, c'est pour les losers.

Ma mère se mit à rire. Elle avait un rire parfait. Même en pleine crise d'hystérie, elle pouvait retrouver ce rire qui s'égrenait note après note, chacune finement modulée.

Je me levai et contournai la table pour l'embrasser sur le front.

Fermant les yeux, elle sourit.

– Merci.

– Je suis dans ma chambre, si tu as besoin d'aide pour cette aberration.

– Tu es un bon gosse, Seb…

Elle me fixa d'un air très sérieux.

– Tu le sais, n'est-ce pas ?

Faisant une pause, je lui adressai un sourire qui n'aurait jamais dû être là.

Je lui fis un clin d'œil, la laissant imaginer la part qu'elle avait dans notre vie commune. Je retournai dans ma chambre, où s'élevait maintenant la voix de Dinah Washington, qui me rappelait qu'une journée pouvait apporter des changements. Je me rassis devant mon vieux Macintosh et relus plusieurs fois l'en-tête qui barrait l'écran :

INCESSAMMENT SOUS PEU…

Je déplaçai la souris, confronté une fois de plus à ce dernier paragraphe. Pensant à toutes les dissertations que j'avais écrites, toujours terminées le jour même où le sujet était donné. Il fallait en finir avec ce dernier paragraphe. Toutes ces soirées passées à tenter de venir à bout de ces quelques phrases. Nuit après nuit à essayer d'achever quelque chose qui, avant, était si facile… C'était préoccupant. Que resterait-il quand tous ces événements rentreraient dans l'ordre en arrivant à leur inévitable conclusion ?

Exactement comme ce soir-là. Avec chaque mot qui me rapprochait de la fin, je devenais de plus en plus conscient de ma chambre parfaitement vide. J'écoutais la voix de Dinah Washington, qui transformait le moment le plus agréable en réflexion mélancolique.

Mes coups d'œil vers le téléphone se multipliaient. Dans l'attente d'un appel.

Dans l'attente de la prochaine urgence.

Avec l'espoir secret d'avoir une conversation avec quelqu'un, n'importe qui, au milieu de cette ville silencieuse et bien intentionnée.

VENDREDI

8

Bonne journée !

Je me réveillai au signal d'une horloge interne. Fixant les yeux au plafond, je chassai mes rêves, et aussitôt rassemblées, mes idées s'organisèrent. Je laissai le scénario se dérouler dans ma tête pendant que j'allais prendre une douche. Il n'y eut plus d'eau chaude et je sortis du bac en poussant un juron. Je m'enveloppai dans une serviette, me séchai et m'habillai.

Au moment où j'entrai dans la cuisine, ma mère en sortait précipitamment.

– Tu as fini ta dissertation ? demanda-t-elle en glissant la bride de son sac à l'épaule.

– Je n'avais pas vraiment le choix.

– Tu dîneras à la maison ?

– Je ne crois pas.

– J'ai un rendez-vous ce soir. Passe une bonne journée.

– Toi aussi, M'man.

La porte se referma derrière elle. Le silence et les ombres grises du matin emplirent la maison. Je me préparai une tasse de café, m'assis et la sirotai en solitaire. Je passai en revue le programme de la journée, mon travail inachevé me harcelant comme une maîtresse abandonnée. Dans vingt-quatre heures, Jeremy et moi devions aller à Wilmington, et je luttai contre une armée de doutes. Le regard dans le vide, j'apprenais par un conciliabule imaginaire que ce voyage allait faire courir un risque à toute la compagnie. Les données démographiques de notre Sara étaient toujours incertaines, la vie amoureuse de Cesar était encore sous-développée, et Olaf faisait des négociations commerciales musclées... Drôle de petit drame, que je passai en revue dans ma tête tout en m'y préparant.

Cette journée allait être mémorable, ça ne faisait aucun doute.

Le temps filait. Avec un sourire coupable, je retournai dans ma chambre. J'imprimai ma dissertation, que je relus pour être sûr qu'il n'y avait pas de fautes. J'emballai quelques livres dans mon sac. Ma tasse alla rejoindre le reste de sa famille dans l'évier.

J'appelai Federal Express et vérifiai une livraison avant d'attraper mes clés.

Deux minutes plus tard, je me retrouvai au volant de ma voiture.

Le moteur se mit à ronronner. La journée de vendredi était bien entamée.

9

Inquiétudes inutiles

Arrivé sur le parking. Une place libre.

Je me dirigeai vers le bâtiment principal de Brookside High. Une infrastructure de briques éparpillée sur une superficie de deux hectares parsemée de petits points, les élèves, semblables à des fourmis. Se précipitant quelque part, marchant avec nonchalance ou bavardant. La fièvre printanière gagnait du terrain, et dans une joie exubérante, tout le monde se rassemblait pour la dernière ligne droite.

Hochements de tête respectueux et signes de bienvenue, à droite et à gauche, de la part de professeurs et de plusieurs élèves. Poignées de main, brèves plaisanteries, une faveur occasionnelle par-ci par-là. Je fis ce que j'avais à faire, parcourant sans arrêt d'immenses couloirs bordés de casiers, et d'affiches qui encourageaient les élèves à entrer à l'université. Grondement de hall de gare quand la première sonnerie retentit.

J'ouvris mon casier, dont l'intérieur était tapissé de Post-it jaunes. Je les parcourus du regard et en pris quelques-uns dont je m'étais déjà occupé. Après les avoir triés et classés, je refermai bruyamment la porte métallique. Jeremy surgit près de moi. Même expression que la dernière fois. Peut-être un peu plus paniqué à l'approche du jour J.

– C'est pour demain, dit-il.

– Tiens, c'est drôle…

Je regardai autour de moi. Les étudiants se dirigeaient vers leurs cours du matin, sur les ordres impérieux de l'horloge.

– … j'aurais juré que c'était pour aujourd'hui.

– Tu me dois quelques informations, dit-il.

– Sérieux, Jeremy, je suis réellement désolé pour hier. Je ne savais pas que la situation allait nous échapper de cette façon.

Sans rien dire, Jeremy attendit la suite.

– Je suis sincère, Jeremy.

Et c'était vrai.

– Ce matin, à table, j'ai pensé à demain. Ce n'est pas seulement un problème à résoudre, c'est une chose réelle que nous faisons là. Moi non plus, je n'ai pas de père, et si je devais le rencontrer pour la première fois, j'aurais peur, moi aussi. Il s'agit de *ton* père, et pourtant, moi aussi je suis nerveux. Tu serais fou si tu ne l'étais pas, alors je comprends, et je te prie de m'excuser…

Jeremy hésitait, le regard encore piégé entre des pensées conflictuelles.

– Ton cœur ressemble à un hologramme, tu sais ça ?

J'ouvris la bouche.

La refermai, et la rouvris.

– C'est un compliment ?

– Je n'en suis pas sûr.

– Jeremy…

– Bon, d'accord…

Nous nous dirigeâmes vers le premier cours de la journée.

– Que tu sois sincère ou pas, j'ai le droit d'avoir les nerfs en pelote, dit-il.

Quelque chose de nouveau perçait dans sa façon de parler. Je lui demandai s'il avait un problème.

– Je crois que ma mère est au courant, répondit-il.

– Impossible !

– Elle avait un drôle d'air ce matin. Il n'y a qu'elle pour prendre un air pareil. Comme si elle savait.

– Toutes les mères sont comme ça. C'est ce qui en fait des mères.

– Elle veut te voir aujourd'hui.

La dernière sonnerie se déclencha alors que nous arrivions devant la salle 203. Les élèves se faufilèrent entre nous. J'attendis que le flot diminue pour demander :

– Pourquoi ?

– Elle sait pourquoi nous allons à Wilmington.

– Tu te biles pour rien, Jeremy.

– Si j'avais certaines informations que tu m'avais promises, je me sentirais beaucoup mieux.

Nous étions en retard et, comme d'habitude, l'emploi du temps se mit en travers de notre conversation.

– Première heure de cours, toutes les informations seront délivrées sous forme matérielle et substantielle. Jusque-là, je ne veux plus entendre un seul mot de toi.

Je le laissai sur le seuil et, un instant plus tard, il me suivit dans la classe.

10

Qu'y a-t-il dans ce paquet ?

– Voici le scénario…

M. Wallace fit une pause, se comportant comme s'il improvisait son cours.

C'était mon boulot de savoir tout ce qu'il y avait à savoir sur chacun, mais je n'ai jamais compris comment un vieux joueur de cartes et un tricheur professionnel comme lui avait pu quitter Glasgow pour venir enseigner l'histoire à des ados dans un bahut de Caroline du Nord. Cheveux roux en bataille, attachés en queue-de-cheval. Costume bien coupé, pantalon coincé dans des rangers, large carrure, démarche glissante. Quelque part, cela ne collait pas avec l'idée qu'on pouvait se faire de lui.

Mais c'était un homme de spectacle, qui avait un grand sens de l'espace. Il ne nous quittait pas des yeux quand il se déplaçait jusqu'à la fenêtre. Une fois de plus, la journée était ensoleillée, les ciels gris tenus en respect tandis qu'il nous tournait le dos.

– Imaginons que vous êtes en Californie et que votre femme vit ici en Caroline du Nord, le ventre rond comme la Terre, le bébé en route. En 1885, il aurait fallu deux semaines pour que le Pony Express vous apporte la nouvelle. Mais avec la naissance du télégraphe, il ne vous aurait fallu qu'une ou deux minutes pour savoir que vous étiez devenus mère ou père…

Quelques rires, quelques regards troublés.

Je souris en douce en voyant une note atterrir sur mon bureau. Envoyée de quelque part à l'autre bout de la salle.

– Bien, poursuivit M. Wallace. Je vous avais prévenus qu'aujourd'hui, nous aurions une petite séance sur les moyens de communication modernes…

Je pris la note, pliée en quatre. La dépliai et lus rapidement les quelques mots griffonnés. Obscènes. Une proposition de me lécher comme une crème glacée. Je levai les yeux vers l'autre extrémité de la salle. Deux filles me lorgnaient avec un sourire narquois. Quelques clins d'œil, et l'une se passa la langue sur les lèvres. Je hochai poliment la tête, repliai le papier en remarquant que le bureau de Sara était vide. Je sentis aussi le regard insistant de Jeremy. Quand il eut capté le mien, il articula quelques mots avec une impatience silencieuse: « Alors ? »

– Donc…

M. Wallace regagna sa chaise. Les mains derrière la tête, les pieds sur le bureau.

– Quelqu'un est-il prêt à commenter la disparition du Pony Express et à me parler de ceux qui l'ont remplacé ?

Un coup frappé à la porte.

Je jetai un coup d'œil à l'horloge. Les aiguilles indiquaient 9 h 10.

Wallace bondit de son siège.

L'air renfrogné, il se dirigea d'un pas vif vers la porte, qu'il ouvrit avec un geste théâtral dans l'espoir d'intimider la personne, quelle qu'elle soit, qui osait bousculer son emploi du temps et interrompre sa pensée. Il n'était pas préparé à ce qu'il allait voir, et son expression furieuse fit place à un air complètement désemparé quand il se trouva en face d'un coursier de Federal Express.

Il s'appelait Bobby. Pantalon blanc et chemise violette. Peau sombre, écouteurs en bandoulière autour du cou, sur lequel dégoulinaient quelques fines dreadlocks. Un paquet sous le bras, un cahier sous l'autre.

– Federal Express pour M. Sebastian Montero, annonça-t-il.

J'étais déjà debout et je traversai la pièce avant que Wallace eût le temps de réagir. Le stylo prêt, je signai sur la ligne en pointillés pendant que Bobby balançait la tête au rythme qu'il venait juste d'écouter. Levant les yeux du cahier, il sourit.

– Il est exactement 9 h 10.

– Je te revaudrai ça, Bobby.

– Je crois que c'est moi qui te dois encore quelque chose, dit-il en me donnant le paquet.

– Pas de problème.

Je lui adressai un clin d'œil et lui tendis un billet de dix.

Bobby me donna une accolade et s'en alla. Je refermai la porte et me tournai vers la classe.

– Vous voyez, M. Wallace a raison. Pony Express, Federal Express… un mot et un siècle changent tout.

Silence, tandis que M. Wallace se croisait les bras. Léger sourire grimaçant, parce qu'il avait vu sa part de frimeurs. Hochant la tête, il finit par abdiquer. Cette brève interruption avait si bien illustré sa leçon…

– Bien joué, monsieur Sebastian Montero.

– Merci.

– Je présume que vous n'avez pas envie de nous parler du contenu de cet envoi ?

Je tournai les yeux vers Jeremy, derrière quelques lycéennes au regard extatique. Celui de Jeremy dansait entre moi et l'enveloppe que je tenais dans mes mains. Je restai bouche cousue pendant que ses lèvres se relevaient légèrement vers le nord. Vague indice de soulagement.

« Il serait temps que ce gamin apprenne à sourire », me dis-je.

Je retournai m'asseoir et m'accordai un peu de détente jusqu'au déjeuner.

11

Aucun risque

Big Niko vint nous livrer nos parts de pizza à table.

Poivrons et champignons pour Jeremy, simple pour moi. Deux parfaits triangles isocèles, doses de sauce et de fromage soigneusement mesurées. Deux sodas italiens pétillants. Service accompagné d'une accolade dans le dos, c'était aussi professionnel que possible.

Je lui adressai un petit hochement de tête.

– Merci, Niko.

– Je fais ce que je peux, dit-il avec un geste emphatique, digne d'un directeur.

Il bomba fièrement le torse, sans être gêné par ses seins, qui auraient certainement rempli des bonnets de taille B. Il ne se souciait même pas du fait que son ventre les dépassait de plusieurs centimètres.

Il chassa quelques miettes de son tablier bordeaux et nous demanda si tout s'était bien passé, la veille.

– Oui.

– Ton amie Sara va bien ?

– Elle n'est pas venue au lycée aujourd'hui.

– Un problème ?
– Elle a dû prendre sa journée. Merci pour la voiture.
– Olaf a dû avoir les jetons.
Un rire fusa à travers ses lèvres poilues.
– Au fait, il travaille ce soir. Il aimerait que tu passes, il veut te parler.

Acquiesçant d'un signe de tête, je jetai un coup d'œil circulaire sur la quinzaine de tables couvertes de nappes à carreaux rouges. La cohue ordinaire du déjeuner, quelques élèves qui se détendaient en bavardant hors du campus avant de retourner dans la moulinette.

Je reportai les yeux sur Niko.
– D'accord. Merci pour le message.
– Tu es en affaire avec Olaf?
– Pas après ce soir. Dis-lui que je viendrai.
Niko regarda le paquet que je portais.
– C'est bien ce que tu attendais ?
– Ça y ressemble.

De ses doigts boudinés, Niko tambourina sur la table. Il me fit un clin d'œil et partit surveiller ce qui se passait dans la cuisine. Je le suivis des yeux pendant qu'il contournait le comptoir. Jeremy écarta sa pizza et son soda.
– Ouvre-la ! dit-il.

Revenant au moment présent, je brandis l'enveloppe. J'en déchirai une extrémité et j'en tirai quelques documents attachés ensemble. Il y avait une enveloppe plus petite, que j'ouvris. Jeremy m'observait, assis au bord de son siège. Toutes ces années à attendre, et voilà que j'allais pouvoir lui faire le récit…

– Ton père, dis-je en flanquant sur le comptoir la photographie d'un homme proche de la quarantaine.

Visage révélant un nez qui semblait avoir reçu sa part de directs du poing droit. Lèvres minces, sourcils arqués au-dessus d'une paire d'yeux que la sagesse avait fait rajeunir.

– Je te présente Dromio Johansson…

Jeremy baissa le regard sur la photo. Sa poitrine se gonfla, ses épaules se soulevèrent sous sa veste de sport bleue. Visiblement, il prenait conscience de la situation dans ce premier face-à-face, et je mis mes cordes sensibles en sourdine pour lui montrer un autre cliché.

– La femme de Dromio, Nancy Johansson. Nom de jeune fille : Bartholomew.

Jeremy ne m'écoutait pas. Fixant la photo, il se noyait dans le regard de son père.

C'était inquiétant. Je lui tendis un autre cliché.

– Sa fille, Matilda…

Je fis une pause, espérant le voir réagir.

– Aucun signe particulier. Pas de cicatrice.

Jeremy ne rit pas, et je sortis la dernière.

– Le meilleur ami de ton père et directeur du restaurant, Chaucer Braswell.

Rien. Je fis claquer mes doigts près de son oreille.

Il leva brusquement les yeux, revenant avec moi.

Je sortis un tas de papiers, rapport complet sur toute sa famille.

Et je décidai d'anticiper la reconnaissance de Jeremy.

– Je t'avais bien dit que je le ferais.

– Comment Big Niko a-t-il pu te donner tout ça ?

– Il avait une dette envers moi.
– Aussi grosse ?
– Il a envoyé Little Niko faire des recherches pour moi.
– Il y a un Little Niko ?
– Le frère de Big Niko. Il est à Wilmington.
Je mordis dans ma part de pizza avant de boire un coup.
– Bien qu'en réalité, Little Niko ait obtenu les informations par un contact chez les pompiers.
Jeremy plissa les paupières.
– Ils sont si puissants que ça ?
– Bien sûr.
Oubliant ma pizza, j'allumai une cigarette.
– Les pompiers sont toujours prêts à se jeter au feu, tu sais.
– Très drôle.
– De toute façon, qu'est-ce que ça change ? demandai-je en faisant tomber la cendre du bout incandescent. Je veux que tu rencontres ton père, c'est important pour moi, et je te file les informations. Tu n'as pas l'intention d'applaudir ton ami et ange gardien ?
Jeremy examina de nouveau la photo de Dromio. Expression d'inquiétude bien connue qui refaisait son apparition.
– Il a l'air un peu brut de décoffrage…
Il tapota le cliché du bout des doigts.
– Un sacré bonhomme, apparemment. Est-ce que je serai capable de faire une impression quelconque sur un type comme lui ?

Je haussai les épaules.

– Je n'en sais rien. C'est pour ça que nous avons prévu de permuter nos noms. Pour en apprendre le plus possible en courant le moins de risques possible. Ce qui nous donne aussi une sortie de secours béton, au cas où Dromio ne serait pas clair.

Jeremy évita mon regard.

– Et si je veux qu'il m'aime bien ?

– Jeremy, écoute-moi...

– J'en ai marre de t'écouter.

– Tu as intérêt à mettre ce genre de connerie en sourdine si tu veux être à la hauteur.

– Arrête de parler comme si tu étais immunisé contre ce que les autres pensent de toi ! aboya Jeremy.

La fumée s'éleva entre nous. Pizza et soda abandonnés aux rats de poubelles et aux chats de gouttière.

– Tu as quelque chose à me dire ? demandai-je.

Jeremy imita un million de voix différentes.

– *Avez-vous entendu parler de Bastian ? Il paraît qu'il baise la femme du principal. À votre avis, pourquoi reçoit-il un traitement spécial ? Ne croyez-vous pas qu'il y ait une bonne raison ? Ce n'est pas ce que j'ai entendu dire. Il paraît qu'il a d'autres « connexions ». Il doit être recherché par la police. Vous l'avez déjà vu rester plus de dix minutes au même endroit ? Il paraît aussi qu'il a plus de 25 000 dollars d'économies, grâce aux trafics qu'il a faits. C'est seulement de l'argent économisé pour l'université. Pas du tout, c'est du trafic. Du trafic ? Comme pour la drogue ? Je n'en sais rien, du trafic...*

Jeremy prit le temps de retrouver son souffle.

Je le dévisageai tranquillement.

Il regarda de nouveau par la fenêtre. Il baissa les yeux sur sa pizza aux poivrons et aux champignons, les tourna encore vers la fenêtre, et enfin vers moi.

– Et moi, je ne sais plus quoi penser de toi. Tu es mon seul ami, mais parfois, je ne sais pas très bien ce que ça signifie.

Là, Jeremy aurait pu marquer un point. Pour tout. Mais c'était idiot d'être affecté par ses paroles. Je les laissai glisser sur moi, avant d'abandonner cette analyse à la place qui lui revenait. Ami ou pas, Jeremy était allé trop loin, et je m'assurai qu'il était conscient de mon regard fixé sur lui, *en* lui, s'il le fallait.

– Laisse-moi te dire une chose, Jeremy…

Une banque de données me passa par la tête et, en un instant, une combinaison particulière de mots se mit à jaillir. Lisse, sans faille :

– Avec toutes les rumeurs qui m'entourent, je suis tranquille pour la vie. Grâce à ces histoires, personne ne va démêler le vrai du faux. Jeux de fumée et de miroirs.

Jeremy n'était pas impressionné, mais les meilleurs amis le sont rarement.

– Qu'arrivera-t-il quand la vérité éclatera ?

Je haussai les sourcils.

– Le jour où ça arrivera, si ça arrive, ce sera simplement une rumeur de plus. Un autre mythe. Alors ne m'embête plus avec la *vérité*. Contente-toi de garder en mémoire que ce sont le mensonge et la duplicité qui t'ont éloigné de ton père, et que maintenant, ce sont eux qui t'en rapprochent.

Autour de nous, le bruit s'était apaisé. On n'avait plus de mal à s'entendre, maintenant. Les amplis installés en hauteur diffusaient du jazz sirupeux et de la musique d'ascenseur.

– Es-tu prêt à te lancer, Jeremy ?

Il me regarda fixement.

– Oui ou non ? Il est toujours temps de renoncer, dis-je. C'est oui ou non ?

Jeremy parut sur le point de répondre. Bouche ouverte, paroles voguant quelque part entre son cœur et sa gorge. Quelques instants de tangage s'écoulèrent pendant que l'activité ralentissait dans le restaurant, mais finalement, et très lentement, Jeremy prit la photographie de Dromio posée sur la table. Il la glissa dans son manteau, et un semblant de résolution apparut dans ses yeux tandis qu'il hochait affirmativement la tête.

Je lui rendis son signe. Et j'en profitai pour apporter un rectificatif.

– Personne ne connaît la moindre chose sur moi, Jeremy.

Je restai ferme. La cigarette était presque un souvenir maintenant.

– Ce qui explique pourquoi je ne cours aucun risque, ajoutai-je.

– Bastian !

L'appel provenait de l'autre côté du restaurant. Me retournant, je vis Hamilton. Un parmi tant d'autres qui venait me demander un coup de main de temps en temps. Cheveux longs et salopette éclaboussée de peinture l'accompagnèrent jusqu'à notre table. Dix-huit ans hébergés dans un corps qui en paraissait trente, il regardait le monde à travers des lunettes cerclées noires. Rebondissant légèrement d'un pied sur l'autre, il parlait en s'agitant beaucoup.

– Bastian, ce que je suis content de te voir…

Jeremy regardait de nouveau par la fenêtre. Pensées perdues dans un embouteillage tout proche, yeux focalisés sur les journées à venir. Se posant des questions, bien que tout commençât à devenir plus évident. Émotions secrètes remontant en surface avec l'arrivée du printemps. Puis l'été, et après, qui pouvait savoir ?

Mais en attendant, les cours étaient toujours au programme, et nous étions tous dans la même galère.

– Salut, Hamilton !

J'éteignis ma cigarette et quittai la table.

– Tu vas être encore plus heureux dans une minute. Qu'est-ce que tu veux ?

12

Un énorme secret

M. Wallace donnait son cours de littérature anglaise à 13 heures.

Je sortis du lycée à 12h55.

Je m'arrêtai devant la maison de Jeremy à 13h15, prêt à écouter ce que sa mère avait à me dire.

Garé devant la maison de briques rouges, à la périphérie du campus de Duke, je coupai le moteur avant de remonter l'allée.

Le père officiel de Jeremy était l'illustre Peter King, de Chicago. Il était journaliste et dirigeait pratiquement le *Durham Observer*. Entre ça et le magasin de vêtements pour homme tenu par Brenda King, les parents de Jeremy avaient bien réussi. C'était une bonne chose, aussi, que Peter ait fait entrer ma mère au journal. Brenda et elle s'étaient tout de suite bien entendues. Une amitié entre Jeremy et moi avait naturellement suivi, et c'est sans doute la raison pour laquelle je me retrouvais devant chez eux, me préparant à une discussion à cœur ouvert avec Brenda King.

Elle m'ouvrit la porte et me sourit d'un air étonné. Je voyais briller ses cheveux blonds et ses grands yeux à travers la moustiquaire.

– Sebastian ! Tu n'es pas au lycée ?

– M. Wallace me devait une faveur.

Brenda me fit entrer et referma la porte.

– Où est Jeremy ?

– M. Wallace ne lui devait rien.

– Comment va-t-il aujourd'hui ?

Je fis mine d'être perplexe.

– Très bien, comme d'habitude.

Nous étions sur le seuil de leur salon, une pièce très joliment décorée. Brenda se tritura les doigts sans rien dire. Malgré tout ce qu'elle avait réussi à faire, elle n'avait jamais été vraiment capable de jouer le rôle de la femme américaine accomplie. Mal à l'aise avec l'histoire de sa vie, elle donnait souvent l'impression de s'attendre à ce que tout ce qui l'entourait s'effondre pour faire place à un décor de théâtre. Et ce jour-là, elle ne fit pas exception. Détournant les yeux, elle se mit à tirailler sa jupe-culotte noire, sous l'œil observateur d'une série de photos de famille et du prix Pulitzer de son mari, accrochés au mur.

L'odeur du café frais flottait dans la maison.

– Vous vouliez me parler ? demandai-je.

– Allons dans la cuisine.

Des surfaces de travail en marbre, impeccables, nous accueillirent. Je m'appuyai à l'une d'elles et regardai Brenda farfouiller dans les placards. Elle sortit deux tasses et passa devant la machine à café. D'un mouvement laconique, elle s'assit à la table. Dos redressé, pieds joints. Gardant dans les mains ces deux tasses, qui n'en demandaient pas tant.

Je me jetai à l'eau.

– Est-ce que Jeremy a un problème ?

Brenda leva les yeux, comme si elle se réveillait brusquement. Lucide, tout à coup, elle se lança.

– Il y a quelques semaines, j'ai annoncé à Jeremy que Peter King n'était pas son vrai père.

Je hochai plusieurs fois affirmativement la tête.

– Oui, il me l'a dit.

– J'ai pensé qu'il était grand temps.

J'allai chercher une chaise et m'assis en face d'elle.

– Je ne sais pas pourquoi j'ai pensé qu'il était grand temps, continua Brenda. Je m'étais juré de ne jamais le lui révéler. Tu ne peux pas garder un secret comme celui-ci et le trahir. Chaque année, c'était exactement ce que me disait une petite voix. Mais quand Jeremy a eu dix-huit ans, je n'ai plus cru à cette voix rassurante. Et lorsqu'il a été accepté à Berkeley, le mois dernier, j'ai senti que c'était ma dernière chance, avant…

Elle hocha la tête d'un air déterminé.

– Alors je me suis décidée.

Elle me regarda. Sans doute cherchait-elle un signe d'approbation. De ma part, et de tout le monde. Avant que je puisse réagir au mieux, elle ajouta :

– C'est un… énorme secret. Un énorme secret, Sebastian. La seule autre personne à qui je l'ai dévoilé, c'est ta mère.

Je ne m'attendais pas à ça.

– Ma mère ?

– Ma meilleure amie.

– Je ne sais pas quoi vous dire.

– Sebastian… cet homme, le père de Jeremy, c'était un homme énigmatique. Tout en charme, et rien d'autre. Mais quand tu as vingt ans et que tu sors tout droit de la fac, il n'y a pas grand-chose d'autre qui compte. Et après qu'il m'a mise enceinte, il n'est pas resté grand-chose. Il m'a laissé 200 dollars pour une IVG…

Faisant une pause, elle baissa les yeux sur ses mains. Sa voix habituellement saccadée tournait maintenant au séisme.

– À ce moment-là, j'étais avec Peter. À Chicago. Avec Peter, de façon intermittente. Je lui ai dit que le bébé était de lui, et nous nous sommes mariés. Je sais que ce n'était pas glorieux, mais je ne voulais pas avorter, ni être mère célibataire. Je ne pensais pas pouvoir m'en sortir, et j'ai vu en Peter mon seul salut…

Elle leva de nouveau les yeux sur moi.

– Nous sommes venus ici et j'ai rencontré Anita. Et son fils Sebastian. Une femme et son fils, qui venaient aussi de Chicago. J'ai vu ce qu'aurait pu être ma vie. Il fallait que j'en parle à quelqu'un…

Silence. Je pouvais presque entendre vibrer la propreté de leur cuisine. Je fis claquer mes lèvres.

– Il y a combien de temps ?

– Seize ans. Environ.

– Avant que Jeremy m'en parle, je n'en avais pas la moindre idée… alors je crois que vous avez fait confiance à la bonne personne.

– Sebastian…

Ouvrant des yeux ronds, Brenda me lança un regard suppliant.

– Peter ne doit pas l'apprendre. Je ne demanderai pas à Jeremy de lui cacher ça toute sa vie, ce serait injuste, mais… je ne peux pas le dire à Peter pour l'instant, et tant que je ne le lui aurai pas dit, il ne doit pas être mis au courant.

– Au courant de quoi ?

– Tu es adorable, Sebastian, mais…

– Est-ce que vous avez essayé de le retrouver ? demandai-je, curieux de savoir si Jeremy avait oublié de me raconter quelques détails.

Brenda soupira.

– Quelques années après la naissance de Jeremy, je suis retournée à Chicago pour une histoire de famille. Seule. Je me suis dit que c'était peut-être l'unique occasion qui se présentait. J'ai embauché un détective privé. Un mois plus tard, il est venu me dire que Dromio Johansson avait disparu. D'après certaines rumeurs, il aurait été tué à cause d'une dette de jeu. Mais on a dit aussi qu'il était parti au Mexique, ou au Canada, ou de l'autre côté de l'océan. Trop de rumeurs et d'histoires, aucun moyen réel de savoir. Mais je n'ai pas été vraiment surprise non plus, j'ai seulement éprouvé une étrange sensation de soulagement.

Maintenant, Brenda n'évitait plus mon regard.

– Bon débarras, c'était de la sale engeance.

Je fis un signe de tête affirmatif.

– Je ne dirai rien.

Brenda laissa échapper un rire bref et las.

– Merci.
– Voulez-vous que je vous serve du café ?
– Oui, s'il te plaît.

Prenant sa tasse, je me levai et allai vers la machine. La lumière de l'après-midi dansait dans la vapeur, et Brenda restait assise, silencieuse. Je versai le liquide avec précaution, emplissant sa tasse aux trois quarts. J'attrapai le pot de sucre et revins près d'elle au moment où elle se décidait à me poser une question :

– Crois-tu que Jeremy va essayer de le retrouver ?
– Pourquoi ferait-il ça ?

J'engloutis la boisson d'un trait, me brûlant la gorge au passage.

– Je ne sais pas.
– Je vais vous donner une autre tasse de café.

En deux ou trois enjambées, j'étais de nouveau devant la machine.

– C'est qu'il a réagi si bizarrement, dit Brenda. Je m'attendais à ce qu'il me bombarde de questions au sujet de son père, mais il ne m'en a pas posé une seule. Comme s'il avait une autre…
– Vous avez dit que cet homme… Dromio Johansson, c'est bien ça ?
– Oui.
– Vous m'avez bien dit que Dromio Johansson est mort?
– Il a disparu. Mais ce ne sont que des suppositions.
– Qui semblent vous avoir satisfaite, à l'époque. Si un détective privé n'a pas pu retrouver Dromio Johansson il y a plus de dix ans, comment Jeremy pourrait-il envisager sérieusement de le chercher maintenant ?

– Cela peut paraître bizarre, je sais…

Je lui tendis sa tasse. Elle la prit et sirota une gorgée avant de reformuler les doutes qu'elle avait déjà émis.

– Il ne t'a pas dit qu'il essaierait de le retrouver, tu en es sûr ?

Je baissai le regard sur elle. Elle avait cette expression inquiète dont Jeremy m'avait parlé. Les craintes d'une mère, non négociables. En soupirant, je revins m'asseoir en face d'elle. Prenant mon air le plus sérieux, je la regardai droit dans les yeux. Elle attendait.

– En réalité, Brenda…

Elle se pencha en avant, prise à l'hameçon. Prête à tout gober.

Je poussai encore un soupir.

– En réalité, quand Jeremy me l'a appris, j'ai recherché son vrai père par l'intermédiaire des pompiers, et j'ai découvert que Dromio Johansson était ressuscité sur la côte de Caroline du Nord. Il possède un restaurant, il a une famille, et après avoir établi un contact avec lui, j'ai organisé un voyage à Wilmington pour que nous passions nos vacances en présence de ce mort qui a pratiquement bousillé votre vie.

Brenda paraissait complètement décontenancée. Je continuai :

– De plus, quand nous arriverons là-bas, Jeremy et moi, nous allons échanger nos identités. Il se fera passer pour moi, et moi pour lui. Après tout, Dromio Johansson était une véritable nullité quand il était vivant. Avec ce plan que j'ai mis au point, Jeremy évitera de s'engager personnellement. Il pourra observer à distance et, en se faisant passer pour moi, il obtiendra des informations qu'il ne pourrait pas avoir en gardant sa véritable identité. Et si ce type s'avère être exactement tel que vous me l'avez décrit, je pourrai prendre la barre et rompre tout contact avec lui pour éviter à Jeremy de le faire.

Il n'y a rien au monde de moins crédible que la vérité. Brenda me dévisagea. Effarée, essayant de comprendre ce qui se passait. Je sautai sur l'occasion pour aller au-delà de la réalité, et pousser jusqu'aux limites de l'absurde.

– Mais rien de tout ça n'est aussi perturbant que la conspiration du gouvernement, dis-je, aussi décontracté que possible. Parce que la disparition de Dromio n'était pas une simple coïncidence. Cette année-là, il y a eu trois objets volants non identifiés au-dessus de Chicago, dix-sept disparitions, en même temps que plusieurs rapports sur les ventes croissantes de gaufres aux noix et à la banane et du *Wall Street Journal*. Et si vous comptez les lettres au nom de Dromio Johansson, non seulement elles sont aussi nombreuses que les disparitions, mais elles sont presque équivalentes au nombre de minutes qu'il faut pour un extraterrestre doté d'un corps de ptérodactyle et de la tête de Lou Diamond Phillips pour lire un exemplaire du *Wall Street Journal* tout en mangeant une gaufre aux noix et à la banane…

– Sebastian…

Faisant une pause, je levai les yeux de ma tasse de café, que je m'étais mis à fixer d'un regard de plus en plus halluciné. Un pâle sourire se dessina lentement sur les lèvres de Brenda.

– Je vois, dit-elle.

Et son sourire s'élargit.
Le mien fit une apparition sournoise.
– Vraiment ?
– Oui, Sebastian, je comprends…
Elle secoua la tête. Elle fléchissait.
– Tu as raison. Tu as absolument raison. C'est… ridicule que je m'inquiète à ce sujet. C'est seulement…
– Il n'y a pas si longtemps que vous le lui avez dit. Deux ou trois semaines seulement.
– Je sais.
– Pas étonnant qu'il soit bizarre.
– Je sais.
Le fardeau tomba des épaules de Brenda. Laissant la place au soulagement, tandis qu'elle portait sa tasse de café à ses lèvres décontractées. Elle tourna la page en poussant un profond soupir, libérant l'air qui devait être emprisonné dans ses poumons depuis des années.
– Merci, Sebastian.
– Il n'y a pas de quoi.
– Tu es un véritable ami.
– Ça m'arrive.
– Est-ce qu'il y a quelque chose que je puisse faire pour toi ?
– Quand la prochaine rubrique du Sunday Styles doit-elle paraître dans l'*Observer* ?
– Dans deux semaines. Tu veux encore écrire une colonne ?
Je fis un signe de tête affirmatif.
– Un petit changement dans la Young Diner's Review habituelle. J'aimerais donner à Peter un papier sur un

endroit vraiment classe. La soirée de fin d'année va bientôt avoir lieu. Je me suis dit que ce serait bien pour les élèves. Je pourrais même brancher votre magasin de vêtements.

– Tu as déjà rendez-vous ?

– Pour la soirée ?

– Oui.

Je bus une gorgée.

– Je n'y ai pas encore pensé.

– Hé !

– Oui ?

Brenda posa sa tasse.

– Je t'ai demandé si *je* pouvais faire quelque chose pour toi.

C'était Brenda tout craché.

À peine une minute pour réfléchir à ce qui venait d'arriver et dans quoi je venais de me fourrer. Encore un problème mis de côté, et il fallait déjà passer au suivant. Je devais m'occuper de plusieurs choses et Brenda se portait volontaire pour m'ouvrir quelques portes.

Je fonçai.

– J'ai un ami, Cesar, qui aimerait paraître à son avantage ce soir…

13

Deuxième interlude

Voici ce que Dromio me raconta…

Chaucer se tenait derrière le bar du *Blue Paradise*. Chemise de soie rouge et cravate noire, pantalon noir. Peau foncée luisant sous des lumières fluorescentes aux teintes aquatiques, cicatrices héritées d'une jeunesse criblée d'acné, visage allongé. De ses longues mains, il envoya un jet de grenadine dans un grand verre plein de glace et de Diet Sprite. Soirée calme au *Paradise*. 20 h 10 à l'horloge murale, et la plupart des tables étaient vides. Quelques serveurs étaient rentrés tôt chez eux, et un rire s'égrenait derrière la porte de la cuisine. Même le juke-box ne pouvait faire plus que fredonner des airs de Fats Waller, B.B. King et Brenda Lee.

Chaucer sortit une paille de son enveloppe et la plongea dans le verre. Il posa la boisson devant le commissaire de police Hunt, qui en engloutit une monstrueuse gorgée. Hunt essuya son front brûlé par le soleil. Il transpirait, malgré la fraîcheur de cette soirée à Wilmington. Il se gratta derrière les oreilles, larges comme des soucoupes, et ses lèvres gercées aspirèrent encore une gorgée, pendant que Chaucer attendait ses autres questions.

– Alors comme ça, Dromio l'a séduite et l'a laissée tomber ?

Hunt avait un soupçon d'accent géorgien, bien qu'il affirmât n'avoir jamais mis les pieds en Géorgie de toute sa vie.

– Ça ne ressemble pas à Dromio.

Chaucer acquiesça d'un signe de tête.

– Dromio l'a abandonnée, seule et enceinte…

Il jeta un coup d'œil dans la salle, où Dromio réconfortait Lacey Dunston, une femme du coin, qui approchait les soixante-cinq ans.

– Du moins, c'est ce qu'il m'a dit quand j'ai repéré sa trace, à Chicago. C'était quelques années après la naissance de son gosse. Je l'ai retrouvé dans une cafétéria ici, à Wilmington. À la minute où j'ai commandé mon espresso, il s'est levé pour venir à ma table. Il s'est assis en disant : « Finalement, Brenda a décidé de me retrouver. »

– *Ça*, ça ressemble à Dromio.

Chaucer hocha encore la tête. Les souvenirs défilaient dans ses yeux bruns elliptiques.

– Il a compris tout de suite. La seule chose qu'il ne savait pas, c'était que Brenda était devenue Mme King et qu'elle avait décidé de garder le bébé. Maintenant, c'est un jeune homme, qui s'appelle Jeremy.

– Qu'avez-vous dit à Mme King quand vous lui avez fait votre rapport ?

– Dromio voulait que Brenda King continue sa nouvelle vie. C'était ce qu'elle avait de mieux à faire. Je suis revenu et j'ai dit à Mme King que Dromio avait disparu. Volatilisé, tué par des gangsters, enfui au Canada, au Mexique, je ne sais plus très bien. Tout ça, sans doute, maintenant que j'y pense. Il y avait assez de récits contradictoires pour qu'on puisse croire que la piste commençait et se terminait à Chicago.

– Pourquoi n'avoir pas dit simplement qu'il avait été tué ?

Chaucer haussa les épaules.

– Dromio trouvait que c'était un peu trop.

Hunt passa un doigt sur le comptoir. Contempla l'assemblage de coquillages bleus sertis sous la plaque de verre, avant de demander :

– Vous lui avez menti au sujet de l'homme qu'elle vous avait prié de retrouver ?

Chaucer prit un verre à whisky, qu'il remplit de glace. Voix grave toujours à la recherche d'un prétexte philosophique…

– Vous savez, Hunt, j'ai dû chopper plus de personnes trompant leur conjoint qu'un paparazzo bourré d'amphétamines. Pas marrant à rapporter à une femme mariée, ou à un homme marié, à qui que ce soit de marié. Et j'ai fini par approcher moi-même ces tricheurs. Pour leur dire que j'étais prêt à enterrer toutes les preuves qui s'accumulaient contre eux s'ils retrouvaient leurs responsabilités envers leur conjoint. De toute façon, s'ils l'aimaient vraiment, ils leur avouaient tout, en général.

Les yeux de Hunt s'élargirent sous ses sourcils qui commençaient à être clairsemés.

– C'est n'importe quoi, Chaucer.

– Peut-être.

– Ça ne vous a rien fait de mentir à Mme King ?

– Dromio a dit exactement ce que j'avais envie d'entendre, à savoir que c'était ce qu'il y avait de mieux à faire. Vous le connaissez.

– Jésus…

Hunt s'enfonça sur son siège. Le ventre proéminent, il alluma une Virginia Slim et jeta le paquet sur le comptoir.

– Vous deviez être un sacré détective privé.

– Oh, j'étais un super-privé, dit Chaucer en versant une rasade de scotch dans un verre. Mais je n'étais pas un parfait crétin. Et Dromio le savait aussi. Il a vu à travers la carapace du dur à cuire et il s'est dit que ce type qui partait à la dérive était mûr pour se caser. Il m'a offert le poste de directeur, et la suite…

– On la connaît, conclut Hunt en se joignant à Chaucer pour boire en silence.

Chaucer vida rapidement son verre et le remplit de nouveau.

Le juke-box changea de vitesse et en poussa une de Billie Holiday.

Hunt écrasa sa cigarette à moitié fumée avant d'en allumer une autre.

– Alors, qu'est-ce que tout ça signifie, Chaucer ? Pourquoi Dromio m'a-t-il fait venir ici ce soir ?

– C'est moi qui vous ai demandé de venir ici ce soir.

– Qu'est-ce que ça change ?

– Il s'est passé quelque chose.

Chaucer alla à l'autre extrémité du bar et chuchota à l'oreille de Dromio. Puis il revint vers Hunt et tira de sa poche un Post-it jaune.

– Wilson m'a appelé du *Hilton*, il y a une heure. Il m'a dit que Sebastian, l'ami de Jeremy, va recevoir ses messages là-bas.

– Ces gosses vont rester chez Dromio, mais ils vont recevoir leurs messages au *Hilton* ?

Hunt s'essuya encore le front.

– Je ne comprends pas.

– Nous non plus.

Dromio venait de s'immiscer dans la conversation, comme s'il avait tout entendu depuis le début.

Vêtu d'une chemise bleu ciel envahie de flamants roses, une cigarette à la main droite. Sourcils arqués en un angle plus aigu que d'habitude, comme pour résoudre un problème.

– De plus, Wilson m'a dit que c'était Little Niko qui avait arrangé ça.

– Le type aux pizzas ?

– Vous connaissez d'autres Little Niko ?

– Maintenant, je ne comprends plus rien à rien.

Dromio haussa les épaules, tira sur sa cigarette.

– Peut-être que ça ne veut rien dire, mais peut-être aussi qu'il faudra avoir l'œil.

– Qu'est-ce que tu racontes ?

Hunt se redressa, brusquement revenu à son job.

– Tu veux dire que ce n'est peut-être pas ton fils ?

Dromio secoua la tête.

– Il faut voir les télégrammes qu'il a envoyés. Tous ces détails, toutes ces choses qu'il sait, et que personne ne connaît. On dirait que je me suis écrit une lettre à moi-même en faisant exactement ce qu'il faut : sans colère, sans amertume. Juste un appel à l'aventure. Tel père, tel fils.

– Pas de colère ?

– Pas la moindre trace…

Les yeux de Dromio s'étrécirent. Parcoururent l'étendue déserte de sa légitime entreprise commerciale. Cherchant quelque chose. Voyant des gens qui n'étaient pas là, assis à table, discutant autour d'un verre, se racontant des milliers de jolis mensonges par-dessus leurs menus.

– Ni colère, ni amertume. Ce qui, en réalité, déclenche quelques signaux d'alarme.

Hunt n'était pas sûr de ce que Dromio entendait par là, c'était clair, mais il savait ce qu'on attendait de lui.

– Je vais les surveiller. Ne t'en fais pas.

– Merci, Hunt.

Tous les trois méditèrent devant leur boisson.

– C'est calme, ce soir, finit par dire Hunt.

– Le calme avant la tempête, commenta Dromio.

– Tu t'attends à une tempête ?

– Il y a toujours une tempête, répondit Dromio, perdu dans ses pensées. C'est de calme que nous n'avons pas assez dans ce monde…

Dromio traversa nonchalamment la salle et entreprit de fermer pour la nuit.

Chaucer et Hunt l'observèrent. Ils voyaient du nouveau. Le discours rapide, les mots vifs remplacés par la désinvolture. Les réflexions intimes sapaient son exubérance coutumière. Dromio programmait quelque chose pendant que la marée progressait lentement vers le lendemain. Les lumières, au-dessus de leurs têtes, s'éteignirent. Les verres nettoyés retournèrent dans leurs niches respectives. Portes verrouillées mettant un terme à la conversation, les rues se préparant à les accompagner jusqu'au cœur des heures les plus tardives.

Du moins, c'est ce que Dromio me raconta.

14

Tu n'as aucune preuve !

Comme promis, je pris Cesar à 19 heures.

Brenda King nous attendait à son magasin, prête à me revaloir notre après-midi de bavardage. Elle prit quelques mesures, épaule, entrejambe, pointure. Elle habilla Cesar d'un joli costume, et quand il sortit de chez elle, il ressemblait à un millionnaire plein de nonchalance.

Je le conduisis à *La Mezzanine*.

Je fis le point avec le propriétaire, M. Mafollie, pour être sûr qu'il n'y avait aucun problème. Un repas gratuit pour Cesar et Nicole en échange d'un super-article dans la rubrique du Young Diner du *Durham Observer*. Il me proposa un verre pour me remercier, mais j'avais encore des choses à faire et je refusai poliment.

Il était environ 20 h 10 quand j'arrivai à la pizzeria de Big Niko.

Pas de repos pour les braves, la cuisine était en ébullition. Les commandes fusaient de toutes parts, les livreurs vérifiaient leurs carnets, la pâte à pizza voltigeait, et au milieu de tout ça, Big Niko. Un Napoléon d'un mètre quatre-vingts aux commandes, sous le fouet des tubes fluorescents. Il me posa quelques questions sur Wilmington et Little Niko. Je lui demandai où se trouvait Olaf, et il m'indiqua la sortie située à l'arrière.

Pause cigarette.

Je trouvai Olaf appuyé contre le mur extérieur en brique. Une Newport à moitié consumée, des circonvolutions mentholées sortant de sa bouche comme un nid de serpents paresseux. Tablier blanc taché de rouge. Toque sur ses cheveux noirs, en application de la législation sanitaire.

D'un pas ferme, je le rejoignis et en allumai une de mon propre paquet. Silencieux, Olaf posa sur moi un regard plein d'assurance, attendant que je me décourage. Que je m'effondre avant même que la conversation ait pu démarrer.

Sans rien trahir, je le laissai faire le premier pas.

– Alors ? demanda-t-il.

– Alors, dis-je, laissant l'air humide de la nuit se réjouir de ce temps d'arrêt. Je connais cet homme sous le nom de M. Wallace.

– Il a un prénom ?

– Ouais. C'est « monsieur ». C'est mon professeur d'anglais. Grosse fortune, il enseigne pour s'amuser. Il vient de Glasgow. Né à Alloway, qui est aussi le lieu de naissance de Robert Burns.

– Fascinant, dit Olaf. Est-ce que Robert Burns va récupérer mon argent ?

– M. Wallace va s'absenter de la ville pendant quelques jours. Il veut que tu t'occupes de ses chiens.

– Que je m'occupe de quoi ?

– M. Wallace veut que tu t'occupes de ses chiens, répétai-je.

De la poubelle toute proche émanaient des effluves de purée de tomate et de fromage périmé.

– Il part pour les vacances de printemps, et tu dois t'occuper de dix chiens. Ce qui te fera facilement trente dollars.

Olaf secoua la tête.

– Je t'ai dit qu'il m'en fallait trois cents au moins, et vite.

– C'est trente dollars par chien, Olaf. Dix chiens, trente fois dix. 300. Je peux l'écrire, si tu veux.

– Tu as de la repartie, pour un petit garçon, tu sais ça, Bastian ?

Je tenais bon, heureux d'être entouré d'une mare de ténèbres.

– Tu es d'accord, oui ou non ?

– Je n'ai jamais dit que je voulais travailler pour avoir ce fric.

Olaf termina sa cigarette, la jeta par terre et l'écrasa sous son pied.

– Je me suis peut-être sous-estimé. Je devrais demander plus. Beaucoup plus, au moins assez pour être sûr que la prochaine fois, j'aurai du *fric* au lieu de ce boulot de merde pour gagner trois fois rien. Promener des clébards !

– Tu n'as aucune preuve, Olaf. Et si tu n'en as pas, c'est parce qu'il n'y a *rien*. Une vague conversation dans un camion de livraison. Je t'ai trouvé ce boulot avec Wallace parce que, franchement, je ne peux pas supporter que tu accuses à tort et à travers. Mais vas-y donc ! Va cogner à la porte d'Esther Shaw et raconte-lui ta petite histoire sinistre, dis-lui que sa fille s'est fait avorter... Tout le monde niera. Tu n'as aucune preuve... Considère que c'est un avertissement et qu'il vaut mieux que tu laisses tomber.

Olaf eut un sourire amusé.

– Sinon, qu'est-ce que tu comptes faire ?

Sans sourciller, et sans sourire, je répondis :

– Tu le sauras le moment venu.

Olaf attendit quelques instants avant de hocher lentement la tête.

– Je te faisais marcher, Bastian...

Il fit un pas en arrière et leva les mains, sa voix devenue soudain raisonnable.

– Profite de tes vacances. Il paraît que Wilmington est vraiment agréable à cette période de l'année...

J'avais gagné la partie, c'était clair, mais quelque chose dans sa façon de parler me tapait sur les nerfs. Quelque chose dans le bruit des voitures qui s'éloignaient. Les arbres environnants empruntaient des formes indéfinissables pour l'occasion. Prise de conscience éphémère du fait qu'on n'était jamais trop près de n'importe où, à Durham, Caroline du Nord. Rien que nous deux. Enfermés dans une espèce de bataille isolée qui ne ferait pas la moindre concession à notre trêve du moment.

– Profite de tes 300 tickets, dis-je.

Ma cigarette n'était pas finie, mais je la jetai, sans regarder où elle allait atterrir. Tournant le dos à Olaf, j'entrai dans la cuisine de Niko. Traversai la cacophonie et l'agitation, passai devant les étagères en acier inoxydable chargées d'ingrédients secrets. Sans prendre la peine de m'arrêter pour répondre à Big Niko quand il me demanda comment ça s'était passé. Sa voix se fondit dans la calamité du chaos environnant. L'air décidé, je me dirigeai vers la porte puis vers ma voiture.

En essayant d'ignorer les murmures qui me disaient que tout cela était loin d'être terminé…

15

Je ne mens pas

Accroupi dans les buissons de l'autre côté de la rue, je les observais toutes les deux.

Ma mère serra la main d'Esther Shaw. Leurs silhouettes se découpaient dans la lumière du portail. Leurs lèvres remuaient, mais aucun mot ne réussit à traverser West Knox Street. Un au revoir avant qu'Esther regagne sa BMW. Elle s'éloigna, et ses feux arrière devinrent des lucioles dans l'obscurité, avant de disparaître.

Je traversai pendant que ma mère se dirigeait vers la porte d'entrée.

– Maman…

Elle fit volte-face, la main sur le cœur.

– Doux Jésus !

– Qu'est-ce qu'elle faisait là ?

– Bastian, tu m'as fait une peur bleue !

– Qu'est-ce que la mère de Sara Shaw foutait là ?

Ma mère respira profondément, et souffla plusieurs fois. Son souffle ralentit sous son bustier blanc. Elle laissa retomber sa main sur le côté, avec un petit claquement contre sa cuisse. Elle regarda à droite et à gauche dans la rue, puis elle posa le regard sur moi.

– Rentrons. Nous serons mieux pour parler.

Je la suivis à l'intérieur.

Elle s'assit à la table de la cuisine et alluma une cigarette. Elle m'en offrit une. Je secouai la tête. Décidé à rester en éveil, sur la défensive.

Ma mère contempla son cendrier puis elle leva les yeux.

– Elle ne sait pas.

– Tu es sûre qu'Esther Shaw n'est pas au courant de l'avortement ?

– Oui, j'en suis sûre. Elle était venue pour te parler. Pour te demander un conseil, comme tout le monde.

– Un conseil à quel sujet ?

Ma mère se leva et s'approcha du Frigidaire.

– Tu sais, Mme Shaw ne ressemble pas entièrement au portrait que Sara fait d'elle. Elle semble être une mère aimante, capable de soutenir ses enfants.

– Et à ses moments perdus, elle fait le piquet devant les cliniques d'avortement et le Planning familial.

Une bouteille de Coca à la main, ma mère referma la porte du frigo.

– C'est vrai. Elle a ses convictions, et ses croyances vont à l'encontre des nôtres. Mais pas ses actes. Elle ne tue pas les obstétriciens, elle ne vandalise pas les propriétés privées, elle ne fait de mal à personne. Elle confectionne des brownies, pas des bombes, Bastian. Et c'est son droit absolu de prendre parti pour ce qu'elle veut, et de prendre la parole. Il *ne s'agit pas* de ce que Esther Shaw croit ou ne croit pas.

Face-à-face de quelques instants avant que je baisse les yeux. Puis je les posai de nouveau sur ma mère. Ses cheveux étaient relevés, laissant voir la pulsation régulière d'une veine du cou. Afflux de sang circulant à cent à l'heure, et j'enfonçai mes mains dans mes poches vides. Balançant mon poids d'un pied sur l'autre, je sentis craquer des planches de parquet usées et fatiguées. Je restai silencieux pendant que ma mère s'approchait du comptoir, prenait un verre et se préparait un rhum-Coca.

Traînant les pieds, j'allai me hisser devant le comptoir. Je m'assis sur le peu de place qui restait et je la regardai mélanger sa boisson du bout du doigt.

– Maman ?

– Bastian, je trouve que Sara a fait une grosse bêtise en ne parlant pas à sa mère…

La mienne se focalisa sur son breuvage, et réfléchit un long moment.

– Je crois que tout se serait bien passé entre elles. Au lieu de ça, je suis en train de mentir à une femme. J'ai imité sa signature pour que sa fille puisse se faire avorter, ce qu'elle n'aurait pas dû faire, à mon avis.

– La vie de Sara aurait été foutue si elle avait eu ce bébé.

– Il y a dix-huit ans, j'étais comme Sara Shaw.

Elle me fixait maintenant, le regard piégé quelque part dans le passé.

– J'étais enceinte, et j'étais seule, et si j'avais choisi d'avorter, tu ne serais pas là aujourd'hui. Et je n'avais pas d'homme près de moi…

Elle se dirigea vers la table et s'assit, son verre à la main.

À travers l'espace qu'elle venait de quitter, mon regard se posa sur l'évier, où s'entassait la vaisselle sale. Mes pensées changèrent d'orientation, car c'était la seconde fois en une journée que j'avais cette conversation. Et avant que je m'en rende compte, les mots s'étaient frayé un chemin :

– Tu m'as toujours dit que ce n'était pas sa faute.

– Qu'est-ce qui n'était pas la faute de qui ?

Je continuai à regarder l'évier.

– Mon père. Tu m'as toujours dit qu'il n'y était pour rien si tu m'as élevé toute seule.

Le ton de ma mère fit écho à son expression perplexe.

– Il n'a jamais su que tu existais.

Je sautai de mon perchoir et j'allai appuyer mon épaule contre le chambranle de la porte de la cuisine, continuant à regarder ma mère fumer et boire. Elle pencha la tête sur le côté, et une mèche folle vint lui taquiner l'épaule.

– Tu ne crois pas que c'était…

Je cherchais le mot précis.

– … injuste de ne pas lui en parler ?

– Bastian, il était exactement comme toi.

Elle but une gorgée, tira sur sa cigarette. Elle rejeta la tête en arrière et contempla la fumée qui serpentait jusqu'au plafond.

– Dès qu'il voyait que quelqu'un avait des problèmes, il se précipitait pour l'aider. Un Faucon bleu, de la tête aux pieds…

Je fronçai les sourcils.

– Un Faucon bleu ?

Ma mère voguait dans son propre univers, elle ne m'entendait plus…

– Je ne voulais pas qu'il m'épouse par pitié. Je n'avais pas besoin de lui. J'avais eu envie de lui, ce qui est très différent. Je le sentais bien, au fond de mon cœur, et j'avais raison. C'est pourquoi je ne lui ai jamais dit que j'étais enceinte, et quand nous avons rompu, j'étais à un mois et demi… Mauvais timing, voilà tout.

Je fis un petit signe de tête affirmatif. La maison tout entière devenait brusquement pour nous deux un petit cocon triste et bizarre.

– J'aurais aimé le connaître.

– Je sais, dit-elle d'une voix radoucie. Je sais, et je suis désolée qu'il ne soit plus de ce monde pour te rencontrer.

– Il n'est peut-être pas mort.

– Il *l'est*.

– Tu aurais pu garder une photo…

– C'est la première fois que tu t'intéresses à lui.

– Nous avons déjà parlé de lui, une ou deux fois.

– Pas de cette façon.

– Comment s'appelait-il ?

– Pardon ?

– Tu ne m'as jamais dit son nom. À moins qu'il se soit appelé « ton père », auquel cas ses parents devaient être de parfaits crétins.

Ma mère eut l'air sceptique.

– Si je ne te l'ai jamais dit, c'est parce que je n'ai jamais réellement connu son nom.

Ce fut à mon tour d'être peu convaincu.

– Tu peux m'expliquer comment c'est possible ?

– Son nom était Chester A. Arthur.

– Mon père était le vingt et unième président des États-Unis ?

– Chester A. Arthur, c'était soi-disant son nom.

Elle souriait maintenant, et cela ne pouvait être que parce que c'était la vérité.

– Quand je l'ai quitté, il n'était pas près de moi. Il était sorti pour son boulot, et j'ai fouillé dans ses affaires afin de gratter quelques pièces pour pouvoir quitter Chicago.

– Maman !

– C'était il y a longtemps, mon chéri.

Elle balaya cette considération d'un geste de la main.

– En tout cas, j'ai ouvert un de ses sacs, et qu'est-ce que j'ai trouvé ? Un paquet de fausses cartes d'identité. Chacune avec sa photo, et chacune avec un nom différent… Voilà. Si tu préfères, nous pouvons l'appeler Chester A. Arthur à partir de maintenant. Veux-tu l'appeler Chester A…

– Papa, c'est très bien, décidai-je.

Un autre silence. Je réfléchis à toutes ces cartes d'identité, à toutes ces photographies.

– Est-ce que je lui ressemble ?

Ma mère inclina encore la tête. Un pied sur la chaise, un bras reposant sur son genou, son verre à l'autre main, elle me regarda en soupirant.

– Pas vraiment. Si tu me fais penser à lui, c'est que… il avait un charisme incroyable. Il s'est fait arrêter quatre fois pour vol dans les magasins, et chaque fois, il a fait du charme au juge pour qu'il classe son dossier.

– Quatre fois ?

Je ne pus m'empêcher de sourire.

– C'est incroyable.

– Il faut dire qu'il avait vraiment le chic pour raconter des bobards. Toujours pour la bonne cause, mais... parfois, je crois qu'il ne faisait pas la différence entre la réalité et ce qui n'était que... de la fumée.

– Maman...

Je m'éloignai du mur.

– Tu essaies de me dire quelque chose ?

Ma mère sourit. Elle posa son pied par terre, son verre sur la table. Sa cigarette dans le cendrier, éteinte. Elle s'approcha de moi et me serra dans ses bras. Brièvement, mais de tout son cœur. Et elle s'écarta de moi après m'avoir donné un baiser léger. Nous restâmes les yeux dans les yeux tandis qu'elle secouait la tête.

– Promets-moi seulement que tu ne me mentiras jamais.

Mon sourire me parut crispé.

– Promis.

Tournant les talons, j'allais sortir, mais la voix de ma mère me cloua sur le seuil de la cuisine.

– Tu veux me promettre autre chose ?

Je tournai la tête.

– Quoi ?

– La prochaine fois que tu coucheras avec Sara, utilise un préservatif. Si tu la mets de nouveau enceinte, je ne lèverai pas le petit doigt pour t'aider, Bastian.

La ressemblance avec mon père était flagrante. Je restai sans sourciller. Impassible, refusant de reconnaître les mensonges que j'avais servis à ma propre mère. La manipulation de la vérité nécessitait que l'enjeu me concerne directement : « Sauve Sara, Maman, et tu me sauveras. » Tout cela pénétrait au plus profond de moi, même alors que je regardais ma mère qui, debout au milieu de la pièce, les bras croisés, exigeait une garantie pour quelque chose qui, d'un point de vue purement technique, ne nécessitait aucune garantie. Accès de culpabilité évincé par la certitude d'une bonne cause, pendant que je hochais la tête dans sa direction en répétant le seul et unique mot que je n'avais pas le droit de prononcer :

– Promis.

Je lui tournai le dos et m'enfonçai dans l'obscurité du corridor.

16

Ne va pas à Wilmington

Une journée mortelle, interminable, et qui, à partir de 23 h 30, parut s'allonger encore.

Je venais de finir mes bagages. Vêtements, trousse de toilette, cigarettes, le tout fourré dans une valise de taille moyenne. Plus une housse contenant un costume de couturier, au cas où. Quelques photographies encadrées me montrant au côté des parents de Jeremy. Juste au cas où…

Je pointai une liste sur mon bureau, et me préparai à enregistrer un nouveau message sur mon répondeur téléphonique quand un coup fut frappé à la fenêtre de ma chambre.

Je fis entrer Sara Shaw. Une Sara Shaw complètement affolée, qui voulait me voir en personne. Vêtements froissés, mèches de cheveux roux pas d'accord sur la direction à prendre, yeux si agrandis qu'ils paraissaient dépourvus de paupières. Phrases hachées. Je réussis à chuchoter quelques paroles réconfortantes en la faisant asseoir sur le lit. Avec la plus grande assurance dont j'étais capable, je lui tins la main en l'écoutant me raconter l'appel téléphonique.

– Qui était-ce ? demandai-je.

Sara eut un haussement d'épaules spasmodique.

– Je n'avais jamais entendu cette voix.

– Qu'est-ce qu'il sait ?

– Tout, répondit Sara.

Chacune de ses paroles évoquait un passager qui abandonne le bateau.

– Mon avortement. La clinique, le jour où ça s'est passé. Il connaît même le nom du docteur.

Prenant une inspiration silencieuse, j'essayai de comprendre de qui il s'agissait.

– Quand a-t-il appelé ?

– Ce soir.

– À quelle heure ?

– Bastian…

– C'est important. À quelle heure a-t-il appelé ?

– À 7 heures, peut-être 7 h 05, je ne sais pas exactement…

Rien de cela n'avait de sens. Du moins, pas en ce qui concernait Olaf. Nous nous étions vus à 20 h 10, et me cacher ce genre d'information aurait tout simplement été du mauvais travail. Apparemment, il n'y avait aucune raison pour qu'il ait appelé Sara avant.

C'était l'œuvre de quelqu'un d'autre…

– Bastian ?

Je gardai le fruit de mes réflexions pour moi.

– Qu'est-ce qu'il veut ?

– Quand je lui ai posé la question, il a raccroché.

– Bon, restons calmes, dis-je.

– Calmes ?

Sara se leva d'un bond et traversa ma chambre à grands pas. Arrivée devant le mur, elle se tourna vers moi.

– Il y a un type au courant d'une information qui devait rester secrète ! Excuse-moi, mais je ne peux pas rester calme !

– Chuuut…

Me levant, je la rejoignis et posai les mains sur ses épaules. Les yeux dans les siens, je lui dis :

– Pour le moment, nous n'avons pas vraiment le choix. J'ai aussi peur que toi. C'est toi, moi, et ma mère… Je ne veux pas qu'il arrive quelque chose à l'un de nous trois. À toi encore moins…

Elle renifla.

– On m'a toujours dit que Sebastian pouvait tout faire.

L'intimité du moment ne laissait pas beaucoup de place pour la fierté.

– Les gens ont vite fait de dire n'importe quoi, Sara.

– Je sais, je ne l'ai pas cru.

Elle eut un rire nerveux.

– Quand je suis venue te voir en étant enceinte, pour demander ton aide…

– Tu portais une robe bain de soleil jaune.

– Oui, c'est la plus jolie que j'ai.

Elle renifla encore.

– Je l'avais mise parce que, même si j'espérais bien que les histoires qu'on me racontait sur toi étaient vraies, j'avais aussi entendu dire que tu voudrais… quelque chose en retour, alors j'ai voulu être le mieux possible, j'étais tellement désespérée.

– Sara…

– Mais tu es allé jusqu'au bout. Tu as franchi chaque étape, et tu n'as pas tiré avantage de la situation. Tu m'as vraiment sauvée…

Sara leva les yeux sur moi, des yeux bleu ciel, tandis que l'horloge était sur le point d'indiquer minuit.

– Et maintenant je sais. Tu feras tout pour qu'il ne m'arrive rien ?

– Je te le promets…

J'écartai une mèche couleur rouge framboise de son front.

– La prochaine fois qu'il te téléphonera, qui que ce soit, dis-lui de m'appeler au *Hilton*, dis-je.

Sara prit un air triste. Triste ou reconnaissant, j'avoue à contrecœur que je ne savais pas trop comment réagir à cette expression. Sara posa la main gauche sur ma poitrine. Sans prévenir, ses yeux s'étaient rapprochés de moi.

– Ne va pas à Wilmington, dit-elle.

Elle posa un baiser léger sur mes lèvres.

– Reste ici.

Elle m'embrassa encore avant que j'aie le temps d'enregistrer le premier baiser.

– Reste ici pour t'occuper de moi…

Je ne sais même pas comment ça se produisit. Tout à coup, nos lèvres se rivèrent, devenant comme interchangeables. Excité, troublé, dynamisé, malheureux, assailli par une marée montante d'émotions, et avant de le savoir, j'y mis un terme.

Je tins Sara à bout de bras, nos souffles se confondant.

Je savais avec certitude ce qui venait de se passer, mais pas ce que ça signifiait. Aucune affiche au mur, aucun visage célèbre pour nous juger ou nous approuver. Un espace vide, ouvert à la spéculation. La lampe à ampoule unique, sur mon bureau, projetait des ombres, nos visages à moitié cachés, quelques minutes avant minuit.

Que penser, que ressentir ?

– Que se passe-t-il ? interrogea-t-elle.

Je n'étais pas sûr de la réponse, mais je savais ce que je voulais dire.

– Qui est le père ?

– Bastian...

– J'ai le droit de le savoir.

– Excuse-moi de t'avoir embrassé...

Je me rendis brusquement compte que j'étais en sous-vêtements, à moitié nu. Ou, pour voir le côté optimiste, à moitié habillé. Je me mis à chercher un pantalon dans mon placard. Je me souvins qu'ils étaient tous dans ma valise. Je restai le dos tourné à Sara.

– Pas de problème, dis-je en fixant une veste en jean que je ne portais plus depuis au moins cinq ans.

– Tu devrais penser plus souvent à toi, dit Sara.

– Je vais à Wilmington, Sara.

Je gardai les yeux sur des vêtements, des boîtes de chaussures remplies de souvenirs que je n'avais jamais pris la peine de visiter.

– Surtout, ne le prends pas mal, mais Jeremy a besoin de moi, plus que toi pour le moment.

– Mais je compte un peu pour toi, n'est-ce pas ? demanda-t-elle.

– Tu le sais bien.

– Un baiser d'adieu ?

Je refrénai mon envie de soupirer.

Émis un bruit bizarre, comme un éternuement retenu.

Me tournant vers Sara, je lui lançai un sourire rassurant.

Elle fit un pas en avant et m'enveloppa pour son baiser d'adieu. Me tenant dans ses bras, elle posa la tête sur mon épaule. Ses cheveux me chatouillèrent le nez quand je jetai un coup d'œil vers mon répondeur. Je posai un bras autour de ses épaules, sans la serrer de trop près. Jamais trop près. Ne pas rendre la situation plus compliquée. Tout en écoutant sa respiration qui pressait sa poitrine contre la mienne.

Besoin désespéré de voir un signe indiquant la sortie.

SAMEDI

17

Voici Sebastian

L'*interstate* 85 nous vit passer sains et saufs.

Pédale enfoncée, vitres témoins des arbres, fermes, affichages envahissants, vaches et chevaux, clubs de strip solitaires, victimes de la route, phares, fast-food, tas de ferraille laissés par des accidents de voiture, bandes de signalisation au sol, panneaux de l'*interstate*, tout ça se mêlant à un immense soulagement sous le soleil de Caroline. Ciels clairs et température à quarante degrés nous accompagnèrent dans notre course folle, jusqu'à notre destination.

Parcours silencieux. Magnétophone de bord cassé, et rien de bon à la radio.

Pneus faisant du 150 à l'heure sous nos pieds.

Vitres baissées, brise fouettant l'intérieur de la voiture.

Chacun de nous avait l'œil rivé sur ce qui nous attendait. Lunettes de soleil sur le nez, on se préparait tranquillement, en observant chaque panneau : de 200 kilomètres, Wilmington n'était plus qu'à 90, 40, puis 5.

La qualité de l'air changeait à mesure que nous approchions. Effluves salés s'infiltrant dans nos narines, sable soufflé jusqu'au bord de la route. Jaillissement de vie végétale sous forme de plantes indigènes, aperçu d'un enchevêtrement de palmiers et d'herbes folles des dunes.

Ralentissement à 65 kilomètres-heure quand les pièges à touristes commencèrent à dresser la tête. Location de vélos, fruits de mer, agences immobilières, terrains de golf miniature à thème de jungle. Après l'université de Wilmington, la vitesse limitée descendait encore plus bas. Nuisances visuelles remplacées par un voisinage résidentiel, paysage dominé par de vastes demeures imposantes, d'une époque depuis longtemps révolue.

12 h 45, et nous étions arrivés.

Encore quinze minutes avant notre première rencontre avec Dromio Johansson.

La ville historique de Wilmington semblait rendre le soleil un peu plus brillant. Petites entreprises, restaurants, drugstores qui vendaient encore du Coca dans des bouteilles de verre moulé. Rues en briques rouges vivant joyeusement dans un temps plus propre, plus idéal. Trottoirs peuplés sans jamais paraître surchargés. Vivante, sans la clameur envahissante de Chicago. Ambiance calme, pâle reflet des rues presque oubliées du centre-ville de Durham.

Nous nous garâmes près du *Hilton*.

Comme Jeremy craignait d'être en retard, je reportai l'écoute de mes messages. Nous suivîmes les docks en bois, le long de la Cape Fear River. Courant d'eau régulier d'une centaine de mètres de largeur, en parfaite harmonie avec l'atmosphère ambiante. Bateaux privés se balançant à l'ancre le long du *North Carolina*, un navire de guerre désaffecté.

Profusion de shorts et de lunettes de soleil.

Arrêt devant le tribunal pour regarder de l'autre côté de la rivière. M'appuyant au garde-fou, j'inhalai profondément l'air frais, au-dessus de l'eau, pendant que de petites vagues venaient clapoter contre la jetée en béton.

– Nous y sommes arrivés, dis-je en souriant.

Jeremy sourit vraiment, lui aussi, bien qu'il se tordît les doigts. Gros nœud marin de phalanges et d'ongles. Jambes tremblantes. J'entendais sa respiration, plus rapide que les secondes qui filaient. Incisives triturant sa lèvre inférieure. Aucun moyen de m'immuniser contre une émotion pareille, qui commençait à me gagner moi aussi. Je luttai, conscient du travail qui m'attendait, et prêt à le faire…

– Ça va ? demandai-je.

Jeremy me regarda. Même ses lunettes de soleil paraissaient nerveuses.

– J'ai la trouille.

– Tout ira très bien, affirmai-je. Pour toi comme pour moi.

Il hocha la tête.

– Alors c'est là que nous avons rendez-vous ?

– Exact.

Jeremy hocha encore la tête. Il jeta un coup d'œil derrière lui, par-delà la rivière.

Un chien s'approcha, renifla nos jambes et poursuivit son chemin.

Un officier de la police montée passa près de nous. Les sabots de son cheval résonnaient au même rythme qu'une valse.

– Comment ça s'est passé pour Cesar, hier soir ? demanda Jeremy pour faire la conversation.

– Pas de nouvelles, mais tout était au point.

– Ah bon…

Jeremy m'écoutait à peine, mais il continua.

– J'ai rencontré Paul Inverso l'autre jour.

– Paul Inverso ?

– Il te cherchait. Il voulait que tu l'appelles.

– Était-il assis au bord d'un toit ?

– Non.

– Alors, ça peut certainement attendre, d'accord ?

Je lui donnai une accolade dans le dos.

Jeremy hochait toujours la tête, comme si sa vie en dépendait, et il ne manqua pas de le faire cette fois encore. Après avoir contemplé l'eau, nos yeux parcoururent la rue.

– Bon sang, Baz, c'est une heure et quart ! dit Jeremy.

La meilleure moitié de son excitation s'était envolée.

– Où est-il passé ? demanda-t-il.

– Ton père n'est pas aussi ponctuel que toi. Détends-toi, il va arriver.

Jeremy en était à son cinquante-troisième signe de tête quand je lorgnai l'autre côté de la rue. Le brouhaha sur les marches blanches du tribunal attira mon attention. Je fis quelques pas. Plissant les yeux, j'allai un peu plus loin.

Derrière moi, Jeremy m'appela.

– Baz, où vas-tu ?

– Attends-moi ici !

Je traversai la rue en toute hâte, sans savoir très bien ce que j'allais faire. Autopilotage. Focalisé sur une femme d'une vingtaine d'années qui se tenait sur l'escalier. Cheveux noirs, yeux ronds, vêtue d'un tailleur professionnel. Talons hauts. Joues pâles rougissantes tandis qu'elle essayait de se frayer un passage à travers un groupe d'hommes, chacun la copie conforme des autres. On aurait dit des étudiants, en shorts kaki et chemises bon chic bon genre. Chapeaux blanc fané. Grands et forts. Certains plus musclés que les autres, mais le plus maigrichon me surpassait d'au moins vingt kilos. Un large sourire sur leur visage hâlé, ils entouraient la jeune femme. Concert de voix, l'une d'elles s'élevant au-dessus des autres pendant que je montais l'escalier. Probablement leur leader. Le seul qui avait les cheveux noirs, un corps sculptural et un accent du Sud un peu plus marqué que les autres.

– Allez, on est tous des chic types. Nous vous demandons juste *ce qui se passe*. dit-il.

– Et moi, je n'ai rien à vous dire, rétorqua la jeune femme.

Elle continua à descendre et ils en firent autant, véritable équipe d'agents secrets mercenaires.

– Oh, vous n'êtes pas obligée d'être comme ça, dit le leader d'une voix douce.

– C'est votre dernière chance, les avertit-elle. Laissez-moi passer !

Une série d'injonctions sarcastiques s'éleva, et un autre gars ajouta :

– Ah oui ? Sinon vous ferez quoi ?

– Quand ça se passera, vous le saurez ! dis-je.

Tout le monde resta bouche bée.

La bande se tourna comme un seul homme. Postés sur les marches les plus hautes, les types me dominaient. Regards coléreux. N'appréciant pas d'être défiés. J'avais vu ça un millier de fois avec un millier d'autres.

Je les dévisageai avant d'observer la jeune femme. Discernant mieux ses traits, ce que je vis me plut. Un petit nez. Des yeux d'une grandeur incroyable, certainement empruntés aux dessins animés du samedi matin. Un cou fin et des lèvres sensuelles qui ne se refermaient pas complètement. J'aurais pu la regarder un peu plus longtemps pour me régaler des détails : joues écarlates, cheveux brillants et longs cils, mais tout cela devait attendre, et je demandai :

– Tout va bien ?

Avant qu'elle ait le temps de répondre, le leader descendit à mon niveau. Ce n'était pas ce qui pouvait m'arriver de mieux. Il mesurait bien trente centimètres de plus que moi. Quand il se pencha à la hauteur de mon visage, je compris que c'était le début d'une histoire qui n'aurait rien d'exaltant.

– Y a pas d'problèmes ici. T'as un problème ?

– Non, répondis-je. Je dirais plutôt que j'en ai…

Je jetai un coup d'œil autour de moi.

– Un, deux, trois, quatre, cinq problèmes, en réalité ! Bien que ce soit difficile de les différencier. Vous avez tous le même fournisseur de vêtements ?

– Qu'est-ce que tu veux, espèce de pédé ?
– On devient inventif !
– Qui est ce mec ? demanda l'un d'eux au leader.
– Qui es-tu, mec ? demanda le meneur en écho.
– J'allais vous demander la même chose, Trevor, dis-je.
– Je ne m'appelle pas Trevor. Je m'appelle Bradley.
– C'est drôle, vous avez une tête à vous appeler Trevor.

Je me tournai vers la jeune femme.

– Vous ne trouvez pas ?
– Vous avez l'air aussi idiot l'un que l'autre, répliqua-t-elle.

Bradley et moi observâmes un silence franchement ébahi. J'avais à peine fini de savourer la gratitude de la jeune femme qu'une autre voix s'immisça dans notre petite réunion.

– Avez-vous un problème, mademoiselle Michaels ?

C'était un policier vêtu d'un uniforme bleu ciel. Rond, avec des sourcils clairsemés et un estomac robuste. Les pouces coincés dans une ceinture revolver au bord de la dépression nerveuse. Jambes arquées aboutissant dans une paire de chaussures la plus infinitésimale que j'aie jamais vue sur un homme adulte.

Badge officiel portant l'inscription : *Commissaire Hunt.*

La plupart des étudiants s'étaient déjà dispersés, et la jeune femme répondit avec assurance :

– Aucun problème. Je m'en allais. Comme tous les autres.

Elle passa entre Bradley et moi. Ses talons claquèrent contre les marches de béton, l'emportant le long du trottoir, accompagnés d'un balancement frustré des hanches.

Hunt ne bougea pas.

Je ne pus m'empêcher de penser qu'il me jaugeait tout particulièrement.

– Tu ne vas pas t'en tirer comme ça, dit Bradley en rapprochant une fois de plus son visage du mien.

Je ne me décourageai pas.

– Je crois que si, Trevor.

Il se détourna pour rejoindre son groupe.

Je fis de même. Dans la direction opposée, et je vis la jeune femme à mi-chemin entre ce pâté de maisons et le suivant. Accélérant le pas, je lui criai de m'attendre une seconde.

Elle se retourna et se croisa les bras.

Je m'arrêtai devant elle.

Faillis faire demi-tour en voyant ses yeux furibonds. Sans une once de chaleur ou d'affection, elle était figée dans une attente polie.

– Nous n'avons pas été présentés l'un à l'autre, dis-je.

– Combien de temps allez-vous rester dans cette ville ? demanda-t-elle.

Je haussai les épaules.

– Environ une semaine.

– J'aime mieux ça…

Elle passa la bride de son sac de cuir noir à l'épaule.

– Pendant une seconde horrible, j'ai cru que vous aviez emménagé ici.

Tournant le dos, elle poursuivit son chemin et je restai abasourdi au milieu du trottoir. Je finis par retrouver mes esprits et m'éloignai de cette paire de jambes pour retourner vers les docks.

Jeremy attendait sur le trottoir. Il avait un air bizarre, qui réfléchissait mes propres pensées.

– Qu'est-ce que c'est que cette histoire ? demanda-t-il.

– Je ne suis pas sûr d'avoir compris.

– Alors oublions et revenons à ce qui est important, d'accord ?

– Ouais…

Je jetai un dernier coup d'œil par-dessus mon épaule, mais elle avait déjà disparu.

– Bien sûr, ajoutai-je.

Tirant un trait là-dessus, je me tournai vers Jeremy.

Une fois la rue traversée, nous nous dirigeâmes vers le lieu de notre rendez-vous.

Ralentissement, juste avant d'y arriver.

Pause.

Un homme était là. Venant de nulle part, comme s'il s'était matérialisé par magie. Chemise hawaïenne irradiant des teintes roses. Visage plissé par la concentration tandis qu'il marchait vers nous. Short et baskets blancs. Pas de chaussettes.

Et voilà que Dromio Johansson se dressait devant nous.

Nous trois, formant un triangle silencieux.

Je perçus Jeremy dans mon champ visuel. Figé sur place.

Les sabots de l'officier de police montée retentirent de nouveau tout près de nous.

– Jeremy ? finit par demander Dromio.

Le moment était arrivé. Impression que tout Wilmington nous observait.

Brièvement, je me remémorai ma conversation avec Brenda King. Je lui avais affirmé en toute bonne foi qu'elle n'avait rien à craindre.

Mais Durham se trouvait à plus de 200 kilomètres derrière nous. Je m'avançai et ôtai mes lunettes noires.

– Dromio ?

Dromio hésita.

Pendant un bref instant, il parut sur le point d'être submergé par l'émotion.

Cependant, il se maîtrisa vite, et ce fut lui qui, à son tour, s'avança vers moi.

Et il m'embrassa. La rude étreinte de l'ours. Je l'entourai de mes bras. Conscient du poids de mes dix-huit ans dans cet acte tout simple.

Nous nous écartâmes l'un de l'autre, et il m'ébouriffa les cheveux. Sourire accueillant, regard direct. Il était prêt.

– Jeremy.

– Dromio…

Je tournai la tête. Fis un signe à Jeremy, qui restait immobile. Il nous regardait, côte à côte, le bras de son père autour de mes épaules. Il afficha un sourire forcé, prit une attitude plus dynamique, presque détendue. Jamais je n'avais été aussi fier de lui.

– Voici Sebastian, dis-je à Dromio. Mon meilleur ami… Sans lui, je ne serais jamais arrivé jusqu'ici.

18

Le Blue Paradise

Dromio Johansson avait un style bien à lui.

Je sentais quelque chose de différent chez cet homme. Mais pas dans ce qu'il disait ou faisait. Comme nous nous étions mis à marcher, il nous posa quelques questions préliminaires. Sur notre voyage, si nous étions fatigués, affamés. Quelques affirmations. Tout en nous montrant un certain nombre de lieux et en nous donnant des idées pour de futures activités, de petites suggestions pour les jours à venir.

Comme je l'ai dit, rien de particulier.

Rien, non plus, sur quoi j'aurais pu mettre le doigt. Sa façon de parler, de marcher. Il était attentif à tout ce qui se disait, tout en se déconnectant de la conversation pendant de brefs instants. Parfois, il regardait le ciel, à la recherche de quelque chose que je ne pouvais qu'essayer de deviner. Bien dans sa peau, mais respectueux de ce moment étrange pour chacun de nous. Agréable mais prudent. Plein d'assurance mais sans audace. Nous laissant choisir le rythme de nos pas. Il se tenait à ma droite pour pouvoir s'adresser autant à Jeremy, qui était à ma gauche, qu'à moi. De ses yeux émanait une lueur qui avait la nature des rayons X. S'infiltrant sous notre peau sans vraiment la transpercer… Comme si, par le simple fait de lui parler, nous lui avions ouvert l'accès à nos pensées les plus intimes.

En un mot, il avait définitivement l'avantage.

Quelque chose du passé, sur son visage, quelque chose qui n'était pas encore immunisé.

Quelque chose qui me conseillait de me tenir sur mes gardes.

Quelque chose qui retint mon attention au point que j'en oubliai de m'attarder sur la réaction de Jeremy.

– Les garçons ! annonça Dromio en s'arrêtant brusquement avec un large geste du bras. Voici mon restaurant… le *Blue Paradise*.

Mes yeux, et ceux de Jeremy, se posèrent sur l'enseigne bleu aquatique suspendue au-dessus de la grande porte à double battant. BLUE PARADISE en grosses lettres peintes sur un dauphin en bois sculpté. Une foule, de proportion raisonnable, était réunie devant la porte. Des touristes, pour la plupart. Ils feuilletaient les menus, qu'ils pointaient du doigt avec une délectation surzélée.

– Qu'en pensez-vous ? demanda Dromio.

– Impressionnant, Dromio…

Je m'interrompis pour laisser Jeremy faire ses commentaires. Comme il ne disait rien, je continuai :

– On dirait que c'est le coin le plus populaire de Wilmington.

– Normal, mon garçon. À vingt-cinq cents le plat !

– Vingt-cinq cents le...

– Vingt-cinq cents le plat, c'est bien ça !

Dromio me donna une petite tape dans le dos en faisant un signe de tête.

– Entrez, mes garçons. Je vais vous montrer le système.

Nous le suivîmes dans le système sanguin du *Blue Paradise*.

Comparaison très à-propos. Deux immenses salles à manger baignées de différentes nuances de bleu. L'espace lui-même ressemblait à une caverne, bien que par quelque astuce de perspective ou du décor, Dromio eût réussi à lui conférer une intimité originale. À chaque table où se nouait un dialogue privé, le brouhaha des conversations semblait passer à l'arrière-plan. Fats Domino taquinait les touches d'ivoire pendant les allées et venues de serveurs en cravate noire. Même le brouhaha semblait une source de détente.

Dromio nous fit passer entre plusieurs tables. D'une poignée de main à l'autre avec des patrons de la région et des membres de leur personnel, il nous raconta tout :

– Le *Blue Paradise* part du principe que chacun a droit à un bon repas, en reconnaissant le fait que tout le monde n'a pas les moyens de s'en offrir un. Il est vrai que si tous les hommes sont nés égaux, ils ne sont pas tous payés de la même façon. C'est pourquoi j'ai décidé d'égaliser le niveau.

Dromio traversa son restaurant d'un pas assuré.

– Tous les gens qui viennent ici n'ont jamais à régler plus de vingt-cinq cents le plat. Les boissons ne sont pas comptées, naturellement. Tu veux un G and T, un Russe blanc, ou un Sex on the beach, tu as intérêt à cracher tes billets. N'importe qui peut s'enivrer, mais un homme, un vrai, paie ses boissons.

Dromio nous emmena vers une table de cinq qui était à l'écart.

D'un signe, il nous enjoignit de nous asseoir.

Ce faisant, Jeremy se cogna à la table. Et renversa deux ou trois verres.

C'est à peine s'il put articuler quelques mots d'excuse. Il s'assit, anéanti.

– Ce n'est pas grave, Sebastian, dit Dromio en remettant les verres d'aplomb.

Je décidai de faire distraction.

– Je ne comprends pas, Dromio. Où est l'astuce ?

– L'astuce ?

Dromio s'assit en adressant un sourire rassurant à Jeremy.

– Il faut bien qu'il y ait une astuce. Sinon, vous ne pourriez pas gagner du blé !

– Eh bien, on dit souvent qu'un bienfait n'est jamais perdu, dit-il, pensif. Tu ne le croiras peut-être pas, mais en réalité, j'ai réussi à gagner plus d'argent que n'importe quelle entreprise des environs.

– En demandant vingt-cinq cents pour un plat ?

– Vingt-cinq cents est le prix *suggéré*, précisa Dromio. Je vais t'expliquer.

Faisant signe à un serveur qui passait, Dromio lui demanda s'il avait la commande de la table 25. Le serveur la lui procura. Dromio lui donna une petite accolade affectueuse et le renvoya à son travail. Il prit une paire de lunettes de lecture cerclées de noir et sans branches, qu'il approcha de ses yeux.

– Très bien… murmura-t-il avant de s'adresser à nous. Vous voyez ça ? On a suggéré à une table de trois personnes de commander pour un total de soixante-quinze cents sans compter les boissons. Le vrai prix aurait tourné autour de soixante-dix dollars, approximativement. Mais ils ont payé ça *et* décidé de rajouter vingt-cinq dollars.

Dromio eut une expression comique de buveur éméché.

– Pourquoi, à votre avis ?

Échange de regard entre Jeremy et moi, avant que nous haussions les épaules.

– Parce que le consommateur moyen ne veut pas paraître pauvre, dit Dromio. Les gens riches, eux, veulent avoir l'air plus riches encore. Et ils ne se rendent jamais compte qu'en fait, ils subventionnent d'autres clients.

– Mais…

Jeremy s'exprimait pour la première fois, sa timidité vaincue par l'étonnement.

– Mais les clients n'en profitent pas pour abuser de la situation ?

– La plupart des gens ont une conscience, Sebastian…

Dromio pointa le doigt vers le bar.

– Tu vois cet homme, assis sur le tabouret, le plus proche de nous ?

Je fis pivoter mon cou d'un demi-tour. L'homme était gras, rose, gargantuesque. Trois assiettes pleines étaient posées devant lui. C'était sidérant, mais il ingurgita la totalité, dans une tentative désespérée de torturer ses vêtements.

– Cet homme, nous raconta Dromio, ce type lunaire, vient deux ou trois fois par semaine, et il mange à s'en rendre malade. Pendant des mois, il n'a jamais payé plus d'un quart de dollar. À chaque fois. Et à chaque fois, nous lui avons souri en lui exprimant notre plaisir de le revoir. Un jour, il m'a signé un chèque de 2000 pour compenser, et, par la suite, il a doublé la somme qu'il dépensait jusqu'alors pour chaque repas. Chaque fois qu'il est venu. Et toutes les personnes seules finiront par faire de même. Tout le monde paie un repas au restaurant plus cher qu'il ne vaut. Le *Blue Paradise* fonctionne parce que je laisse les gens choisir exactement la somme que nous allons leur prendre.

De derrière nous s'éleva une douce voix féminine.

– Jeremy !

Demi-tour sur notre siège, avant de nous lever, Jeremy et moi.

Je reconnus aussitôt la femme de Dromio d'après la photographie que Little Niko avait envoyée. Nancy Johansson. Cheveux noir corbeau, significativement plus longs maintenant, qui lui arrivaient au-dessous des épaules sous forme de deux tresses, nostalgie de jeunesse. Elle avait cependant le même large sourire. Et les mêmes yeux, expressifs et amicaux, malgré les poches qui commençaient à se dessiner. Vêtue d'une chemise blanche et d'un jean bleu, moulant. Bras gauche posé sur les épaules de Matilda, dont le visage reflétait bien peu celui de la photographie que j'avais vue. Seize ans, cheveux noirs raides coupés court. Sourire appareil-dentaire remplacé par des lèvres incertaines et un regard lourd de mauvaise humeur.

– Ma femme, Nancy, annonça Dromio en se levant. Et bien sûr, ma fille, Matilda.

Je tendis la main.

– Heureux de vous rencontrer, madame Johansson.

Ignorant ma main tendue, elle m'attira dans une étreinte colossale.

– Je suis si heureuse que tu nous aies trouvés, Jeremy.

Elle s'écarta.

– Et s'il te plaît, appelle-moi Nancy.

– Nancy…

Je fis un geste vers Jeremy.

– Voici mon meilleur ami, Sebastian.

Cette fois, Nancy accepta la main de Jeremy. Il la lui serra mollement, en émettant quelques mots à peine audibles.

– J'espère que vous vous sentirez chez vous ici.

Nancy se tourna vers sa fille.

– Matilda ?

Matilda ne broncha pas. Elle me fixa avec insistance, ses yeux cherchant du réconfort derrière leur monture. Les mouvements et les murmures du restaurant apaisèrent la tension qui nous entourait. Matilda fit glisser son regard vers Jeremy, puis elle le posa de nouveau sur moi. Quand elle parla, sa voix résonna exactement comme je m'y attendais. Elle semblait réunir tout son courage.

– Tu ne ressembles pas du tout à mon père.

Avant qu'elle ait le temps de recevoir une quelconque remontrance, je rétorquai :

– Toi non plus. Mais nous n'avons peut-être pas la même mère.

– Mon père dit que je ne suis pas obligée de t'aimer.

– Je suis sûr qu'avec le temps, tu te rendras compte que c'était un très bon conseil.

Matilda fronça les sourcils.

– Bon ! s'exclama Dromio avec un soupçon de sourire dans la voix. Je suis heureux de voir que vous avez beaucoup de points communs... Maintenant, à table !

Matilda soutint mon regard encore un moment avant d'aller s'asseoir le plus loin possible de moi. Nancy s'installa près de Dromio. Je pris une chaise et me fis oublier. Seul Jeremy resta debout. Nous observant tous les quatre pendant que nous consultions le menu. Triturant ses doigts, incapable de trouver une expression qui s'harmonise avec la situation. Respirant l'exclusion pure alors qu'il s'asseyait lentement sur sa chaise.

Il déplia sa serviette de table et, bien élevé, l'étala sur ses genoux.

19

Lève-toi et fais-toi entendre

Jeremy se vidangeait dans un urinoir, en se cognant doucement la tête contre le mur.

Le plâtre bleu résonna un peu, attirant l'attention d'un client qui se lavait les mains. Il me regarda d'un air effaré. Je haussai les épaules, pour lui faire croire que je n'avais jamais vu ce garçon de ma vie. Il haussa les épaules à son tour. Se sécha les mains et nous laissa seuls au milieu des décorations marines et des robinets automatiques.

– Détends-toi, Jeremy, dis-je. Ne t'effondre pas sur moi. Ça marche comme un charme…

– Ça ne marche pas du tout, dit-il d'une voix basse et défaite.

– Mais il ne se doute absolument de rien !

– Ce n'est pas ce que je veux dire.

– Jeremy, arrête de te cogner la tête.

Jeremy remonta sa fermeture Éclair, tira la chasse d'eau et se traîna vers le lavabo. Se lava les mains, évacuant sa tension à coup d'eau et de savon.

– Je commence à me sentir mal, avec cette histoire.

Il prit une serviette en papier pour s'essuyer les mains.

– Il est si amical et ouvert avec nous…

– On ne le connaît pas vraiment.

Je pris doucement Jeremy par les épaules et le fis pivoter pour qu'il me regarde.

– Cet homme n'est pas fait de la même étoffe que nous, ou que n'importe quelle personne que nous connaissons. Il est de la vieille école. Sa façon de marcher, de parler. Sa façon de contrôler la salle. Il n'est pas arrivé là où il est aujourd'hui en étant… amical. Tu le sais, non ?

Jeremy eut un petit hochement de tête effrayé.

– N'oublie pas… C'est l'homme qui a abandonné ta mère. Et moi, je suis celui qui monte au feu pour toi. Et je n'ai pas l'intention de te laisser entre ses mains avant de savoir s'il le mérite.

Jeremy marcha vers la poubelle. Jeta son papier et manqua son but. Réfléchit une minute, avant de se tourner vers moi.

– Comment vas-tu gagner sa confiance sans l'impressionner réellement ? Et je ne parle pas de Matilda. Elle me déteste.

– C'est *moi* qu'elle déteste.

– Elle déteste le *toi* qui est *moi*.

– Tout ça va changer. Mais en attendant…

J'hésitai. Sans très bien savoir comment aborder le sujet.

– En attendant ? répéta Jeremy.

– Ta façon de rester silencieux est… enfin, elle commence à attirer un peu trop l'attention.

Jeremy me dévisagea. Muet.

– Il faut que tu parles, Jeremy…

– C'est exactement ce que je suis en train de faire, siffla-t-il.

– Tu es nerveux, dis-je, me glissant entre deux champs de mines. Et tu veux savoir quoi ? Lui aussi, il est nerveux. Mais si *tu* veux gagner sa confiance, tu dois lui montrer que *tu* es fort. Comme lui. Adaptable. Dur. Aucun défi n'est trop grand pour toi. Un type lève la main sur toi, il se retrouve avec un moignon ensanglanté. Montre-lui que tu es un homme, c'est tout ce que je veux dire. Lève-toi et fais-toi entendre, *Sebastian*.

Jeremy soupira. Il fit craquer ses phalanges et redressa les épaules.

– D'accord, *Jeremy*.

– Très bien.

– Je suis désolé.

– Retournons à table.

Nouvelle traversée du restaurant, en nous faufilant entre les tables et les serveurs. Laissant Jeremy ouvrir la marche, je repérai une table de deux couverts à laquelle était assis un homme en polo blanc. Il était seul. Un sweat bleu sur les épaules. Une petite quarantaine d'années, mèches grises éclaircissant une chevelure brune. En passant près de lui, je vis qu'il échangeait son verre de vin contre celui de l'autre couvert. Puis il s'appuya à son dossier et se croisa tranquillement les bras.

Je continuai d'avancer.

Pour m'arrêter un peu plus loin.

Je me retournai. Une femme séduisante venait de le rejoindre. Vingt ans à peine, sourire angélique. Elle prononça quelques paroles, tendit la main vers son verre de vin.

En quelques rapides enjambées, je revins à leur table juste avant qu'elle ne boive.

– Laissez-moi deviner, dis-je en l'enjoignant de s'abstenir.

Elle posa sa boisson et je continuai :

– Premier rendez-vous. Vous venez juste de le rencontrer, c'est bien ça ?

– Oui, répondit-elle, troublée. Je viens de rencontrer Henry, mais…

– Je suis désolé, l'interrompit Henry. Vous connaissez ce type, Susan ?

– Non.

– Vous savez, Henry…

Je m'approchai de lui.

– J'ai envie d'entrer dans une confrérie d'étudiants. Mais je viens d'arriver dans cette ville, alors j'aimerais vraiment savoir où on peut ramasser quelques paquets de roupilleuses dans le coin.

D'un geste prompt, je fourrai la main dans la poche de son polo, d'où je retirai en un clin d'œil un petit sachet de pilules. Henry bondit de sa chaise, qui se renversa. Il m'ordonna de lui rendre le sachet. La moitié des clients se désintéressèrent de leur repas, et Dromio surgit près de moi.

– Il y a un problème ? demanda-t-il d'un ton très professionnel.

– Des roupilleuses, répondis-je. Ce bon vieux Henry en a mis un sachet dans le verre de Susan…

Henry tressaillit.

– Je n'ai pas…

– Qu'est-ce que c'est, des roupilleuses ? interrogea Susan, brusquement inquiète.

– Du Rohypnol. Toute personne qui en détient est dans l'illégalité si elle n'est pas médecin certifié. C'est indétectable dans un liquide, vous ne pouvez pas vous rendre compte que vous le buvez. Une demi-heure plus tard, vous commencez à vous sentir fatiguée. Ensuite, vous avez le vertige. Au beau milieu de votre plat principal, Henry va vous dire que vous êtes ivre. Il va vous proposer de vous raccompagner chez vous.

Jeremy et Matilda vinrent nous rejoindre.

– Plusieurs heures vont s'écouler avant votre réveil… mais à ce moment-là, ce sera trop tard… et vous ne vous rappellerez pas comment c'est arrivé.

Je me tournai vers Henry.

– Maintenant, vous pouvez partir, tranquillement. Ou bien, vous pouvez attendre la police, et nous vous accompagnerons tous au poste pendant qu'ils analyseront ces pilules. Mais je crois deviner quelle option vous allez choisir.

Henry resta silencieux. Fulminant, poings serrés. Piégé.

Dromio, Jeremy et Matilda étaient à côté de moi. Ils nous regardaient.

Le restaurant retenait son souffle.

– Vous ne savez pas à qui vous avez affaire, m'avertit Henry à voix basse.

– Vous non plus, dis-je sans sourciller. Je m'appelle Jeremy Johansson, et vous êtes dans le restaurant de mon père. Sortez.

Henry me tint tête pendant un moment.

Il jeta un coup d'œil aux visages qui nous entouraient. Pas d'échappatoire.

Tournant les talons, il s'éloigna.

– Il a raison ! s'écria brusquement Jeremy.

Il me fit sursauter.

– Sortez ! Si vous revenez ici, je vous casserai les deux jambes ! La gauche et la droite, espèce de salaud !

– Très bien, dit Dromio en nous enveloppant de ses bras.

Toujours calme, il nous serrait les épaules.

– Très bien, c'est parfait, les gars. C'est absolument parfait. Bon travail, vous deux !

– J'aurais dû lui botter le cul, marmonna Jeremy.

– N'y pense plus, Sebastian, dit Dromio. Allons, assieds-toi.

Jeremy retourna à table.

Dromio me regarda. Franchement, je n'étais pas préparé à voir ce sourire. Large et chaleureux, indubitablement approbateur. Il tendit la main pour me frotter le crâne. C'était le contact le plus proche que j'avais jamais eu avec la fierté paternelle. Difficile de ne pas le ressentir jusqu'au creux de l'estomac…

– Pas mal, dit Dromio. Pas mal du tout, Jeremy.

– Merci.

– Tu as vraiment pris un risque.

– Je n'ai pas eu le temps de réfléchir.

– Bien joué.

Dromio leva les yeux vers Susan. Encore désemparée, elle ramassait ses affaires sur la table. Il reporta sur moi un regard expectatif.

– Qu'allons-nous faire maintenant ?

Sans hésiter, je me dirigeai vers la table de Susan.

Prenant son manteau, je l'aidai à l'enfiler.

Elle m'adressa un vague sourire, et je lui dis de ne pas s'inquiéter.

Je pris cinquante cents dans ma poche, que je posai sur la table.

Pour qu'elle sache que le repas était à notre charge.

Je regardai Dromio.

M'adressant un clin d'œil, il me fit signe de me joindre à la famille.

20

Troisième interlude

Voici ce que Dromio me raconta.

Le toit était ouvert, et le vent, qui soufflait à 100 kilomètres-heure, envahissait la décapotable. Les cheveux de Dromio s'emmêlaient, ses lunettes noires se défendaient contre le soleil de l'après-midi. Régulièrement, il jetait un coup d'œil dans le rétroviseur pour me surveiller. Je le suivais en voiture jusqu'à Wrightsville Beach. Et dès qu'il pouvait, il regardait Jeremy, assis à la place du mort, le regard fixé sur le paysage qui défilait. Louchant contre la vitesse. Silencieux, il remplaçait la conversation par un air grave. Dromio laissa la radio pendant quelques minutes. La station diffusait de vieux airs, et il commençait à se sentir pareil.

Au moment où « Hôtel California » commença à jouer, il fit la grimace.

Coupa le son et soupira.

– Quand « Hôtel California » est-il devenu un air ancien ? demanda-t-il en secouant la tête. Bon sang, quand « Hôtel California » est-il devenu quoi que ce soit ?

– Oui, admit Jeremy, les yeux toujours fixés sur la ligne brouillée formée par les arbres noueux. Les Eagles sont à chier !

Encore quelques minutes de silence balayé par le vent.

– Alors, Sebastian… commença Dromio.

Il se ravisa :

– Tu préfères un autre nom ? Baz, Bastian ? Comment les autres t'appellent-ils ?

– Comme ils veulent. Je m'en fiche pas mal.

– Très bien…

Dromio fit une autre tentative.

– Sebastian. Comment est mon fils ?

Jeremy lui lança un bref coup d'œil.

– Que voulez-vous dire ?

– Je ne l'imaginais pas ainsi.

– Comment l'imaginiez-vous ?

Dromio haussa les épaules, mit le clignotant.

– Tu sais, j'étais un sacré joueur de cartes. Je ne sais pas si Jeremy te l'a dit. Je suis sûr qu'il a dû apprendre une ou deux bonnes choses sur moi par… Brenda. Et l'une des premières leçons que j'ai reçues, c'est que si tu joues au poker avec des inconnus, des gens que tu n'as jamais vus, la première main incroyablement bonne que tu reçois, par exemple quatre cartes de même valeur, eh bien, quand tu as cette main en jouant avec des inconnus, tu passes. Tu ne la joues pas, tu te contentes de poser les cartes et d'attendre la suite.

Jeremy cacha son intérêt en faisant semblant d'être passionné par la boîte à gants.

– Pourquoi ?

– Parce que c'est trop beau pour être vrai. Quand tu joues avec des inconnus, tu ne peux jamais savoir si quelqu'un ne t'a pas servi une main épatante juste pour te faire perdre tout ton argent dans une main phénoménale.

– Et comment imaginiez-vous Jeremy ?

– Je ne le voyais pas aussi... idéaliste. Oui, c'est le mot juste.

Dromio jeta encore un coup d'œil dans le rétroviseur.

– Je me retrouve tellement en lui. Sa façon d'agir, de se tenir. C'est presque comme si je l'avais élevé moi-même.

– Mais ce n'est pas le cas, dit Jeremy en lui adressant un regard direct pour la première fois.

– Je sais.

Dromio soutint son regard aussi longtemps qu'il put.

– J'imaginais aussi qu'il serait plus en colère. Et un peu moins à l'aise... plus introspectif.

– Vous n'avez jamais voulu le retrouver... pendant toutes ces années ?

– J'ai vieilli et j'ai appris à laisser faire les choses. Ce qui ne signifie pas que je n'en avais pas envie.

– Je suis sûr qu'il aimerait entendre ça.

– Veux-tu que je te dise quelque chose d'étrange ?

– Allez-y.

Dromio ralentit en apercevant le premier pont menant à Wrightsville.

– Je me sens plus proche de toi que de mon propre fils. Je sais que ça paraît fou, mais je n'arrive pas à lui demander quoi que ce soit de... personnel.

Jeremy regarda le pont approcher et haussa les épaules.

– Que voulez-vous savoir ?

– Est-ce que son père est bon avec lui ? Je veux dire, son autre père.

– Peter King est un chic type…

Jeremy tourna autour de ses paroles à petits pas.

– Il est journaliste. Lauréat du prix Pulitzer, ce genre de truc.

– Ils s'entendent bien ?

– Père et fils standard, il n'y a rien d'autre à dire.

Dromio hocha la tête, absorbant l'information.

– Et sa mère ? Est-ce qu'elle lui parle de moi ?

– Elle vous croit mort. Elle pense que c'est aussi bien, de toute façon. Pour autant que je puisse dire, tout va bien avec elle.

– Est-ce que Jeremy m'en veut ?

Jeremy coula un petit coup d'œil dans le rétroviseur latéral. Il vit ma voiture et détourna les yeux.

– À ce niveau-là, je ne sais pas très bien ce qu'il éprouve.

– Ça se comprend.

– Autre chose ?

– A-t-il une petite amie ?

– Non, répondit aussitôt Jeremy. Si on remettait la radio ?

– Bonne idée…

Dromio enfonça une touche, et la musique flotta en plein air.

La décapotable s'engagea sur le pont. Une de ses ailes se souleva. Elle parut s'envoler par-dessus l'étroite rivière d'eau de mer. Des petits bateaux se détachaient sur les reflets du soleil, provoquant des vagues. Des pêcheurs et des vacanciers flottaient sur une surface par ailleurs très calme.

Dromio tapota Jeremy dans le dos.

– Merci, Sebastian.

Bien au-dessus de l'eau, Jeremy observa l'étendue des îles. Faisant un hochement de tête passif, il laissa ses paroles se perdre dans le rugissement du vent…

Du moins, c'est ce que Dromio me raconta.

21

En pleine forme

Jeremy et moi étions officiellement arrivés.

Au moment où je m'engageais sur l'autoroute, j'avais perdu toute réserve au sujet de mes intentions. Le reste du repas s'était déroulé sans nouvel accroc. Dromio avait raconté des anecdotes. Nancy s'était gentiment moquée de ses fanfaronnades contrôlées. Même Matilda s'était légèrement épanouie, son sourire métallique sortant de la pénombre à plus d'une occasion. Leurs questions étaient restées discrètes, et je n'avais eu aucune difficulté à soutenir mon rôle en tant que Jeremy. Les quelques inconséquences de Jeremy étaient passées inaperçues, et il était resté neutre la plupart du temps, laissant la famille se focaliser sur moi. C'est à peine si je l'avais remarqué, tellement il se fondait dans la nappe.

Difficile à croire qu'il était déjà 16 h 30 quand je quittai ma voiture.

De la plage, j'embrassai du regard la maison de Dromio, qui me dominait de ses trois étages. C'était de loin la plus grande maison des rives de Wrightsville. Elle aurait mérité d'avoir des fenêtres à vitraux et sa propre congrégation. Les bruits de l'océan s'élevaient de derrière les dunes. Les vagues déferlaient, et j'aurais juré que tout cela ressemblait à des applaudissements.

Après avoir sorti nos sacs du coffre, nous montâmes un escalier extérieur jusqu'au second étage. Sous nos baskets, le sable crissait contre le bois.

– Bienvenue chez nous, dit Dromio en ouvrant la porte.

Il nous conduisit dans un interminable salon. Un plancher de bois ciré accueillait deux gigantesques canapés blancs et des fauteuils assortis, tout autour d'un grand tapis de haute mèche. Une impressionnante installation destinée aux loisirs occupait un coin de la pièce, le mur opposé étant converti en bar entièrement approvisionné. En chêne foncé brillant, bordé d'une barre de cuivre et de tabourets joliment sculptés. Le reste de l'espace était rempli de vieux trophées de basket-ball, de photos de famille, insignes, décorations, une véritable collection. Le soleil se déversait à travers un mur de portes coulissantes ouvrant sur une immense véranda.

Muets d'admiration et de stupeur, Jeremy et moi entrâmes lentement. Nous ne nous décidions même pas à poser nos sacs.

– Pas mal, hein ?

Dromio sourit depuis la cuisine adjacente, où il décapsulait une bière.

Hochements de tête de ma part et de celle de Jeremy.

Dromio consulta sa montre.

– Posez vos sacs et installez-vous, les gars. Je reviens dans une seconde, j'ai un coup de fil à passer.

Il nous laissa seuls dans la pièce.

Dès que Dromio fut parti, je sentis une claque sur l'épaule.

– Tu es cinglé ! siffla Jeremy.

– Aaaïeee...

Je me frottai l'épaule.

– Si je le suis, je crois que j'en ai tiré une bonne leçon, Jeremy.

– Qu'est-ce que c'était que ce cinéma, au *Blue Paradise* ? Le type aux pilules, Henry... Tu aurais pu nous faire tuer !

– James ne voulait tuer personne.

– Qui est James ?

– Le type aux pilules.

– Il s'appelle Henry !

– James, rectifiai-je. C'étaient des comédiens. Ils venaient de l'atelier de théâtre de Jenny Inverso. C'est elle qui me les a fait rencontrer. Ils me devaient une faveur, et je leur ai demandé leur aide. Nous avons tout mis au point à Durham.

Les yeux de Jeremy s'élargirent.

– Tu es *vraiment* cinglé.

– La femme s'appelle Sloan.

– Je m'en fiche !

La voix de Jeremy se brisa sous l'effort de chuchoter.

– Pourquoi ne m'as-tu pas mis dans le coup ?

– Parce que ton père regardait, et que tu n'es pas très bon pour ce genre de trucs.

La lutte intérieure qu'il menait fit une petite escapade. Jeremy regarda le sol. Fourra ses mains dans ses poches et donna un léger coup de pied dans ses sacs. Il leva un regard à la fois blessé et soulagé.

– Je suppose qu'ils t'aiment bien, maintenant, grommela-t-il.

– Ils nous aiment bien tous les deux.

Jeremy baissa de nouveau les yeux.

– Tu aurais pu seulement… en faire un peu moins.

Je me penchai légèrement en avant pour mieux voir son profil.

– Qu'est-ce que tu veux dire ?

– Un peu moins exubérant. Un peu moins Superman, tu me suis ?

– Nous voulons qu'ils aient de l'*affection* pour moi, Jeremy.

– Oui, mais pas qu'ils t'adoptent.

Il tapa du pied sur le plancher.

– Jeremy, qu'est-ce…

La sonnerie retentit. Fin du round.

La voix de Dromio s'éleva d'une autre pièce.

– Jeremy, est-ce que tu peux voir qui c'est ?

Nous nous dirigeâmes vers la porte.

Entrâmes en collision.

Jeremy fit un signe vers l'entrée.

– Jeremy, à toi.

J'ouvris la porte, pas le moins du monde préparé à voir ce que j'allais voir.

Devant moi apparut une paire de jumeaux, identiques, vêtus de costumes assortis, sur mesure. D'âge moyen, ils étaient tous les deux taillés dans une solide étoffe. Larges épaules, double étalage de bouches sévères. Regards froids sous des couvre-chefs noirs similaires, traces de gris dans leurs sourcils arqués. Leurs bagues attirèrent mon attention sur leurs grandes mains serrées devant eux. Prêtes à cogner, semblait-il.

Un extrait de film qui se terminerait très mal.

Je me pinçai mentalement, avant de conclure que je ne rêvais pas.

– Puis-je vous aider ? demandai-je.

– Est-ce que Dromio Johansson est chez lui ? dit l'Un.

– Qui le demande ?

– Ça ne te regarde pas, et tu peux t'en réjouir, déclara l'Autre d'un air impassible.

– Dis-nous juste s'il est là, ajouta l'Un.

Brusquement, je pris conscience que je n'avais vraiment que dix-huit ans. Cherchant mes mots, mais ne trouvant que des mots d'une seule syllabe surgis de ma liste de vocabulaire du cours préparatoire.

Chat – bol – pied.

Rat.

– Qu'est-ce que vous faites là, vous deux ?

Avant que je comprenne que ces paroles n'étaient pas sorties de ma propre bouche, les jumeaux entrèrent dans le salon en me bousculant. Dromio était revenu. Il se tenait au milieu de la pièce. Une expression composée sur le visage. Prêt. Il ne sourcilla pas quand les deux s'approchèrent de lui.

Jeremy recula.

L'oxygène parut se raréfier.

– Ferme la porte, me dit Dromio. Tout ira bien.

Tué pour dette de jeu.

Je fis ce qu'il me demandait, pendant que Dromio affrontait les jumeaux.

– Nous sommes fatigués d'attendre que tu passes nous voir, dit l'Un.

– Je n'ai jamais reçu d'invitation, rétorqua Dromio, sa plaisanterie happée par son air dénué d'humour.

– Tu trouves ça drôle ? demanda l'Autre.

– Ici, c'est *ma* maison, dit Dromio. Pas de ça devant les gosses !

De la veste de l'Un surgit un revolver plaqué argent. Pas encore pointé sur quelqu'un, simplement suspendu à son côté.

Je me sentis glacé. Mes muscles se nouèrent tandis que Jeremy reculait encore en laissant échapper de ses poumons un filet d'air imperceptible. Nos regards se tournèrent vers la lueur qui brillait dans la main de l'Un, tandis que l'Autre sortait sa propre artillerie qu'il ajustait entre les yeux de Dromio.

– Ils ne vont aller nulle part, affirma l'Un. Et n'oublie pas à qui cette maison appartient réellement. Ne nous fais pas poireauter, et ne pense surtout pas que tu pourras t'en sortir en nous baratinant.

– Ne pense pas du tout, enchaîna l'Autre. Contente-toi de nous rendre ce qui nous appartient.

– Il n'y a rien pour vous, ici.

La voix de Dromio ne flancha pas. Ni son expression, alors qu'il regardait dans le canon du revolver.

– Tu n'as aucune chance, et tu le sais.

– Nous te le demandons encore, insista l'Un en levant lui aussi son arme vers Dromio. Et considère que c'est pour ainsi dire un dernier avertissement !

– Vous aurez que dalle ! lança Dromio.

– Ah oui ?

– Rien de rien !

– Devine ce qui va arriver quand nous aurons pris soin de toi… C'est ta dernière chance.

Les yeux de Jeremy s'agrandirent.

Et brusquement, je me mis à penser à ma mère.

– Allez-y, tirez ! dit Dromio.

Bien que j'aie passé le restant de la journée à entendre des coups de feu éclater dans ma tête, la réalité n'offrit rien d'autre, à ce moment-là, que deux légers déclics.

Jeremy resta figé sur place, les mains crispées sur l'estomac.

Mâchoire décrochée, attirant les mouches.

Moi-même, j'avais besoin d'une boussole pour m'y retrouver. J'essayais de comprendre pourquoi Dromio était toujours là, debout, avec un sourire satisfait qui s'élargit jusqu'aux oreilles.

– Si ces deux-là étaient de vrais gangsters, annonça-t-il, je serais mort à l'heure qu'il est.

Les jumeaux éclatèrent de rire.

Impossible de me détendre, même quand Dromio fit comme eux. Il leur serra la main. Ils étaient maintenant complètement différents, tous les trois, de ce qu'ils étaient deux minutes plus tôt. Les jumeaux, pleins d'entrain et engageants. Dromio, de nouveau parfaitement à l'aise.

Je fus le premier à me remettre en mouvement. Pas tout à fait prêt à m'écrouler de rire, mon cœur n'ayant pas encore oublié que j'avais failli y passer, ici même.

Enterrement en mer.

Jeremy suivit mon exemple, et un sourire crispé apparut sur nos lèvres.

– Hé, Dromio, dit l'Un en essuyant une larme d'une main, l'Autre tenant toujours le petit revolver d'argent. Où as-tu trouvé ces mouflets ?

– Comme gardes du corps, on fait mieux, dit l'Autre en rigolant et en rangeant son arme.

Dromio fit un signe dans ma direction.

– C'est mon fils, Jeremy. Et lui, c'est Sebastian. À votre place, je ne les asticoterais pas trop. Ils ont du cran. Impossible de faire dire un mot à ce gamin.

– Dromio…

Je réussis à retrouver ma voix.

– Apparemment, c'était très drôle, mais je n'ai pas saisi.

– Voici les frères O'Neill.

Dromio leur posa un bras sur les épaules.

– Ils dirigent une société de crédit immobilier. Je les vois tous les samedis pour discuter de cas nécessiteux. Ils sont fous de culture gangster, au cas où vous ne l'auriez pas compris. Il faut voir leur maison. Elle ressemble au jardin d'Eden personnel d'Al Capone.

– Sale bête ! dit l'Un en souriant.

Il s'approcha du comptoir de la cuisine.

– Vous pétez la forme, les gars ! répliqua Dromio.

– Vous faites ça tous les samedis ? demandai-je.

Dromio se mit à rire.
– Non, c'était juste pour vous impressionner un peu.
– Ce sont de vraies armes ? arriva à articuler Jeremy.
– Des 22, répondit l'Un. Ne t'en fais pas, ils ne sont pas chargés.
– Un revolver pas chargé, ça n'existe pas, dit Jeremy.
– Ça existe, si personne ne le charge, raisonna l'Autre.
– Ou quand il est dans le coffre de ma chambre, ajouta Dromio. Sérieusement, je suis désolé de vous avoir fait peur. Mais vous avez si bien réagi au *Blue Paradise*. Je me suis dit que ce genre de scène vous plairait. Un peu de théâtre, ça ne fait de mal à personne, hein ?
Dromio me fit un clin d'œil et je lui souris.
Comme si j'avais été dans le coup dès le début.
– D'accord.
L'Un changea de sujet.
– Qui a des problèmes, cette semaine ?
– Lacey Dunston.
Dromio s'assit au comptoir de la cuisine avec les frères O'Neill. Les armes disparues, tout avait repris l'aspect qui paraissait normal dans cette maison.
– Ne la fais pas chasser de chez elle, la semaine prochaine. Il faut lui laisser un mois de plus, je sais qu'elle y arrivera.
L'Autre parut sceptique.
– Voilà six mois qu'elle ne nous paie plus.
– Tu seras payé, affirma Dromio. Chaucer va l'installer dans l'atelier que Mme Ladd a légué à ma fondation.
– Mme Ladd t'a légué l'atelier ?

– J'avais fait entrer sa petite-fille à l'université de Caroline du Nord, à Wilmington.

L'Un secoua la tête.

– Elles pourraient aller jusqu'au bout et te donner le poste de président de l'université.

– Je crois qu'il faut y travailler pour devenir président.

Dromio alluma une cigarette.

– Le fait de négocier une grève des professeurs ne te mène pas jusque-là, ajouta-t-il.

Je les regardai tour à tour.

Il y avait quelque chose de très familier dans cette histoire…

– En fait, dit Dromio, résumant le sujet, Lacey Dunston est une brave femme qui a eu de la malchance toute sa vie. Je signerai pour elle, s'il le faut.

– Pas de problème.

L'Autre sourit.

– Après tout ce que tu as fait pour nous.

– Pas de problème là non plus, assura Dromio.

Du pouce et de l'index, il leur envoya une décharge silencieuse.

– Le formulaire est dans mon bureau. Allez-y et prenez-le.

Les frères O'Neill sortirent de la pièce.

Dromio nous regarda et leva les deux mains pour nous demander pardon.

J'essayais encore de m'y retrouver avec les noms, les faveurs. Qui devait quoi à qui, le réseau prenait de l'ampleur dans ma tête. Je tentai d'y voir clair, de ne pas me laisser impressionner, bien que cette journée m'échappât, j'en avais conscience, au fur et à mesure que l'après-midi vieillissait.

– Vous travaillez pour ces types ? interrogea Jeremy.

– Je travaille avec eux, répondit Dromio en se dirigeant vers un téléphone accroché au mur. Les événements peuvent parfois s'emballer un peu, par ici. Une fois de plus, je vous prie de m'excuser. Laissez-moi juste écouter mes messages.

Il me vint vaguement à l'esprit que trois minutes seulement s'étaient écoulées depuis que nous étions arrivés chez Dromio. Je sentais que Jeremy avait la même idée. Nous nous examinions mutuellement, à la recherche de trous imaginaires provoqués par des balles, nos pieds commençant à se délier tandis que nous faisions connaissance avec notre nouvel environnement. Des photographies encadrées nous interpellaient. Pendant que nous inspections le décor et les meubles, le bip d'un répondeur téléphonique troua le silence, suivi d'un message.

– Monsieur Johansson, c'est Henderson, de l'Aquarium. Tout le monde ici apprécie vraiment votre aide pour les tortues caouanes. Si vous pouviez faire un saut, demain, nous pourrions préciser les points de détail. Merci beaucoup, nous vous revaudrons ça.

Un autre bip. Comme Jeremy, je tendis l'oreille…

– Dromio, c'est Kelsey. Je sais que vous êtes très occupé, mais si vous pouviez me rappeler un peu plus tard. Donnie s'est occupé de tout. Je voulais seulement m'assurer que tout va bien pour le chèque que vous nous avez donné. Au sujet des enregistrements, vous savez… oh, et pour la petite histoire… merci. Merci encore, Dromio. Merci pour tout.

À la fin du message, Jeremy et moi nous étions rapprochés de Dromio.

Une sensation inébranlable de déjà entendu en écoutant le dernier :

– Dromio, il faut que vous veniez tout de suite. Je ne sais pas ce qui s'est passé, mais John a encore une crise. Il a peut-être arrêté de prendre ses médicaments… je ne sais pas. S'il vous plaît ! Il s'est enfermé dans les toilettes et il ne veut pas en sortir, il dit qu'il ne veut parler qu'à vous. Je vous en prie, dépêchez-vous… mais ne vous tuez pas en venant ici.

Bip.

Dromio soupira, gribouilla quelques mots sur une feuille de papier.

– Le dernier message avait l'air grave, hasardai-je.

– Rien qui ne soit irréparable, dit Dromio.

Les deux frères revinrent, des classeurs assortis sous le bras. Dromio attira leur attention et désigna la porte d'un hochement de tête.

– Je vais vous raccompagner, nous parlerons de la suite ce soir. J'ai quelque chose à faire.

Les frères O'Neill acquiescèrent, et tous les trois se dirigèrent vers la porte.

– Heureux de vous avoir rencontrés, vous deux, dit l'Un.

– Hé, Jeremy ! appela l'Autre en sortant. Tu sais que tu as une sacrée veine d'avoir un père comme lui ?

Je hochai la tête impulsivement.

– Je le sais.
– Encore une fois, désolé pour tout ça.
Dromio passa un imperméable.
– Faites comme chez vous, les garçons. Buvez quelque chose, reposez-vous. Je serai de retour dans une heure.
La porte claqua, rabattue par une rafale de vent.
Nous n'avions plus qu'à nous débrouiller tout seuls.
Debout, épaule contre épaule, près du répondeur.
Bruits de l'océan à travers les portes vitrées, vagues s'écrasant l'une après l'autre.
Dominos.
Jeremy se tourna vers moi.
– Dromio…
– Oui.
Tous les deux avec la même idée au sujet des messages reçus par Dromio. Comme des caméléons à l'envers, c'était notre environnement qui s'adaptait à nous.
Le téléphone sonna.
Je me tournai vers lui par réflexe.
– Ne réponds pas, dit Jeremy, l'instinct nous emmenant sur un terrain étrangement familier.
Le téléphone sonna encore quatre fois.
La voix de Dromio sur le répondeur :
– Vous êtes chez Johansson. Laissez un message.
Bip.
Puis la voix d'une femme plus âgée.
– Dromio ? C'est Lacey Dunston. Les O'Neill viennent de me téléphoner… Merci beaucoup. Vous êtes vraiment formidable. Je vous verrai à la réception, ce soir.
Un clic.

La bande s'arrêta.

S'enroula à l'envers, prête à être écoutée.

Il était 16 h 50 sur la côte de Caroline du Nord.

Attrapant nos sacs, Jeremy et moi commençâmes notre exploration…

22

L'hypocrisie la plus acceptable

Notre arrivée était en quelque sorte devenue un événement.

À 22 heures, la maison de Dromio était saturée de monde. Un nombre incroyable de personnes réparties dans chaque espace disponible. Se mêlant dans le salon, assises près du bar, débordant sur la véranda; des habitants du coin, de tous les milieux, buvant, dansant, bavardant. Des tables chargées de victuailles étaient dressées à l'intérieur et à l'extérieur, des serveurs du *Blue Paradise* avaient été embauchés, et de vieux airs de rock hurlaient par seize amplificateurs séparés.

Pas un seul visage inamical dans toute cette foule.

Pas une seule personne qui n'ait rien à dire au sujet de Dromio Johansson.

Je fus séparé de Jeremy plusieurs fois. Nous nous retrouvions pour être encore éloignés l'un de l'autre par des mains qui nous tiraient, des gens à l'esprit curieux. Les questions fusaient, des histoires leur répondaient, et il n'y avait plus moyen de vérifier si chacun de nous jouait encore son rôle en tant que l'autre. Chute libre. Roue libre, mais apparemment, c'était le style de cette soirée, et je décidai de ne plus me casser la tête. Je bus quelques verres, fumai un peu. Je n'agissais pas différemment des autres jours, mais je me sentais différent. J'étais toujours le même, mais après une transfusion de sang. Une nouvelle vie. J'apprenais à connaître la foule alors qu'elle grossissait en nombre et en esprit. Entendant de la bouche de chaque individu que j'étais bel et bien le fils de Dromio.

Pas de doute là-dessus.

Et au milieu de tout ça, Jeremy et moi nous retrouvant une fois de plus.

Coincés par Chaucer, le directeur du *Blue Paradise*.

Il nous présenta sa femme, Nikki, qui était tchèque.

Encore une autre histoire sur Dromio, criée par-dessus la musique tonitruante :

– Alors la soirée costumée se termine…

Chaucer fit une pause, le temps de donner à sa femme un baiser de mammouth sur l'épaule…

– Et Dromio annonce : « Tout le monde ôte son masque ! » J'enlève le mien, et qu'est-ce que je vois ? La partenaire qu'il m'avait attribuée était Nikki, qui me détestait littéralement !

– Plus que n'importe qui ! déclara Nikki en enlaçant Chaucer de son bras mince et en l'embrassant sur les lèvres.

Gêné, Jeremy détourna les yeux.

Quant à moi, j'étais complètement captivé.

Chaucer se dégagea de l'étreinte de Nikki et but un coup.

– Tu sais quoi, Jeremy ? Tu as les gènes de Johansson, ça ne fait pas de doute.

– Vous croyez ? dis-je.

– Je le vois !

Chaucer posa deux doigts sur ses globes oculaires puis il les pointa vers moi.

– C'est aussi évident que le nez sur le visage de Dromio ! Qu'en penses-tu, Sebastian ?

Nous nous tournâmes vers Jeremy, qui était resté silencieux, un verre de bourbon encore plein à la main. Pas forcément hors du coup, bien qu'il donnât l'impression de se trouver au milieu d'un tourbillon. Son regard préoccupé ignorait la musique et les rires. Concerné uniquement par la conversation en cours. Il aurait pu aussi bien se trouver chez lui, avec des invités, à la façon dont il releva les sourcils.

– Qu'est-ce que je pense de quoi ? demanda-t-il en hésitant.

– Jeremy et Dromio ! répéta Chaucer. Est-ce qu'ils sont faits pour s'entendre ?

Jeremy me regarda avec un détachement mesuré, voile de politesse sur un regard tourné vers des soucis bien plus graves.

– Je n'aurais jamais cru que ça irait aussi bien pour Jeremy !

– Tu dois être vraiment soulagé !

Nikki se mit à rire.

– Maintenant, tu n'as plus à te préoccuper de le prendre par la main ! Il se débrouille très bien tout seul !

– Oui, mon travail ici est fini, acquiesça Jeremy en affichant un sourire trois fois trop large pour son visage.

Je sentis quelque chose m'effleurer. C'était Matilda, vêtue d'une robe noire à fines bretelles. Elle leva les yeux sur moi tout en m'adressant un signe de tête bizarre, presque furtif.

Comme je ne comprenais pas, elle m'entraîna à travers une forêt humaine. Jetant un coup d'œil en arrière, je vis Jeremy, qui essayait de nous suivre. Mais il fut encore retenu par Chaucer et Nikki, qui n'avaient pas fini de raconter leur histoire d'amour. La foule se referma sur nous, et je les perdis tous les trois de vue. Je faillis tomber, pendant que Matilda se faufilait sans effort entre tous les obstacles.

Enfin arrivés sur la véranda, où un coup de vent frais nous accueillit. Une brise marine coupante faisait tournoyer les conversations, et Matilda, plissant les yeux derrière ses lunettes, parcourait la foule du regard.

– Si c'est moi que tu cherches, je suis là, lui dis-je.

Elle me donna une tape sur l'épaule et pointa quelqu'un du doigt.

– Elle est là…

Je plissai les yeux.

Plus loin, au bord de la terrasse se tenait une jeune femme en robe rouge sans brides. Elle tournait le dos aux invités. De longues boucles noires cascadaient sur ses épaules. Une coupe de champagne à la main, elle regardait l'océan. Phare solitaire.

Et nous nous retrouvâmes près d'elle.

– Jeremy, dit Matilda. Je te présente ma meilleure amie, Christina.

Christina nous fit face.

Sans doute se préparait-elle à sourire, mais toute intention de courtoisie disparut dès que nos regards se rencontrèrent.

Inconsciente de ce qui se passait, Matilda continua :

– Christina, voici…

– Nous nous sommes déjà vus, coupa Christina sans cacher son mécontentement.

J'avais moi-même un peu de difficulté à le croire.

– Si ma mémoire est bonne, nous n'avons pas été présentés.

– Quoi ?

Matilda se retrouva coincée entre nous deux.

– Quand est-ce arrivé ?

– Sur les marches du tribunal, ce matin, répondit Christina.

– Sur les marches du tribunal, ce matin, dis-je en écho en soutenant son regard.

– Le petit garçon de Dromio…

Christina secoua la tête. Décidant déjà de la façon dont cette rencontre allait se terminer.

– J'aurais dû m'en douter. Un peu plus maigre, peut-être, mais cette différence est compensée par le même ego bouffi.

Je me tournai vers Matilda.

– Sérieusement, elle me traite ainsi uniquement parce que je suis ton frère ?

– Je vous traite ainsi *malgré* le fait que vous soyez son frère, rectifia Christina. Ou plus exactement, son demi-frère.

– Ce qui fait de vous une demi-amie pour moi, rétorquai-je, galvanisé sans raison apparente. Bien qu'une moitié de moi ne soit pas certaine que j'aie envie de l'être, ce qui revient à faire de vous un quart d'amie.

– J'aurais pu me débrouiller toute seule avec ces types, ce matin.

– Je voulais juste vous aider.

– La prochaine fois, abstenez-vous.

– Attends ! intervint Matilda.

Saisissant Christina par le bras, elle l'entraîna un peu à l'écart. Elles se mirent à discuter. Elles n'étaient pas à portée de voix, mais je compris qu'elles étaient sur la même longueur d'ondes. Même au beau milieu d'une âpre dispute au sujet du frère de Matilda. Même quand le conflit s'apaisa et que Christina finit par se radoucir.

Matilda la ramena vers moi.

Une mère forçant son enfant à demander pardon d'avoir volé un bonbon.

– Matilda dit que je ne suis pas obligée de vous apprécier, dit Christina.

– Vous ne seriez pas la seule.

– Je ne comprends pas ce que ça veut dire…

Christina reçut le coude de Matilda dans les côtes.

– Mais j'imagine que ça ne fera de mal à personne d'être polis.

– Bon…

Je lui adressai un sourire.

– Vous savez, Ambrose Bierce définissait la politesse comme…

– *La forme d'hypocrisie la plus acceptable*, termina Christina. Oui, je le sais. Et savez-vous comment il définissait le mot « citation » ?

Je clignai des paupières en déglutissant.

– *L'art de répéter de façon erronée les paroles de quelqu'un d'autre…*

– C'est pourquoi il en faudra beaucoup plus que ça pour m'impressionner.

Christina grimaça un sourire et ajouta :

– Ravie de vous avoir parmi nous, Jeremy.

« Puis-je vous demander votre attention à tous, s'il vous plaît ? »

La musique cessa. Tous les yeux se tournèrent vers Dromio, debout sur une plate-forme surélevée, un micro à la main. Les invités se rassemblèrent, et ceux qui étaient restés à l'intérieur se serrèrent les uns contre les autres pour mieux voir.

– Jeremy, Sebastian…

Dromio scruta des yeux son auditoire.

– Venez près de moi, tous les deux !

J'essayai de dire encore un mot à Christina, mais elle s'éloignait déjà. Je n'avais pas d'autre choix que de me frayer un passage dans la foule, jusqu'à la scène improvisée. Jeremy nous rejoignit et se planta de l'autre côté de son père.

– Jeremy, Sebastian… dit Dromio.

Tout en s'adressant à nous, il faisait son numéro pour les autres.

Sa voix portait probablement à plusieurs kilomètres vers le rivage…

– Tous ces gens sont mes amis, ma famille. Pendant toutes ces années, j'ai tout partagé avec eux. Et maintenant, je veux vous partager aussi. Ils m'ont tous dit un jour, en traversant une période difficile de leur vie : « Dieu vous remerciera, Dromio, pour ce que vous faites. » Et je leur ai toujours affirmé que je n'avais pas besoin de remerciements.

Quelques murmures s'élevèrent des spectateurs, bruits de foule.

– Mais maintenant, je veux que vous sachiez tous que quelqu'un vous a entendus. De quelque part, quelqu'un m'a envoyé un fils que je croyais ne jamais connaître. Et pas un seul fils, mais deux…

Dromio passa un bras autour de mes épaules.

– Bienvenue dans ma famille, Jeremy.

De son autre bras, il attira Jeremy contre lui.

– Bienvenue, Sebastian.

Applaudissements.

Et les applaudissements s'élevèrent pour devenir un grondement à ridiculiser l'océan. Visages exaltés et voix extatiques me souhaitaient la bienvenue sur leurs rivages. Ils nous accueillaient tous les deux, tandis que la musique redémarrait. Maintenant, tout le monde dansait, la foule ondoyait au rythme d'une ferveur dynamique.

De ma place privilégiée, je vis Christina observer le spectacle d'un air impassible, avant de tourner les talons et de descendre l'escalier.

Je sautai de la plate-forme pour la suivre.

23

Dromio junior

Je la rattrapai sur la plage.

Christina marchait pieds nus dans le sable.

Ses talons aiguilles se balançaient à sa main gauche.

– Hé !

Je trottai vers elle, et elle se retourna.

Croisa les bras. Pour la seconde fois en un seul jour.

Une lune presque pleine jetait son halo sur elle. Sa peau luisait d'un bleu surnaturel, les flots de lumières qui provenaient de la maison de Dromio modifiaient à peine la nuance de sa robe rouge. Lèvres acerbes visibles sous le doux scintillement de ses yeux impatients.

– Alors… dit-elle.

J'attendis la suite.

N'obtins rien que le vent sur mon visage.

Elle entoura son corps de ses bras.

– Vous voulez ma veste ? proposai-je.

– Vous n'avez pas de veste.

– Vous voulez ma cravate ?

– Non.

– Ma veste est chez Dromio.

– Vous allez la chercher pour moi ? demanda-t-elle. Ou pensez-vous que je devrais retourner à la fête ? Avec vous ? Me détendre, peut-être me joindre au club des fans de Dromio ?

– Pourquoi pas ? dis-je en essayant d'interpréter son langage. L'admission est gratuite et vous recevez une chouette petite lettre d'information chaque mois.

– J'étais sortie faire une promenade. Toute seule.

– Vous voulez de la compagnie ?

Christina parut sincèrement offensée.

– Pardon ?

– C'était une boutade.

– Savez-vous comment j'aurais pu le deviner ?

– Comment ?

– Parce que jusqu'à présent, vous n'avez pas fait une seule plaisanterie qui soit drôle.

Assez près de nous s'éleva une voix râpeuse.

– Jeremy Johansson ?

Je me retournai. Un homme venait vers moi. Les lumières de la maison de Dromio se déversaient derrière lui, formant un contre-jour qui m'empêchait de voir ses traits. Son corps n'était qu'une ombre immense. Une enveloppe pendait à sa main droite.

– Je suis Bill Wilson, dit-il.

Même face à face, il était peu visible.

– Directeur du *Hilton*. J'ai reçu deux messages pour votre ami Sebastian. Il m'a dit que ce serait mieux de vous les donner.

Je pris les messages.

Et me retournai vers Christina. Elle paraissait perplexe.

– Bastian est dyslexique, lui dis-je en improvisant. Ne le dites à personne.

Je revins à Wilson.

– Merci de les avoir pris.

– Vous n'avez qu'à passer au *Hilton* chaque fois que vous voulez voir si vous en avez d'autres.

– D'accord.

– Au plaisir de vous revoir.

Wilson agita la main et retourna vers la maison.

J'ouvris la première enveloppe et tendis le papier en l'air. Contre la lumière, faisant de mon mieux pour lire le message. Je le parcourus rapidement des yeux…

Ce n'était pas ce que j'avais envie de lire, mais je le gardai pour moi.

Mon expression avait dû me trahir car Christina demanda :

– Mauvaise nouvelle ?

– Ce n'est rien.

Je repliai soigneusement le papier en quatre.

– C'est Sara.

– Votre petite amie ?

– Je n'en ai pas. Sara est quelqu'un que j'essaie d'aider. C'est tout.

– Jésus-Christ !

Christina leva les yeux au ciel et émit un rire sans joie.

– Dromio junior. Incroyable…

Sans un mot supplémentaire, elle fit demi-tour et s'en alla.

Je la regardai s'éloigner. Ses jambes l'emmenaient vers la plage. Son corps se dissolvait dans la nuit, laissant sur le sable quelques traces à peine discernables. Je levai le regard au-dessus de l'océan. La marée haute approchait, des vagues d'argent célébraient l'effondrement. Je me mâchonnai la lèvre. L'esprit ailleurs, je caressai du pouce le message de Sara.

Second message, un mot bref de Paul Inverso : *Les investigations ont donné des résultats surprenants. Dois te parler de vive voix ou au téléphone.*

Je secouai la tête, faisant un effort pour admirer l'intérêt sincère que Paul trouvait à m'aider. Bien que ce soit plutôt malencontreux.

« On dirait que Sara t'a pris de vitesse, mon pote », marmonnai-je.

Je froissai le papier, que je fourrai dans ma poche arrière. Je scrutai la plage pour voir si Christina avait émergé de l'obscurité. Trop vite, la seule réponse à mes souhaits fut l'écho de la fête de Dromio me tirant par la manche.

Une jubilation à l'état pur, qui m'amadouait pour que je repousse mes problèmes au lendemain.

DIMANCHE

24

Bonjour !

Réveillé par le cri des mouettes.

Je remuai, accompagné par le doux ronronnement de l'océan. Je m'enroulai dans les draps propres, les oreillers ajustant leur forme à mes mouvements. J'ouvris les yeux à la lumière du soleil qui se répandait par les fenêtres. Des taches jaunes et orange se réunissaient autour de mon lit. Accueil des murs chaleureux, la maison silencieuse me demandant si j'avais bien dormi.

– Oui, très bien, murmurai-je.

Je m'étirai, m'assis, et balançai les jambes par-dessus le bord du lit.

J'allai ouvrir la fenêtre.

Vue panoramique sur la plage déserte s'étirant nord-sud.

Je respirai, les épaules déliées.

Tous les problèmes tenus en respect, je me demandai à quoi ressemblait ce monde nouveau dans lequel j'étais entré. Les événements de samedi flottaient au rythme des nuages, légers comme des chuchotements. J'étais incapable d'identifier mes sentiments. Rien d'étonnant, peut-être. Une part de moi laissée derrière, à Durham. Ouvrant la voie à Dromio, Nancy et Matilda.

Christina.

Je contemplai l'arrivée d'un nouveau jour, alors que le soleil devenait plus brillant.

– Bonjour ! dis-je au monde qui s'éveillait.

En souriant, je refermai la fenêtre.

25

Pas tant de chance

Debout dans la cuisine vide, pieds nus sur le plancher luisant, le téléphone collé à l'oreille. Désordre de mes sous-vêtements dû aux efforts du sommeil. C'était l'occasion de faire un appel privé, la maison étant encore enveloppée dans son confortable petit coma. L'horloge du micro-ondes indiquait 8 h 15.

8 h 16 quand Sara répondit.

Voix paniquée allant droit au but, et une fois de plus, Olaf revenait dans ma vie.

– Olaf?

J'essayais de parler à voix basse.

– C'est lui ?

– Tu le connais ?

– Je m'attendais à quelqu'un qui soit plus ou moins lié… dis-je sans répondre à sa question.

Je ne voulais pas admettre que mes pressentiments m'avaient trompé, nous faisant perdre beaucoup de temps à tous les deux.

– … quelqu'un de la clinique, qui y ait accès. Olaf est employé à la pizzeria, il ne connaît même pas la combinaison du coffre.

– Il faut croire qu'il est de mèche avec quelqu'un !

Sara parlait d'une voix coléreuse, effrayée ou désespérée, je ne savais plus très bien. Les lignes téléphoniques ne donnaient pas de précisions.

– Il connaît l'heure, les détails, il connaît même le médecin qui s'est occupé de moi.

– Il savait déjà tout ça la dernière fois qu'il a appelé…

– Il sait que ta mère a fait une fausse signature, Bastian.

Mes poumons se vidèrent, chassant en même temps toute idée rationnelle. J'aurais préféré recevoir un coup de pied dans le ventre.

– Quelle preuve a-t-il ?

– Je n'en sais rien ! gémit-elle. Mais s'il va voir les flics, ils seront ravis d'obtenir n'importe quelle preuve dont *ils* auront besoin.

– Lui as-tu dit quelque chose qui puisse lui faire croire qu'il avait raison au sujet des faux papiers ?

– J'ai tout nié en bloc, mais ça n'a rien changé. Il menace de faire jeter ta mère en prison.

– Il ira avec elle !

– À mon avis, il y est déjà allé, dit Sara. Et il a beaucoup moins à perdre que toi… et que ta mère.

– Tu es son porte-parole, tout à coup ?

– Bon sang, Bastian !

Son cri me vrilla le tympan. J'éloignai le téléphone de quelques centimètres.

– Tu le connais si bien. C'est *toi* qui dois savoir s'il bluffe ! dit-elle.

Je poussai un soupir. Rapprochai le téléphone de mon oreille.

– Non, il ne bluffe pas.

– Qu'est-ce que nous allons faire, Bastian ?

Je pris une inspiration, en me demandant si c'était vraiment impossible d'avoir une seule journée tranquille.

Me ressaisissant, je me rappelai qui j'étais.

– Nous allons arranger ça, dis-je à Sara. J'ai déjà eu affaire à ce mec. Il n'a pas d'envergure. Quoi qu'il veuille, je m'en charge. Et cette fois, je m'assurerai que c'est la dernière petite faveur qu'il obtiendra de moi.

La voix de Sara trahit un soulagement effrayé.

– Tu es sûr ?

– Ouais, affirmai-je, sûr de moi. Tu sais comment le contacter ?

– Oui.

– Dis-lui que je l'appellerai ce soir chez Big Niko.

– Tu sais vraiment ce que tu fais ?

Un bruit de pas attira mon attention.

Des pas traînants, des pas du matin, qui approchaient.

– Je dois y aller, murmurai-je à toute vitesse. Je te rappelle demain.

Une touche mélancolique quand Sara me dit :

– Je t'aime.

Pas grand-chose d'autre à répliquer que :

– Moi aussi. Bye !

Je coupai la communication en même temps qu'une voix s'élevait du seuil de la porte.

– Déjà levé ?

Doutant un peu d'avoir bien entendu, je me retournai.

Christina était sur le seuil.

Je clignai des paupières.

– Tiens, tu es… là.

Elle entra dans la cuisine. Vêtue d'un short blanc et d'un T-shirt assorti. Socquettes blanches nettoyant le sol.

– C'était Sara ?

– Hum ?

Je ne savais toujours pas très bien ce qui se passait.

– Ta non-petite amie Sara. C'était bien elle ?

– Ouais.

– Intéressant…

Christina prit un verre dans un placard. Alla vers le Frigidaire, l'inspecta, le corps penché au niveau de la taille. Elle sortit une brique de jus d'orange et me regarda. J'avais les yeux fixés sur elle. Elle releva un sourcil.

– Tu appelles toujours tes nanas à 8 heures du matin ?

– Je n'ai pas de *nanas*, rétorquai-je. J'étais réveillé, voilà tout. Je me suis levé avec le soleil. Je voulais préparer le petit déjeuner pour ceux que j'aime… et pour toi.

– Mmm…

Christina se versa du jus d'orange. En but trois longues gorgées. Et m'observa par-dessus le bord de son verre.

– J'ai cru… commençai-je. J'ai eu cette idée cinglée qu'après hier soir, nous ne nous reverrions plus.

– Pas de chance.

Christina posa son verre et le remplit de nouveau.

– Matilda m'a invitée toute la semaine. Pour que je l'aide à affronter son nouveau frère, mais j'ai l'impression qu'au contraire, c'est elle qui va me tenir la main dans ce fiasco total.

– Comment se fait-il que tu sois la meilleure amie de Matilda ?

Elle suspendit son geste, le verre près de ses lèvres. Elle le posa et croisa les bras.

– Qu'est-ce que tu veux dire ?

– Quel âge as-tu ?

– Vingt et un.

– Qu'est-ce que tu fais ?

– Je viens de passer une double licence en économie et en sciences politiques.

– C'est tout ?

– Et une option en littérature latino-américaine. Où veux-tu en venir ?

– Matilda a seize ans, et elle n'a fait encore aucune étude supérieure. Elle a un permis de conduire.

Christina se hérissa.

– Qui est ton meilleur ami ?

Je faillis répondre « Jeremy », mais je me repris à temps.

– Sebastian.

– C'est un garçon calme et respectueux. Il sait communiquer avec les gens sans les traiter comme des acquisitions.

La voix de Christina avait grimpé de quelques notes.

– Toi, tu as trop d'assurance, tu es égotiste et nombriliste au point d'en devenir aveugle. Comment ça se fait qu'il soit ton meilleur ami ?

– Je crois comprendre où tu veux en venir.

– Il se trouve que Matilda est un génie. Certifié. Elle pourrait résumer tout ce qu'elle a appris au lycée sur le bout d'une synapse. Elle est *brillante*, même si ça ne se voit pas sur son permis de conduire.

– Assez brillante pour gagner une place spéciale dans ton cœur ? Tu es incroyablement charitable !

– Charitable !

Christina ne faisait même plus semblant d'être calme.

– Si tu veux parler d'un sens tordu de la propriété, regarde bien ton père. Il aide les gens d'une main, et il les met dans sa poche de l'autre.

– Je l'ai vu de mes yeux empêcher une femme d'être expulsée de chez elle, hier !

– Je devrais ajouter que tu ne sembles pas avoir de problème pour croire à ton intelligence et à ta belle gueule…

L'argumentation de Christina cessa abruptement quand elle prit conscience de ce qu'elle venait de dire.

« Ta belle gueule… »

Je ne trouvai rien à dire, moi non plus. Christina essaya de faire machine arrière et d'effacer ce dernier commentaire. Les joues rouges, la respiration haletante. Ses cheveux étaient relevés, et quelques boucles s'étaient libérées. Dansant sur son visage, chatouillant ses cils.

Difficile de retenir mon envie de sourire…

– Ah, c'est le printemps ! annonça Dromio en entrant dans la cuisine.

Enveloppé d'un peignoir de bain rouge rutilant, il se frottait les tempes.

– Quand les fantasmes d'un jeune homme réveillent toute la fichue maisonnée.

D'un seul coup, le ring de boxe avait disparu, de nouveau remplacé par la cuisine.

Christina adressa un signe de tête poli à Dromio. Elle remit le jus d'orange au frigo et partit de la même façon qu'elle était entrée.

– Je vois que tu as fait connaissance avec Christina, dit Dromio en ouvrant le Frigidaire, d'où il sortit deux cartons d'œufs.

– Oui, hier soir.

Dromio se mit à rire.

– Oui, j'ai l'impression que tu vas passer une semaine très intéressante à la *casa Dromio*.

Il sortit d'autres produits du réfrigérateur: poivrons verts, fromage, oignons, Tabasco, champignons, saucisse, caviar, crevettes grises, tomates. Il semblait avoir décidé de faire l'inventaire.

– Laisse-moi t'expliquer un petit quelque chose que mon coach de basket-ball m'avait appris…

Un peu amusé, je m'assis sur un comptoir proche.

– Vous avez joué au basket?

– J'ai poussé jusqu'à l'université, mais je n'y ai passé que deux années.

– Vous étiez bon?

– Tous les joueurs sont différents, mais c'est le coach qui les fait danser.

– Qu'est-ce qu'il vous a appris?

– Il m'a dit… «Dromio… bien s'entendre avec une femme, ça ressemble beaucoup à une bonne bagarre à coups de poing…»

– Comment ça?

– « Peu importe que tu en sois capable, continua-t-il en fermant le Frigidaire. La seule chose qui compte, c'est que tu le veuilles… »

Laissant flotter ces derniers mots, Dromio se mit à hacher un poivron vert. Coups rythmiques de son couteau sur le comptoir. Il commença à fredonner, et je restai fasciné par la simplicité et l'efficacité de ses gestes. Me remémorant la veille. Quand les derniers événements semblaient danser au bout de ses doigts.

Comme si la volonté de Dromio était le monde lui-même…

– Hé, Sebastian !

Il fit un geste de la main qui portait le couteau.

– Viens m'aider à hacher ces oignons !

Je sautai du comptoir.

Et je me rendis compte tout de suite après que Jeremy venait juste d'entrer. Dans le même état très matinal que tous les autres. Marchant vers Dromio en traînant les pieds, prenant le couteau sans prononcer une parole. Je les observai pendant que Dromio le priait de couper les oignons en dés et non en rondelles. Jeremy se mit aussitôt au travail, et j'eus l'impression qu'un changement s'opérait aussi en lui.

Des gestes plus vifs et plus précis, une plus grande maîtrise.

Non pas qu'ils fussent devenus très efficaces, mais… Je ne voyais pratiquement plus la gaucherie spécifique qui empêchait ses bras, ses jambes et ses doigts de fonctionner normalement. Seule l'inexpérience était responsable de ses quartiers de tomate trop gros, et quand Dromio lui prit silencieusement le couteau pour lui montrer comment le tenir et l'utiliser, Jeremy suivit ses explications, tout simplement. Pas d'air penaud ni d'excuses murmurées quand il reprit le couteau pour réessayer.

Et cette fois, il réussit.

S'éclaircissant la voix, il trouva plus facilement ses mots pour demander :

– Pourquoi sommes-nous en train de hacher des légumes à 8 heures et demie du matin ?

– Omelettes à la carte, répondit fièrement Dromio. La plus belle création au monde, l'omelette.

– Je n'ai jamais vraiment été un fan.

– Ça ne m'étonne pas.

– Pourquoi ?

Appuyé au comptoir, j'observai Jeremy, qui participait à la conversation sans se troubler.

– Tu vois, tu parles comme un dur, Sebastian, expliqua Dromio. Mais si tu es timide, ça ne sert à rien. La façon dont tu prépares tes œufs, c'est la même chose que ta façon de vivre.

– Brouillés ?

– Bien sûr.

Dromio eut un petit rire.

– Les œufs au plat, c'est pour les optimistes aveugles. Je parle de la qualité audacieuse des ingrédients.

Gardant le couteau à la main, il fit un large geste.

– Tu mets dedans tout ce que tu as, tout ce que tu vois devant toi. Et boum ! La vie est une aventure.

– Et si votre vie finit par être un gâchis ?

– C'est là que tes amis et ta famille viennent t'aider pour qu'elle redevienne *clean*.

Dromio posa un bras sur les épaules de Jeremy et tourna les yeux vers moi.

– Est-ce que je n'ai pas raison, Jeremy ?

Je les regardai tous les deux, père et fils.

Presque surpris de me rappeler qui j'étais en réalité.

Jeremy me fixa aussi, dans l'attente de mes bobards.

– Absolument ! dis-je. Bien qu'à mon avis, rien ne vaille une bonne douche pour être *clean*.

Sur ce, je m'éclipsai tranquillement.

Je devais réfléchir à plusieurs choses. Ne rien faire, mais attendre que les événements se décident d'eux-mêmes. Attendre de pouvoir parler à Olaf. Attendre de voir qui était vraiment Dromio. Attendre et voir si cette mascarade allait prendre fin, et quand. Attendre et voir si Jeremy allait s'en tirer sans nous réduire tous à néant.

Bien qu'il parût maîtriser plus ou moins la situation.

J'entrai dans la salle de bains et fis couler la douche.

La vapeur s'accumula, voilant les miroirs.

Un autoportrait aqueux me renvoya mon regard.

« Jeremy et Dromio. » Les paroles de Chaucer, à la fête, me revinrent à travers l'épais nuage.

« Est-ce qu'ils sont faits pour s'entendre ? »

– Oui, répondis-je à voix basse. Oui, je crois bien…

Je fermai la porte à clé. Ôtai mes vêtements, les laissant en tas sur le carrelage. Une fois sous la douche, je fis glisser la portière en polymère. Je me rappelai le moment de mon réveil, ce matin-là, puis celui où, debout sur le balcon, j'avais eu la sensation que cette journée me réservait quelque chose de nouveau. Je ne pouvais qu'imaginer la même chose pour Jeremy, je l'avais bien compris dans sa conversation avec Dromio, ce même matin. La balance penchait dans une direction indéterminée, et je décidai de la laisser faire pour l'instant.

Laisser Jeremy et Dromio tranquilles.

Fermant les yeux, je fis couler l'eau à la température la plus chaude que je pouvais supporter.

26

Les Faucons bleus

Appeler Sara pendant que le reste de la maisonnée dormait était une chose.

Appeler ma mère le dimanche matin était un vrai casse-tête.

L'idée me vint après le petit déjeuner. Omelettes arrivées à destination, plats nettoyés. Christina restant à distance discrète de toute conversation. Nancy annonçant qu'elle allait se promener sur la plage, et Dromio écoutant son répondeur téléphonique. Matilda collée à moi comme de la glu, si bien que je dus attendre qu'elle se glisse dans la salle de bains pour annoncer que j'allais moi aussi faire une balade.

Je sortis par la porte du salon et me dirigeai vers les rues.

Marchant vers le centre de l'île, où les habitués du coin envahissaient les bars, les boutiques de planches à voile et les petits restaurants. Jusqu'à la jetée de Wrightsville, toute défoncée après sa violente querelle avec l'ouragan Fran en 1996. Plage publique jonchée de familles. Jeunes filles en maillots de bain deux pièces. Adolescentes sur leurs vélos, jetant des coups d'œil territoriaux dans ma direction. Soleil de midi oubliant que l'été était loin d'être arrivé.

La sueur coulait sous mon pantalon noir, ma chemise blanche et ma veste bleue, légère.

Je remontai la rampe jusqu'à la jetée. Planches de bois solides sous mes chaussures.

J'ouvris la porte qui donnait sur le bar et le centre commercial. Lumières jaunes incandescentes illuminant l'espace enfumé, bourré de jeux vidéo, de machines à sous et de tables de billard élimées. Quelques vieux piliers de bar. Mains cramponnées à des canettes de Miller Lite, visages burinés dépassant largement la fleur de l'âge. Yeux délavés fixant des recoins familiers, ou rivés sur la lueur engageante d'écrans de télévision assourdis. Quelques regards dans ma direction. Puis rien, la méfiance elle-même exigeant trop d'énergie dans cette petite boîte à chaussures isolée.

Pas de téléphone public en vue.

Je m'approchai du comptoir.

Gribouillis au-dessus de ma tête indiquant un dollar et demi pour un hot-dog.

Deux et demi pour un hamburger.

Bières et alcools alignés sur une étagère de fortune.

Le barman sortit une cigarette et vint vers moi. Il me demanda si j'avais besoin d'un appât.

Avant de répondre, je jetai un coup d'œil sur ma gauche. Nancy Johansson était perchée sur un tabouret, devant un verre en plastique rempli de jus d'orange. Elle leva les yeux de sa boisson. Jamais elle n'aurait cru me voir ici. Regards rivés l'un sur l'autre. Nous devions avoir la même expression d'étonnement coupable, aussitôt remplacée par un sourire surpris.

– Jeremy !

Elle me fit signe de la main.

Je la rejoignis.

– Salut, Nancy !

– Qu'est-ce qui t'amène ici ?

– Voulez-vous des appâts ? demanda encore le barman.

– Non merci.

– Je suis entrée ici pour me mettre à l'abri du soleil, dit Nancy.

– Votre balade s'est bien passée ?

– Il faisait chaud. Tu n'as pas chaud ?

Je baissai les yeux sur mes mains.

– Je suis né avec un hâle.

– Ouais, tu as vraiment le type italien, méditerranéen.

J'acquiesçai d'un hochement de tête un peu gêné.

Nancy n'ajouta rien.

Je me rendis compte que c'était à mon tour de m'expliquer.

– J'essaie de trouver un exemplaire du *New York Times*.

– Ça m'étonnerait que tu en trouves un ici.

– Vous venez souvent ?

Nancy finit son jus de fruit.

– Non. De temps en temps, quand je marche et qu'il fait trop chaud.

– Une autre vodka-orange ? demanda le barman.

– Non, répondit-elle sèchement. Juste un jus d'orange, s'il vous plaît…

Le barman posa une petite canette devant elle et ramassa un dollar. Nancy l'ouvrit sans dire un mot et la vida dans le verre en plastique. Elle remua la glace à l'aide de sa paille et suivit des yeux le tourbillon, tout en tapotant le comptoir de son doigt orné d'une bague.

J'avais envie de m'asseoir.

Mais je parcourus la salle du regard. Deux gamins engloutissaient des pièces dans un jeu vidéo, un pistolet en plastique à la main. Attendant le signal avant de verrouiller et de charger. Tirant sur des assaillants étrangers. Cris de joie quand les cyberballes volaient et que l'argent valsait.

– Eh, Nancy !

– Oui, Jeremy ?

– Est-ce que tout va bien ?

– Oui.

Elle sourit, avec une espèce de mélancolie apaisante.

– Je suis contente que tu sois là, Jeremy. Je ne sais pas si tu t'amuses.

– Si.

– Mais je sais que c'est vraiment bien pour Dromio.

Elle leva les yeux par-dessus le bar.

– Ce n'est pas rien… de faire partie de la vie de Dromio. Principalement à cause de son passé. Relations infréquentables, lieux mal famés. Comme celui-ci…

Elle fit une pause, réfléchit et continua :

– En fait, ce n'est pas juste. Cet endroit n'est pas si mal. Mais l'état d'esprit, les sensations créées par ces quatre murs…

– Si ces murs pouvaient parler… dis-je, prudent.

– Tu l'as dit…

Elle sirota sa boisson et m'adressa un vague sourire.

– Un jour, je suis retournée à Chicago avec Dromio. On a roulé en voiture, vu des paysages. Et on a atterri dans son ancien quartier. Pas celui où il a été élevé, mais celui où il a vécu après avoir perdu sa bourse de basket-ball avec les Faucons bleus…

Je fronçai les sourcils.

– Les Faucons bleus ?

Nancy était partie dans ses souvenirs, elle ne m'entendait plus.

– L'endroit a été un peu restauré. Il faut croire que certains quartiers ont de la chance. Rien de spectaculaire, mais assez pour éloigner Dromio des mauvaises rues…

Je sortis une cigarette et l'allumai.

– Ensuite, il m'a demandé d'arrêter la voiture…

La fumée voyagea devant les yeux de Nancy, qui ne parut pas s'en rendre compte.

– Il m'a montré du doigt un bar où il avait l'habitude d'aller boire et jouer au billard. Un petit repaire nommé *L'Amande*. Qui ne donnait pas l'impression d'avoir beaucoup changé. Il avait gardé son enseigne des années soixante-dix. Néon criard… tu as dû en voir dans des films. Petit immeuble, au milieu des nouvelles constructions qui avaient poussé tout autour. Je regardais quelques traînards qui étaient dehors quand

Dromio s'est mis à pleurer. Et je dis bien : pleurer. Les chutes du Niagara.

La fumée finit par l'atteindre et elle toussa. Elle se redressa sur son siège.

– J'espère que ça ne te met pas mal à l'aise.

Oubliant un instant qui j'étais censé être, je dis :

– Pas de problème.

– Je m'en souviens très bien. Il pleurait comme une fontaine en essayant de me raconter comment c'était, avant. Il a toujours eu une petite part de lui qui regardait le passé avec nostalgie. Mais seulement comme quelqu'un qui s'en est tiré. Assis dans cette voiture, il m'a dit qu'il n'avait jamais voulu y retourner. « Je ne veux jamais redevenir comme ça. » Au bout d'un long moment, il a fini par se reprendre et nous sommes partis. Après, nous n'en avons plus jamais parlé…

Nancy me regarda d'un air assez indéfinissable.

– C'est comme ça que je sais qu'il ne viendra jamais dans ce bar.

Ma cigarette s'était éteinte entre mes doigts.

Je ne fis pas un geste pour la jeter.

Nancy termina son verre, se leva et laissa un pourboire.

Elle me donna l'accolade.

– Je crois que ce sera très bien pour nous deux.

Je ne savais pas à quoi ni à qui elle faisait allusion. Elle et moi, Dromio et elle ?

Un réseau de connexions commença à se former dans ma tête sous l'impulsion de notre conversation.

– Est-ce que ça va rester entre toi et moi ? demanda Nancy.

Je me souvins brusquement qu'aucun de nous deux n'était censé se trouver là.

– Ça restera entre nous. Est-ce qu'il y a un téléphone dans le coin ?

Elle sourit.

– Sur le mur d'en face, derrière les machines à sous.

– Drôle d'endroit.

– On se revoit à la maison, Jeremy.

Nancy se dirigea vers la porte. Un soleil aveuglant se déversa, lumière violente, d'un blanc pur. Je m'abritai les yeux, et la porte se referma derrière elle. Seul avec les pêcheurs maintenant. Les jeux vidéo se mêlaient en une symphonie électronique.

J'allumai une autre cigarette et marchai vers le téléphone.

Ma mère était à la maison, savourant son dimanche matin.

– C'est bien, Wilmington ? demanda-t-elle entre deux bouchées d'un petit déjeuner tardif.

– Pas si mal… quand la ville s'est habituée à toi. Pas de coups de fil ?

– Un appel de Paul Inverso. Il dit que c'est urgent.

– Rien d'un type nommé Olaf ?

– Pas d'Olaf. Tu veux une liste ?

– Ne t'en fais pas.

Je tirai sur ma cigarette.

– Ils sont assez grands pour s'occuper d'eux.

– Qui êtes-vous, et qu'avez-vous fait de mon fils ? dit-elle en riant.

Encore une bouchée.

– J'espérais secrètement que des vacances te détendraient un peu, mais je n'aurais jamais cru que cela puisse vraiment arriver.

– Il faut un début à tout.

– Bon. Qu'est-ce qui ne va pas ? demanda-t-elle.

Je l'imaginai posant sa fourchette et son couteau avant de croiser les bras.

– Tu as une drôle de voix. Tu n'es pas toi-même.

– Je ne me sens pas vraiment moi-même, en fait.

– Rien de grave ?

Le mot « grave » n'était peut-être pas le mieux choisi. « Étrange », « bizarre » auraient certainement été plus appropriés…

– L'autre soir, dis-je. Tu te souviens ? Quand nous parlions de mon père ?

– Oh !

J'entendis une radio qui s'éteignait.

– Oui, mon chéri. Et alors ?

– Tu m'as dit qu'il était un « Faucon bleu, de la tête aux pieds ».

– Oui, c'est possible.

– Est-ce que c'est une expression que je ne connais pas ?

– C'était une expression qu'il utilisait toujours. En rapport avec une équipe de basket-ball avec laquelle il jouait.

– Il jouait au basket ?

– En tout cas, c'est ce qu'il m'avait dit.

Elle prit un ton désinvolte.

– Il ne semblait pas très porté sur le basket, alors j'ai pensé… enfin, tu sais, lui et ses mensonges… Qu'est-ce qui se passe ?

Je regardai autour de moi. Il était certainement arrivé quelque chose, mais je ne savais pas encore si cela me concernait moi ou l'univers dans lequel j'avais toujours vécu. Toutes les conditions requises pour perdre son sang-froid. Cependant, je ne voulais pas descendre cette pente. Pas avec tout ce qui se passait par ailleurs. Mieux valait procéder avec précaution et me préparer à un atterrissage en douceur.

– Les mots croisés du *New York Times* mentionnent un Faucon bleu, dis-je.

– Combien de lettres ?

– Quatre.

– Alors, « basket » ne convient pas. Mais c'est peut-être « papa ».

– Non, ça commence par un x.

Elle se mit à rire.

– Bon, je ne peux vraiment pas t'aider. Autre chose, Bastian ?

– Non.

– Tu me rappelleras bientôt ?

– Promis.

La communication se termina après un au revoir.

Je fis quelques pas dans le bar.

Regardai de nouveau le téléphone.

Détournai les yeux.

Les deux gosses de huit ans avaient fini de tirer sur l'ennemi. Sans doute par manque de monnaie. Debout près du comptoir, fusils au repos dans leur étui. Les gamins se consacraient maintenant à une crème glacée en cône, fraise et chocolat.

Même sourire béat.

Je m'attardai encore un moment.

Ôtai ma veste, la jetai sur l'épaule.

« Laisser Dromio et Jeremy tranquilles » n'avait pas duré plus d'une heure.

Je sortis dans une lumière diurne, anxieuse, et retournai chez Dromio.

27

Le gourami

Dromio avait beaucoup à faire, et son travail prit un tour champêtre auquel la famille au complet fut conviée.

Tous entassés dans le minibus de Nancy, qui se mit en route dans la direction de Fort Fisher.

À côté de moi, Christina se serrait le plus possible contre la portière.

Arrivés à l'Aquarium de Caroline du Nord vers environ 14 heures.

Tout le monde dégringola en vrac de la voiture, puis remonta une rampe de bois qui conduisait à un immeuble circulaire en béton. Une vaste grotte s'ouvrait en dessous, au niveau le plus bas de l'aquarium. Lits aquatiques pour des alligators somnolents, derniers prédateurs préhistoriques qui se prélassaient au soleil. Plongés dans des rêves de marécages et de chasses furtives.

Henderson nous accueillit à l'entrée. Directeur de l'Aquarium, il nous dépassait tous des épaules et de la tête. Il faisait penser à un Boris Karloff placide. Le monstre

Frankenstein débarrassé de ses cicatrices défigurantes, en pantalon et veste de velours côtelé. Il serra la main de Dromio et nous accompagna jusqu'à l'aquarium. L'odeur incomparable de la vie aquatique baignait chaque centimètre cube.

– Vous pouvez vraiment être fier de votre père, me dit Henderson. Voilà qui va être très bénéfique pour nos tortues caouanes. Le fait que nos enchères aient lieu au *Blue Paradise*, et que leur nourriture soit gratuite…

– Vingt-cinq cents de frais de gratuité, lui rappela Dromio avec un sourire malicieux.

– Nous avons des gars qui ratissent la plage avec des détecteurs de métaux.

Henderson lui donna une claque dans le dos avec un rire affectueux et bourru.

Christina fit la grimace.

Le reste de la famille se dispersa dans les différentes ailes de l'aquarium. Restant près de Dromio, je suivis Henderson à son bureau. Il ouvrit la porte et Dromio entra. Comme j'allais en faire autant, Dromio tendit le bras pour m'en empêcher.

– On va traiter uniquement des affaires, comme d'habitude, derrière cette porte, me dit-il. De plus… tu veux parler tortues, ou tu préfères avoir une chance d'être seul avec Christina ?

Je regardai autour de moi pour m'assurer que tout le monde était à bonne distance.

– Qu'est-ce que vous voulez dire ?

– Ne fais pas l'innocent avec moi.

Dromio sourit, la main sur la poignée.

– Va lui parler. Emmène-la voir comment les requins sont nourris, elle apprendra peut-être une ou deux choses sur la compassion.

Avant que je puisse discuter, Dromio me ferma la porte au nez.

Nouvelles questions sans réponses, pour l'instant.

À contrecœur, je suivis son conseil et cherchai Christina.

Elle se trouvait dans un couloir fermé. Une seule rangée de réservoirs à poissons, comme un film projeté sur le mur. Tubes de lumière bleue baignant le hall, gargouillements de l'eau auto-nettoyante. Un léger bourdonnement électrique qui semblait provenir de tous les côtés.

Christina se tenait devant un réservoir habité par un gourami, seul et dédaigneux.

Je me glissai près d'elle. Observai le solitaire rond et rose en train de tourner dans sa chambre aquatique.

– C'est un gourami, dis-je.

– Intéressant, répliqua-t-elle platement. Sur la plaque, en dessous du réservoir, c'est écrit : *Betta splendens*.

– Connu aussi sous le nom de gourami. Il s'appelle aussi poisson-guerrier siamois. Ne te fie pas à sa taille. Ces poissons sont connus pour attaquer et tuer d'autres poissons. Sans se préoccuper de leur âge, de leur race ni de leur religion. Mets-en deux dans le même aquarium, et ils vont s'entrégorger. Ils ne s'arrêteront pas avant qu'un des deux soit mort.

– Je sens que tu fais une comparaison avec nous.

Christina se dirigea rapidement vers l'aquarium suivant.

Un groupe d'anges de mer nettoyeurs l'accueillit.

– Tu as quelque chose contre le fait de sauver des tortues caouanes ? demandai-je.

– Rien, répondit-elle en fixant les créatures rayées et triangulaires qui flottaient entre les morceaux de corail. J'ai vu deux fois *Le Journal d'une tortue*.

– Qu'est-ce que c'est ?

– Un film du milieu des années quatre-vingt, répondit-elle d'un ton un peu sarcastique. Tu es sans doute trop jeune pour t'en souvenir.

– Est-ce que Matilda l'a vu ?

– Est-ce que nous allons recommencer cette discussion ?

– Alors ton seul problème, c'est que Dromio sauve des tortues caouanes...

Elle se mit à marcher dans le couloir.

Je trottai derrière elle.

– Tu ne veux pas parler de Dromio ?

– Non.

– Tu veux que je change de sujet ?

– Que tu changes d'endroit serait déjà un bon début.

– Tu trouves que le gourami nous ressemble ?

– Tu as vraiment l'air de le penser.

– Et toi, tu as l'air de penser que tu es différente de Dromio.

Christina s'arrêta de marcher pour me faire face.

– Je ne vais pas partout en paradant comme lui !

– Dromio parade ?

– Il ne fait que ça.

– J'ai dû manquer le défilé des éléphants.

– N'essaie pas d'être drôle, tu n'es pas différent de lui.

Elle s'approcha, baissa la voix.

– Peu importe ce que je fais. Ce qui importe, c'est que, quand je le fais, je n'en parle pas.

– Et qu'est-ce que tu fais, exactement ? dis-je.

– Ça ne te regarde pas.

– Mais tu vas quand même me le dire, non ?...

Christina parut troublée. Insultée, même. Bouche ouverte, à moins de quinze centimètres de moi. Savonnette parfumée et rouge à lèvres cerise taquinant mes pensées, regard cherchant une autre réponse que celle qu'elle finit par me donner :

– Je suis assistante d'un défenseur des droits civiques à Wilmington.

Ses paroles coulaient à un rythme soutenu.

– Ce qui signifie que je passe le plus clair de mon temps à m'occuper de toutes les affaires qui échappent au système juridique légal. Je suis bénévole à temps partiel à l'AFOP, et à la NCLC. Je suis aussi membre de Greenpeace et d'Amnesty International, mais comme le travail que je réalise pendant la journée n'a pas suffisamment de résultats, la meilleure contribution que je puisse faire est d'écrire des lettres et de solliciter personnellement nos députés et nos législateurs dans l'espoir que, peut-être, ils trouveront le temps de s'attaquer à des problèmes qui, fondamentalement, n'intéressent absolument aucun de leurs électeurs...

Christina fit une pause.

Un peu trop tard.

– Je n'ai pas l'intention de gâcher ta parade, dis-je. Mais ce qui est vraiment intéressant au sujet du gourami, c'est que, dès qu'il voit son propre reflet, il attaque. Il se cogne la tête contre la vitre, sans arrêt, jusqu'à ce qu'il finisse par se tuer.

Je m'interrompis. Pour la première fois, Christina m'écoutait.

– Tout à l'heure, je faisais une comparaison entre Dromio et toi. Pas entre nous…

Le regard de Christina s'adoucit, sans pour autant me rasséréner.

– Bon, dit-elle d'une voix contenue. Je vais voir comment les requins sont nourris…

Elle fit demi-tour et longea le corridor.

J'entendis ses pas décroître après le tournant.

Je restai seul. En compagnie de nageurs aux yeux vitreux et d'un gourami solitaire.

28

Nous n'écoutons pas le désespoir

La pièce principale était un gigantesque cylindre à deux étages.

Solides murs de béton.

De mon point de vue privilégié, j'aperçus Matilda et Jeremy devant la pièce maîtresse, fierté de l'Aquarium : un réservoir d'eau de 100 000 m^3 partageant la pièce en deux. Des murs de verre renforcés abritaient une bande de requins aux mouvements furtifs. Corps lisses et luisants filant en tous sens comme des torpilles, regard noir et glacé, dents capables de convaincre les gouramis de se hâter vers un abri.

Je me déplaçai le long du mur en suivant la rampe qui tournait jusqu'au premier étage. Me faufilai entre quelques familles du dimanche après-midi et de plus petits aquariums d'étoiles de mer, de murènes et de pastenagues sinueuses. La lumière tombait à travers le toit de verre. Des motifs d'ombre et de lumière entrecroisés décoraient mon chemin.

Christina me vit approcher.

Parla à Matilda en l'entraînant à l'écart.

Sans les quitter des yeux, je marchai vers l'aquarium des requins.

– Pourquoi les femmes vont-elles toujours ensemble aux toilettes ? me demanda Jeremy.

– Pour parler de nous.

– Tu veux dire, de toi et moi ?

– Oui, Jeremy, répondis-je en levant les yeux sur un requin qui passait. Toutes les femmes qui sont jamais allées aux toilettes avec une autre l'ont fait pour parler, en particulier de toi et moi.

– Tu sais bien ce que je veux dire.

– Si elles ne savent pas qui nous sommes maintenant, comment vont-elles y arriver à moins que nous le leur disions ?

Jeremy soupira. Une fois encore, il y avait quelque chose de différent chez lui. Ni frustration, ni panique, rien qu'une respiration qui faisait allusion à des pensées plus profondes. Auto-analyse sereine tout en observant les requins. Réflexions. Découverte d'un vague sentiment qui, à mon avis, avait dû évoluer rapidement depuis le matin.

– Nous devrions peut-être tout raconter à Dromio.

Je me figeai.

Pas en surface, mais à l'intérieur.

Une espèce de voix aiguë me criait que Jeremy avait besoin d'être remis à sa place.

– C'est du désespoir, Jeremy, rien d'autre. Nous n'écoutons pas le désespoir, Jeremy.

– Ce n'est pas du désespoir, contra Jeremy en regardant autour de lui. Honnêtement, à quoi ça sert de continuer comme ça ?

– Dromio est un Faucon bleu.

– Un quoi ?

– C'est une expression.

Je réfléchis vite.

– Ce qui veut dire qu'il a tendance à pencher du côté de l'ombre.

– Écoute, j'ai passé un peu de temps avec lui…

– Oui, justement : *un peu* de temps.

– Oui, un peu de temps, répéta Jeremy en plantant des yeux accusateurs dans les miens. Pas autant que toi, j'en suis bien conscient.

– Je n'ai pas passé assez de temps avec lui, répliquai-je.

Mon cerveau eut un raté avant que j'ajoute :

– Pas assez de temps pour le connaître.

– Si tu ne le connais pas encore, comment vas-tu y arriver à moins qu'il le veuille ?

– Parce qu'il y a autre chose que toi et lui dans cette histoire.

– Oui.

Le regard de Jeremy se durcit. Il n'allait nulle part.

– Il y a toi aussi, dit-il.

– Il y a moi aussi.

Je cherchai le moyen de ramer à contre-courant.

– Tu n'as pas vraiment l'air de penser que je suis capable d'évaluer la situation. Mais regarde Christina. Elle a tous les problèmes imaginables avec Dromio…

– Tu n'as pas été d'accord une seule fois avec elle, Baz…

– De plus, Nancy…

Je m'interrompis.

Pas assez vite, et Jeremy me sauta dessus.

– Quoi, Nancy ?

Un tourbillon de pensées explosa dans ma tête. Décisions se bagarrant pour intervenir. Je pensai à la descente silencieuse de Nancy dans sa boisson, au passé de Dromio, au pacte de confiance implicite quand elle m'avait regardé à travers la fumée du bar en me disant : « Ça restera entre nous ? »

Prenant la décision énergique du désespoir, je mis tout ça de côté.

– Je suis allé me balader ce matin, tu te souviens ? murmurai-je à toute vitesse. Je suis allé sur la jetée et je suis entré dans ce bar. Nancy y était, elle était en train de boire…

L'ombre d'un doute traversa le visage de Jeremy.

Exactement comme je l'espérais.

– Qu'est-ce qu'elle buvait ? demanda-t-il.

– Une vodka-orange. Elle buvait de l'alcool à midi, tu me suis ? Je lui ai demandé si elle avait un problème… et c'est Dromio qui est arrivé sur le tapis.

– Bastian…

– Je sais, tu veux qu'on reprenne nos vrais noms, mais…

– Non, Baz…

Jeremy m'attrapa la tête à deux mains. La fit tourner vers l'aquarium des requins.

– Regarde !

L'aquarium des requins.

Eau bleu clair scintillant sous le soleil de l'après-midi.

Et à travers la vitre…

M'approchant, je plissai les yeux. Un jeune couple, derrière les prédateurs aquatiques. Une fille aux cheveux blonds ondulés arborait un large sourire fluorescent. Main dans la main avec un garçon de dix-sept ans à l'air résolu. Première génération de Mexicain américain, dont le regard n'avait pas oublié ses origines. Espoir sincère étalé en un sourire révélant des dents bien intentionnées.

– Ce n'est pas… ?

Je plissai un peu plus les paupières.

– Nicole et Cesar ? croassa Jeremy.

Je le saisis par le bras, et nous voilà accroupis sous la vitre. Assis sur les fesses, le dos pressé contre la base en ciment de l'aquarium. Quelques passants nous jetèrent un coup d'œil étonné et je fis de mon mieux pour prendre un air détaché. Souriant avec un charme déplacé tandis que Jeremy tiraillait ma chemise, et que ses ongles me chatouillaient la peau.

– C'est Nicole et Cesar ! murmura-t-il furieusement.

– Je crois bien que Cesar a une grosse dette envers moi.

– Alors commence par lui dire de ne pas nous adresser la parole ! siffla Jeremy. Matilda et Christina vont revenir d'une seconde à l'autre !

Je regardai à droite, puis à gauche. De ce côté, il y avait une sortie.

Une double porte, qui semblait situer à une quinzaine de mètres.

Une pancarte indiquait : *Passerelle en construction.*

Donnant un coup de coude à Jeremy, je la désignai du doigt.

– On va se tirer par là.

Jeremy secoua la tête.

– C'est le coin des alligators.

Un dernier regard sur ma gauche, et je vis Cesar et Nicole contourner l'aquarium des requins.

Bras dessus bras dessous.

Pas le temps d'évaluer les problèmes dans lesquels je m'étais fourré.

J'attrapai encore Jeremy par le bras pour qu'il se relève. Pas rapides vers la sortie, apparence nonchalante, dans la mesure du possible, malgré notre envie de courir. Jeremy marmonna des prières pendant que nous franchissions cette distance en moins de trois secondes. Nous nous jetâmes sur la porte, pour arriver en trébuchant dans l'atmosphère humide créée par le cours d'eau sinueux. Sur une passerelle à moitié terminée. À peine le temps de constater que la majorité des clôtures en bois avaient été supprimées. Censées nous séparer d'un vide de deux mètres. Plus rien pour nous protéger des alligators…

J'entendis Jeremy jurer, puis il s'arrêta pile.

N'ayant pas la même opportunité, j'arrivai droit sur lui, me cognant contre son dos.

Je le vis chanceler au bord de la passerelle.

Un pied en l'air s'agitant comme un tuyau d'arrosage livré à lui-même.

Il tendit un bras vers moi.

Agrippa ma chemise.

En m'égratignant. Mais cela n'avait pas vraiment d'importance, parce que nous étions en train de basculer dans le vide.

Lequel était Jeremy, lequel Sebastian ? Difficile à dire.

Lui et moi, prêts pour une plongée dans l'eau infestée d'alligators, deux mètres plus bas.

29

Peu de temps après avoir été snobés par la mort

Jeremy et moi fîmes irruption dans le bureau d'Henderson.

Assis autour du bureau, Henderson et Dromio se levèrent d'un bond. Ils nous examinèrent un instant. L'eau dégoulinait de nos vêtements. Cheveux et visages trempés. Bruits de succion montant de nos baskets pendant que nous faisions encore quelques pas, Jeremy s'appuyant du bras sur mon épaule.

– Bon sang, qu'est-ce qui vous est arrivé, les gars ? bafouilla Henderson.

– La passerelle est en travaux, répondis-je.

– Je sais.

Henderson ouvrit un placard d'où il sortit deux serviettes de toilette.

– C'est indiqué sur une pancarte, à l'extérieur, ajouta-t-il. Mais vous avez de la chance. Pour le moment, il n'y a que des alligators en plastique.

– Oui, je m'en suis rendu compte quand j'ai vu que nous n'étions pas morts.

– Sebastian…

Dromio s'approcha de nous, l'inquiétude remplaçant la confusion sur son visage.

– Tu vas bien ?

– J'ai un peu mal à la cheville, dit Jeremy d'un ton sec pendant que nous le faisions asseoir. Ce n'est pas grave. J'ai connu pire. Bien pire.

Dromio pria Henderson de rassembler les autres membres de la famille, puis il alla chercher des vêtements de rechange dans la voiture.

Ils nous laissèrent seuls. Nous étions maintenant constitués de 99 % d'eau. Serviettes trempées, distendues, devenues inutiles. De petites figurines aquatiques se moquaient de nous depuis différents coins de la pièce, pendant que l'eau continuait à former des flaques sur le plancher.

– Comment va ta cheville ? demandai-je.

– Pareil que quand Dromio m'a posé la même question.

Je le laissai évacuer son amertume.

– Ouais, ça paraît logique.

Jeremy s'appuya au dossier et regarda le plafond en s'essuyant le visage.

– Nous devons encore parler d'un tas de choses.

– Pas maintenant.

Dromio revint, chargé d'un amoncellement de vêtements. Il les posa sur le bureau et les tria.

Sans un mot, il assembla deux tenues différentes. En prenant une sous le bras, il fit signe à Jeremy.

– À toi le premier, Bastian.

Jeremy se leva et se dirigea vers la salle de bains en clopinant.

– Attends, dit Dromio en le rejoignant à la porte. On ne sait pas ce que tu as. Et tu vas avoir besoin d'un coup de main pour enlever ton pantalon.

– Je vais bien.

– Ce n'est pas le cas de ta cheville.

– Je vais *bien*.

– Allons Bastian !

– Bon, d'accord.

Jeremy entra en boitant.

– Allons-y.

Dromio referma la porte derrière eux.

Je regardai autour de moi. Je ne voulais pas m'asseoir n'importe où et abîmer encore quelque chose.

À la décharge de Jeremy, je n'ai pas entendu un seul cri de douleur venant de la salle de bains.

Nancy, Christina et Matilda entrèrent dans le bureau. Chacune exprima ses inquiétudes. Matilda s'approcha de moi et posa une main sur mon épaule. L'autre sur mon visage. Même Christina s'adapta à la situation, bien que ses préoccupations fussent limitées à Jeremy et à sa cheville.

Henderson revint avec deux paires de sandales en promotion récupérées en douce à la boutique de cadeaux.

Il y eut encore des explications et des discussions quand Dromio sortit de la salle de bains avec Jeremy.

– Rien de grave, juste une petite foulure, annonça-t-il.

– Vous êtes sûr ? interrogea Henderson.

Dromio sourit.

– J'ai vu ça plusieurs fois en jouant au basket. Faites-moi confiance, il va bien.

– Je vous l'avais dit, grommela Jeremy.

Il s'appuya au bureau en faisant un effort pour ne pas grimacer.

– Parfait, dit Dromio en claquant dans ses mains. La balade est terminée. Nous allons ramener Sebastian à la maison. J'ai du boulot au *Blue Paradise*. Nous passerons par là en premier.

– Est-ce que je peux venir avec vous ? demandai-je automatiquement.

Jeremy me jeta un coup d'œil.

Dromio hésita.

– Tu ne veux pas rentrer à la maison et te sécher ?

– Je peux le faire ici, dis-je en prenant ma pile de vêtements.

– Bon. Pourquoi pas ? Apprendre les trucs du métier ne te fera pas de mal.

Jeremy avait l'air de penser le contraire, mais il le garda pour lui.

J'allai dans la salle de bains pour me déshabiller et me sécher. J'enfilai maladroitement un jean qui aurait pu me servir de parachute. Passai un immense T-shirt suivi d'un grand sweat rouge. Les manches étaient trop longues. Je dus faire un effort considérable pour les rouler, avant de me glisser dans les sandales, qui, elles, m'allaient parfaitement.

Je pris mes vêtements trempés et m'aperçus dans le miroir.

Je m'arrêtai net.

La taille ridicule de mes nouveaux vêtements était soulignée par deux mots cousus sur le sweat. Lisibles malgré les mauvais tours que le reflet d'une glace joue à nos yeux : FAUCONS BLEUS.

30

L'espagnol parfait

Le soleil commençait à se retirer quand nous arrivâmes au *Blue Paradise*. C'était l'heure du dîner, il n'y avait pas beaucoup de monde dans les rues. Dromio sortit de la voiture, imité par Christina et moi. Matilda se mit au volant et repartit avec le reste du groupe. Dromio entra et me laissa à l'extérieur.

À côté de Christina.

– Tu es encore là, dis-je.

– Ce n'est pas par amitié pour toi.

– C'est bon à savoir, répliquai-je. Parce que tu ne me l'avais pas encore fait comprendre.

– J'ai du travail, et on va venir me chercher ici en voiture.

– D'accord.

– Tu n'as donc pas besoin de rester avec moi.

– Je sais.

Je m'attardai encore un instant. Le ciel tournait à l'orange et au rose, avec le crépuscule qui rampait sur les immeubles anciens de Wilmington. Léger rafraîchissement de l'air. La vie nocturne faisait sa lente apparition. Nous regardions autour de nous comme si nous nous attendions à quelque chose. Mais ni l'un ni l'autre n'avait envie de faire un commentaire.

Une Volvo verte se gara de l'autre côté de la rue. Le moteur se tut.

– Le voilà, dit Christina d'un air soulagé.

Un homme blond et baraqué descendit de la voiture. Il devait approcher la trentaine. Vêtu d'un costume-cravate, il portait des lunettes cerclées et des baskets de marque. Il ferma le véhicule et traversa la rue. Sourire super efficace.

– Ton petit ami ? demandai-je.

– Mon ex, répliqua Christina en lui faisant signe.

– Tu as une raison de continuer à sortir avec lui ?

– Il est assistant d'espagnol à l'université, j'ai besoin de lui pour mon travail.

Elle s'interrompit quand il arriva près de nous et lui donna une généreuse accolade.

Généreuse, et longue.

J'attendis en les regardant, et ils finirent par s'écarter l'un de l'autre.

L'homme se tourna aussitôt vers moi. Me jaugea du haut de son mètre quatre-vingts avec un air d'indéniable supériorité. Dents parfaites lui dévorant le visage. Une vie entière de lectures et de conférences lui octroyait une domination évidente sur moi…

– Anton…

Christina passa un bras sous le sien.

– Je te présente Jeremy.

Anton me serra la main. Poigne si ferme que ça ressemblait à une attaque. Il me secoua le bras en affichant le même sourire plaqué. Avant même qu'il n'ouvre la bouche, je sus que sa voix était autoritaire.

– Christina m'a raconté un tas de choses affreuses à votre sujet.

Il se mit à rire.

Avec son air de plaisanter, Anton pensait ce qu'il disait.

– Intéressant, dis-je d'un ton neutre avant d'ajouter en espagnol : *Je ne me rappelle pas qu'elle m'ait parlé une seule fois de vous.*

Anton ne s'attendait pas à cette sortie, ni à la langue. Son fameux sourire se figea sur ses lèvres, et il me lâcha la main.

Il me parla dans cette langue romane.

– *Nous remontons le temps !*

– *Jusqu'au moment où elle vous a laissé tomber, ou plus loin encore ?*

– Eh !

Anton revint à l'anglais.

– C'est moi qui l'ai laissée tomber !

– Quoi ?

Christina avait écouté, mal à l'aise, et maintenant, elle s'indignait.

– C'est moi qui ai rompu avec toi, Anton !

– Ne parlons pas de ça maintenant, Christina.

– Il ne fallait pas commencer !

– Ce n'est pas moi qui ai commencé, c'est lui ! objecta Anton en me montrant du doigt.

Christina nous regarda tour à tour. Apparemment, elle se demandait lequel de nous deux méritait le plus sa colère. Finalement, ce fut un match nul, et elle se contenta de rouler les yeux.

– Laisse tomber, je m'en fiche. Allons-y, Anton !

Passant son sac à l'épaule, elle traversa la rue.

Anton lui emboîta le pas, et ils se chamaillaient encore en montant en voiture. J'essayai de voir Christina à travers la vitre arrière. Plissant les yeux pour l'apercevoir une dernière fois. Sans trouver de véritable réconfort dans la victoire, quelle qu'elle soit, que je venais de remporter.

Debout, tout seul, devant le *Blue Paradise*, dans le crépuscule qui s'épanouissait. La température sombrait dans une sorte de dépression tranquille. Je m'apprêtai à entrer, quand une main se posa sur mon épaule, me fit faire volte-face, me mettant nez à nez avec Bradley.

Qui m'était connu sous le surnom affectueux de « Trevor ».

Sa bande de joueurs de polo, tous en chemise, s'aggloméra derrière lui. Larges sourires pleins d'assurance. Leur vue commençait à m'écœurer. J'en avais assez des épaules carrées. Les simili-durs ne m'impressionnaient plus, j'avais des choses plus urgentes à faire.

– J'avais dit à mes gars que nous allions te trouver ici, dit Bradley, le seul qui avait des étincelles dans les yeux. Tu ne nous avais pas raconté que tu étais le fils de Johansson.

– Désolé, dis-je platement. Christina ne nous a jamais présentés.

– Alors c'est Christina, maintenant ?

– Ça a toujours été Christina. Il faut croire que ça l'intéresse davantage de me le dire.

– Tu me cherches, Johansson ?

Bradley me regarda sous le nez.

– Tu veux venir dans *ma* ville, et emporter ce qui *me* revient de droit ?

– Qu'est-ce qui *te* revient de droit ? Bon Dieu, de quoi parles-tu, Trevor ?

Bradley tendit une main puissante et ses doigts s'emparèrent de mon bras. Il m'attira brusquement plus près de lui. Nez à nez. Son haleine, un souffle chaud de chewing-gum à la cannelle.

– Je ne m'appelle pas Trevor, mais Bradley, et tu pourras bientôt raconter à un putain de chirurgien que c'est Bradley qui a défoncé ta petite gueule de connard !

– Hé !

Bradley se tourna vers l'entrée du *Blue Paradise*.

Je fis de même. Chaucer était là. Bras le long du corps, poings serrés. Genoux légèrement fléchis. Visage de tueur éclipsant sa chemise de soie violette et son blazer rouge foncé. Regard dur fermant la distance entre lui et l'équipe de Bradley, dont chaque membre se dégonflait déjà comme un ballon percé.

– Lâche-le et foutez tous le camp d'ici.

La poigne de Bradley se resserra, me coupant la circulation.

– Vous avez entendu ce que j'ai dit, bande d'ours en peluche trop rembourrés ?

À entendre le ton de Chaucer, il était clair qu'il ne plaisantait pas.

– Le commissaire de police est là, et vous pourrez terminer vos dissertations en prison, si ça vous amuse.

Encore une fois, la bande commença à bouger.

Dépassa Bradley, qui me tenait encore le bras, le temps de dire :

– Tu ne pourras pas te cacher éternellement derrière les amis de ton père, Johansson.

Il me rejeta d'un simple tour de poignet. Je trébuchai pendant qu'il s'éloignait, un nuage de vapeur presque visible s'élevant de son corps.

– Ça va ? me demanda Chaucer comme si j'étais réellement tombé.

– Hunt est vraiment au *Blue Paradise* ?

– Il n'est pas en service. Mais j'ai pensé à lui au dernier moment. Ces gamins étaient un peu trop nombreux pour la couleur de ma peau.

– On dirait que rien ne change.

– La perspicacité, c'est mon arme.

Chaucer sourit.

– Ton père t'attend à l'intérieur.

Je pris encore le temps de jeter un coup d'œil dans la rue. Mais Bradley s'était déjà fondu dans les premières ombres de la nuit. Une colère insondable s'attardait, flottant autour de moi. L'impression qu'il ne s'agissait pas d'une simple querelle qui serait allée trop loin.

« Venu en ville pour prendre ce qui lui appartenait de droit… »

Je chassai cette pensée d'un haussement d'épaules, et j'allai voir ce que faisaient mon père et ses amis.

31

Papa

Le *Blue Paradise* ne servait pas de repas le dimanche soir. Le restaurant tournait au ralenti, surtout pendant la morte saison. Dromio l'appelait le « temps d'arrêt ». Fin de semaine. Les gens buvaient un verre, prenant le temps de souffler et de réfléchir. Appréciant une conversation sans le vacarme et l'agitation d'un restaurant bondé. Laissant la soirée se dérouler tranquillement.

Moments de détente en harmonie avec le juke-box.

Ce soir-là, les clients n'étaient pas nombreux, et Dromio accepta que je reste derrière le comptoir pour servir quelques boissons.

Il m'apprit l'art de verser, de mesurer et de mélanger.

– Maintenant, un soupçon de curaçao, dit-il tandis que j'inclinai la bouteille une demi-seconde. Ce truc bleu s'étale dans une boisson comme des stars porno sur une page de magazine. Alors vas-y mollo. Et maintenant, tu peux remuer…

Je plongeai une paille dans le verre et tournai.

– C'est donc rhum, vodka, gin, tequila, triple sec et curaçao bleu ?

– La spécialité du *Blue Paradise*.

– Est-ce que ce n'est pas une Limonade électrique ?

– Avec une petite différence, répondit Dromio en versant du cherry dans le grand verre. C'est que nous ne lui donnons pas ce nom-là.

Je me mis à rire et déposai la boisson devant le commissaire Hunt.

En me remerciant, il faillit porter la main à son chapeau, mais il se souvint qu'il n'était pas en service.

– Quel est le verdict ? lui demanda Dromio.

Hunt but une gorgée. Fit claquer ses lèvres et leva le verre au-dessus de sa tête.

– Un Blue Paradise parfait si j'en ai jamais bu un. Tel père, tel fils, à en juger par cette boisson.

– Bravo, Jeremy !

Dromio me donna une petite accolade dans le dos.

– Tu l'as bien réussie.

– Merci, Papa.

Le silence tomba brusquement.

Hunt leva les yeux du ciel bleu de son verre.

Partagea son regard entre Dromio et moi.

Le juke-box changea de chanson tandis qu'une expression étrange traversait le visage de Dromio.

– C'est la première fois que tu m'appelles Papa.

C'était la vérité. Abandonnée, ma décision d'éviter ce mot commençant par un p. Oubliée en cet instant unique, qui frisait la pureté absolue. Échappée d'une manière ou d'une autre, et je tentai de me tenir éloigné de celui que j'étais réellement. Rester simple, à distance.

Essayer ce moment comme une nouvelle peau. Le laisser m'envelopper, parce que cela me paraissait normal.

Parce qu'en réalité, j'avais prononcé ces mots pour la première fois de ma vie.

« Merci, Papa. »

Hunt se glissa discrètement à l'autre bout du comptoir.

Dromio posa une main sur mon épaule…

– Tu veux boire un coup ?

– Ce n'est pas illégal ?

– Bien sûr que si.

Dromio sortit un verre à whisky.

– Et que tu serves des boissons alcoolisées, c'est illégal aussi. Mais Hunt a envie de fermer les yeux, alors je dis : « Pourquoi pas ? »

Je hochai affirmativement la tête.

– Pourquoi pas ?

Dromio sortit un autre verre à whisky. Contourna le bar et nous servit une boisson à chacun. Il revint vers moi et me tendit la mienne. Je la levai vers la lumière. Des glaçons et un liquide brun clair, translucide.

– Du scotch, dit Dromio.

Il leva la sienne pour porter un toast.

Rien que le son cristallin de deux verres qui s'entrechoquaient.

Je bus une petite gorgée. Une sensation délicieuse se répandit sur ma langue et dans ma gorge. Une boisson glacée qui, pourtant, me réchauffait. Un arrière-goût s'étalant dans ma bouche. Celui de planchers en bois neuf. Je buvais du whisky pour la première fois. C'était un grand jour.

– Comment ça se passe avec Christina ? demanda Dromio.

– Nous n'avons pas les mêmes idées sur un certain nombre de choses.

– Par exemple ?

– Sur tout…

Je sirotai mon verre.

– Y compris vous.

– Mmm…

– Ouais, elle n'est pas folle de vous.

– On ne peut pas plaire à tout le monde sur cette Terre, dit Dromio en sortant un paquet de cigarettes. Il faut s'y attendre. Et respecter cette évidence.

– Tout le monde a l'air de vous aimer.

J'acceptai une cigarette, un briquet.

– Christina semble être la seule exception.

– Christina est une bonne petite.

Dromio hocha la tête, comme pour lui-même.

– Elle fait beaucoup de bien, à un tas de gens.

– Vous aussi.

Dromio alluma sa cigarette. Exhala silencieusement la fumée, et posa sur son royaume un regard attentif. Prenant le temps de réfléchir, tout en remuant sa boisson d'un air absent.

– Depuis combien de temps faites-vous cela ? demandai-je. Je veux dire : aider les gens.

– J'ai commencé avant de laisser ta mère, répliqua Dromio sans détour. Je suppose qu'elle ne t'en a jamais parlé, mais je ne le lui reproche pas. C'est vrai, j'aidais des gens, mais je ne sais pas si c'était vraiment ce que je désirais, ni ce qui me motivait à le faire. C'est après avoir laissé ta mère que je suis vraiment devenu moi-même.

Je sentis qu'il voulait parler franchement. Je décidai de libérer quelques questions qui me trottaient par la tête.

– Est-ce qu'il n'y a eu qu'elle ?

– Que veux-tu dire ?

– Est-ce qu'il n'y a pas eu plusieurs cœurs brisés à Chicago ?

– Si.

Dromio ne montrait ni remords, ni fierté. Rien que les faits.

– Je plaide coupable.

– Qu'est-ce qui a changé, après ma mère ?

– Quand tu es jeune, tu as parfois tendance à agir... de manière irresponsable. Mais en rester là, ce serait se défiler.

– Comment ça ?

– Il n'y a qu'une seule chose qui vous rende sans cervelle, vous, les gamins. Une seule chose qui vous rende accros à la drogue. Une seule chose qui vous rende imprudents. Une seule chose qui vous rende violents. Une seule chose qui fasse de vous des menteurs éhontés. Mais la seule différence entre vous et nous...

Dromio tira une bouffée, but une gorgée de scotch.

– La seule différence importante, c'est que lorsque les adultes font ces choses-là, on ne leur donne pas ces qualificatifs.

On aurait dit que Dromio se confessait au nom de toute l'humanité adulte.

– Un *Blue Paradise* ?

Il acquiesça d'un signe de tête.

– Un *Blue Paradise*… Tu vois, Jeremy, il y a longtemps que l'âge a cessé d'être une affaire de biologie. Surtout ici, en Amérique. Ce n'est pas suffisant de vieillir. La plupart des adultes se contentent de ça, mais ils ne cessent jamais réellement d'être jeunes, infantiles. Pour grandir, il faut le vouloir. Cela peut arriver à n'importe quel moment de ta vie, mais en général, il faut vraiment quelque chose de très important pour mettre la machine en route…

Dromio plongea les yeux dans son verre. Le porta à ses lèvres, fit une pause. Pris dans le mouvement, il avala une gorgée.

– Je n'y avais jamais vraiment réfléchi jusqu'à aujourd'hui, mais… quand j'ai abandonné ta mère, c'est à ce moment-là que le grand événement… enfin, c'est à ce moment-là que j'ai décidé de grandir.

Pour la première fois, je remarquai que Dromio n'était pas très grand. Peut-être un mètre soixante-quinze, à peu de chose près. Prenant mon verre, je l'observai par-dessus le bord. Comment arrivait-il à faire illusion ? À se faire assez grand pour remplir entièrement une pièce d'un seul regard. Un pas, une parole bien placée. Je voulais comprendre. En faire partie.

Ma seconde peau se resserrait autour de moi.

Dans ma tête, des formes hasardeuses cherchaient à dessiner une image complète…

– Vous avez vraiment joué au basket-ball ?

– Tu as envie de faire une promenade le long du sentier Dromio ?

Il sourit, écrasa son mégot dans le cendrier.

– J'ai entendu dire que c'était un quartier très dur, dis-je en allumant une autre cigarette. Mais il paraît aussi que ça vaut la peine rien que pour pouvoir dire qu'on a survécu.

Le sourire de Dromio se transforma en rire.

– Tu es un sacré gamin… Ouais, j'ai joué au basket. J'ai appris à très bien connaître le banc, mais une équipe reste une équipe.

– Nancy m'a dit que vous aviez tous un grand sens de la camaraderie. Un « Faucon bleu, de la tête aux pieds ».

– C'est vrai.

Dromio mima un lancer de ballon raté. Il en suivit des yeux la trajectoire imaginaire.

– Chuuii !

– Vos camarades étaient aussi déchaînés que vous ?

– Encore plus, répondit-il en redevenant sérieux. Le seul problème, avec les Faucons bleus, c'était le taux ridiculement élevé de rotation de joueurs. Toujours en train de se mettre dans le pétrin, toujours suspendus. Je suis sûr qu'il y a plus d'ex-Faucons bleus autour de Chicago que dans aucune autre équipe universitaire.

Je griffonnai quelques notes au fond de ma tête.

– Avec tous ces Faucons bleus, c'est incroyable que l'un d'eux n'ait pas rencontré ma mère avant vous.

– Ouais, ça a vraiment mal tourné pour plusieurs d'entre eux. Au moment où j'ai été expulsé de l'université, il était question de réformer tout le système scolaire. Mais comme je disais, c'était après mon renvoi…

Il fit une pause, laissant d'autres souvenirs affluer, avant de secouer la tête.

– Heureusement, rien de tout ça ne pourra arriver à un membre de cette famille. Il y a un bon vieux bas de laine qui attend Matilda. Et maintenant que tu es venu réclamer ta place, il y en aura aussi un pour toi.

– Est-ce que le nom Chester A. Arthur a une signification pour vous ? demandai-je à brûle-pourpoint.

Dromio prit un moment pour se concentrer. Au bout de trente secondes, il mit le doigt dessus :

– Le vingt et unième président des États-Unis ?

– Dromio, je…

– Excuse-moi un instant.

Dromio traversa le bar jusqu'à un client qui attendait. Je le vis discuter avec lui. Il sourit, et le charme Johansson opéra, coulant à flots. J'essayai de voir si je pouvais repérer quelque chose. Un autre signe, n'importe quoi qui puisse expliquer les coïncidences et les contradictions qui faisaient rage dans ma tête…

– À quoi penses-tu ? demanda Dromio, qui se trouvait de nouveau près de moi sans que je l'aie vu arriver.

Je me rendis compte que mes réflexions avaient divagué. Elles revinrent en force, confortant mes premières impressions.

– On peut parler librement ? dis-je.

– Il me semble que nous avons déjà commencé.

– J'étais en train de penser que cette semaine allait se terminer.

Dromio hocha la tête, habitué à ce genre de rêverie, à son âge.

– Calendrier oblige.

– En fait…

Je fis une pause. Insensiblement, je commençais à croire que j'avais réellement le droit de nourrir tous ces espoirs.

– À la fin de la semaine, je ferais mieux de rester ici. Avec vous et Nancy. Et Matilda.

Le regard de Dromio trahit un mélange d'inquiétude et de pensées secrètes.

– Mais tu dois rentrer chez toi. Tu le sais, n'est-ce pas ?

– Il n'y a pas grand-chose qui m'attend chez moi.

– Tu ne penses pas ce que tu dis.

– Si.

– La famille ne compte pas pour toi ?

– Si, ma mère et moi, ça baigne.

Mes neurones me rappelèrent brusquement à l'ordre, me forçant à ajouter :

– Je m'entends bien avec mon père aussi, mais… c'est tout le reste…

Dromio m'observa, et ce que je vis m'étonna. Un regard trempé dans l'acier, intense et direct.

Son esprit s'exprimait, ses paroles restant à l'intérieur. Il prit mon verre, qu'il échangea contre le sien, puis il but une gorgée et il me fit un signe.

– Bois.

Stupéfait, je fronçai les sourcils et j'avalai une gorgée.

Fis la grimace.

Reconnus une trace de ce que je venais de boire. Pas très prononcée, cependant. Un goût bien plus amer détournait mes sens, montait dans mes narines. Me transperçait. Pâle allusion à ma précédente expérience avec le scotch.

– C'est du Dewar, m'expliqua Dromio. Un nom tout nouveau, mais il est loin d'être le meilleur. En fait, un tas de bars le servent comme leur whisky maison. Et maintenant, celui-ci…

Dromio me rendit ma première boisson.

– … c'est du Johnny Walker. Label bleu. Une bouteille vaut plus de 100 dollars. Deux doigts de celui-ci coûtent trente dollars au *Blue Paradise*. C'est l'un des meilleurs whiskys de la planète.

Il fit une pause, me laissant un instant en tête à tête avec mon fond de verre.

– Je comprends, dis-je, tout en me demandant si c'était la signification du mot « humilité ». Soyez reconnaissants pour ce que vous avez.

Dromio secoua la tête.

– Encore plus important : sois reconnaissant pour ce que tu as, quoi que tu aies pu avoir auparavant. Car les situations finissent par se renverser, et il arrive parfois que ça ne prenne pas plus d'une semaine…

Il termina mon verre. Sa leçon abaissait encore plus ma stature, mais il y avait pire…

La façon dont il avait dit cela…

– Savez-vous lire les lignes de la main ? demandai-je.

Dromio se mit à rire.

– Est-ce que je deviens trop obscur pour toi, Jeremy ?

Il rit encore, mais son rire manqua d'efficacité pour rompre la solennité du moment.

– Ne me demande pas de te saper le moral. Je ne sais pas plus ce qui va t'arriver qu'un météorologue sait de quoi demain sera fait.

– Je vais être obligé de vous interrompre une seconde !

Chaucer s'était faufilé entre nous et parlait d'un ton qui voulait se faire pardonner, tout en me souriant.

Il se tourna vers Dromio et retrouva son air sérieux.

– Il attend…

– Je ne sais pas si ce soir est bien choisi.

Dromio me désigna d'un coup d'œil.

– Est-ce que tu peux t'en occuper ? demanda-t-il.

– Cet homme vient de loin, répondit Chaucer. Je peux l'accueillir, mais il est venu pour faire ça avec toi.

– Tu crois qu'il comprendra ?

– Je crois qu'il comprendra. Mais tu sais bien que la question n'est pas vraiment là.

Je les regardai tous les deux, complètement perdu. Pas la moindre idée de ce qui se passait.

– Alors il vaudrait mieux que je reste un moment avec lui, dit Dromio d'un air pensif.

– C'est le moins que tu puisses faire.

Chaucer parlait soudain comme un conseil juridique.

– Explique-lui la situation, prends une heure ou deux, et il rentrera chez lui heureux. De plus, il n'est pas le seul ici, hein ? Il y a beaucoup à faire…

Dromio hocha la tête. Il arrangea ses cheveux et se tourna vers moi.

– Les affaires, Jeremy. Je sais que c'est un peu abrupt, mais peux-tu rester seul un moment ?

Je marchais encore sur une autre planète, mais malgré ça...

– Pas de problème.

Dromio hocha de nouveau la tête. Sortit avec Chaucer sans ajouter un mot. Je les vis disparaître par une porte sans plaque. Me laissant derrière eux, en compagnie de ma propre satisfaction.

– Hé, petit gars !

Je levai les yeux. Le gros homme du déjeuner de la veille s'était hissé sur une paire de tabourets devant le bar. Un radin transformé en distributeur automatique de billets.

– Qu'est-ce que vous me recommandez ce soir ?

Un bref coup d'œil autour de moi m'apprit que j'étais seul derrière le comptoir.

Le commissaire Hunt ayant lui aussi disparu, je me dis « Pourquoi pas ? », avant de me redresser et de me déplacer en faisant de mon mieux pour imiter le pas un peu fanfaron de Dromio. Prenant un torchon, j'essuyai le comptoir de verre. Y jetai un dessous-de-verre.

– Je compose un Blue Paradise d'enfer, proposai-je en empruntant à Dromio un éclat fugitif de son sourire.

– Je n'en ai jamais bu. Qu'est-ce qu'il y a dedans ?

Je lui fis un clin d'œil.

– Rien que de l'originalité pure.

– Va pour un Blue Paradise !

Le gros homme fit claquer ses mains charnues sur le comptoir, son sourire potelé satisfait de ma réponse.

– Commençons tout de suite la soirée !

Ce n'était pas une mauvaise idée, et je lui tournai le dos.

Pris une collection de bouteilles.

Me mis à verser, verser, verser, verser, et remuer.

Ajoutai un cherry et le baptisai d'un nom bien personnel.

32

Seconde porte à gauche

Presque 20 heures, et la scène n'avait pas changé.

Au comptoir, la plupart des sièges étaient occupés, bien que les visages ne soient plus les mêmes qu'une heure plus tôt. Chaucer était revenu cinq minutes après s'être éclipsé avec Dromio. Il avait pris les choses en mains, me demandant quelques services de temps à autre. Bouteilles importées, verres de bourbon ou de tequila, le Blue Paradise occasionnel. Mes gestes devenant automatiques, je commençai à me poser des questions. Nancy avait téléphoné un peu plus tôt, et j'avais entendu Chaucer lui dire que Dromio allait rentrer chez eux vers 21 h 30.

Ce qui m'amena à réfléchir.

À la conversation entre Dromio et Chaucer.

À ce que Dromio faisait de son temps quand il était loin de sa famille, et à la petite enquête que j'aurais dû mener pour Jeremy.

En un peu moins de vingt-quatre heures, ses problèmes étaient lentement devenus les miens. À un moment donné, il n'y eut plus de curaçao bleu, et Chaucer m'envoya en chercher dans la réserve.

– Par là, dans le couloir. Seconde à droite, dit-il en me montrant une porte sans plaque au fond de la salle.

Hochant la tête, j'obtempérai.

Un grand corridor aux murs blancs. Des boîtes en carton entreposées sous des ampoules nues diffusant une pâle lumière. Les bruits du *Blue Paradise* s'y infiltraient à peine. Air confiné. Atmosphère figée d'un lieu sec et froid.

J'avançai jusqu'à la seconde porte à droite à pas de bibliothécaire, pour faire le moins de bruit possible. Posai la main sur la poignée. Au lieu de la tourner, je tendis l'oreille… La voix de Dromio. Terne et assourdie comme s'il parlait dans son sweat. Silence. Une autre voix, tout aussi incompréhensible. Une pause, suivie de rires et de gémissements.

Provenant de la deuxième porte à gauche.

Je m'en approchai et collai l'oreille contre la porte.

Conversation détendue.

Je jetai un coup d'œil vers la salle des réserves.

Murmurant les instructions de Chaucer, je les modifiai légèrement et me répétai plusieurs fois cette version corrigée jusqu'à en être convaincu :

– Dans le couloir, seconde porte… à gauche.

J'entrai avec l'intention bien arrêtée de paraître profondément ahuri.

Ce qui, au bout du compte, ne fut pas si difficile… Pas si difficile non plus de croire ce que je voyais : une table de jeu, avec son tapis de feutre vert, en plein milieu de la pièce entourée de murs en parpaings. Des jetons d'argile empilés ou éparpillés. Distribution de cartes Bicycle à verso bleu. Pas si difficile de voir Dromio assis là, en train de battre un autre paquet. Ni de voir les frères O'Neill assis l'un en face de l'autre, leur visage de jumeaux exprimant la surprise devant ma soudaine apparition. Ce n'était même pas très difficile de croire à la présence du commissaire Hunt. La flicaille habillée en civil. Cigare abandonné dans un cendrier.

Aucun doute, les événements prenaient une drôle de tournure.

Mais au fond, ce n'était pas très surprenant.

Plutôt moins surprenant, aucun doute là-dessus, que de me retrouver confronté à un M. Wallace aux yeux comme des soucoupes. Même tenue classique que celle qu'il portait au lycée. Même chevelure flamboyante retenue en une longue queue-de-cheval. Même regard bleu derrière des lunettes cerclées. Comme il était assis à la table, je supposai que ses grands pieds étaient chaussés des mêmes rangers.

Tout était identique, sauf le fait qu'il se trouvait à Wilmington.

Au *Blue Paradise*.

Dans une petite arrière-salle, assis à une table de jeu, en compagnie de Dromio et d'une série de personnages qui me connaissaient tous sous le nom de Jeremy Johansson.

Sans sourciller, en hôte agréable, comme toujours, Dromio se leva et me dit d'une voix douce :

– Entre donc !

Je portai vivement les yeux sur Wallace, puis sur Dromio.

– Désolé, je cherchais la salle des réserves.

Je voulus faire demi-tour.

– Je croyais que c'était la seconde porte à gauche. Je me suis trompé.

– Ce n'est pas grave.

Dromio avait l'air content. Joyeux, même, quand il posa un bras autour de mes épaules et m'entraîna vers la table.

– Il n'y a que des amis ici. Tu connais déjà le commissaire Hunt et les frères O'Neill…

Ils m'adressèrent un signe de tête peu enthousiaste accompagné de gestes de la main indéfinis.

– Et là, nous avons Monsieur Wallace…

J'étais trempé de sueur et mon cœur s'effondrait dans ma poitrine.

– Monsieur Wallace, je vous présente Jeremy King…

M. Wallace finit de boire une gorgée de bière.

Ses yeux plongés dans les miens.

Il posa la bouteille et se leva.

Tendant la main, il sourit.

– Jeremy King… comme c'est surprenant de vous rencontrer ici !

Tendant machinalement la main, j'agrippai la sienne et la secouai furieusement.

– Je suis encore plus étonné que vous, monsieur Wallace.

Ce que je ressentais, tous les visages, autour de la table, l'exprimaient sans ambiguïté.

– Vous vous connaissez ? interrogea Dromio.

– Jeremy King est dans ma classe d'histoire américaine, répondit Wallace en me donnant une petite claque sur l'épaule. Et aussi dans ma classe de littérature anglaise.

– Le monde est petit, dit Hunt, songeur, en soufflant la fumée de son cigare.

– De plus en plus petit, renchérit l'un des jumeaux.

– Si vous voyez Sebastian, dit Wallace, remerciez-le de ma part. Il a demandé à Olaf de s'occuper de mes chiens.

Je murmurai un remerciement plutôt malvenu. Rien à ajouter. Trop d'énergie gaspillée pour lutter contre ma panique. Bouche cousue, pendant que M. Wallace se rasseyait pour continuer la partie. Il rassembla les cartes et les battit.

– Tu prends une chaise ? me demanda Dromio.

La pièce me parut soudain beaucoup plus petite.

– Vous voulez que je joue ?

– Tu connais les règles du poker ?

– Oui…

Dromio tira une chaise et me fit asseoir à côté de lui. Sortant de sa poche une grosse liasse de billets, il les compta. Fit signe à Hunt de rassembler quelques jetons. Hunt en envoya un paquet de rouges, bleus et jaunes de l'autre côté de la table et prit les 1000 que Dromio lui tendait. Il s'assit près de moi et finit de battre le second paquet de cartes.

– Les jetons jaunes valent vingt-cinq dollars, expliqua Dromio. Les bleus, cinquante, les rouges, cent. Le minimum que tu peux jouer, c'est vingt-cinq dollars, et il n'y a pas de limite maximum… surtout, ne te laisse pas impressionner par ces imbéciles. Tiens bon, mon gars.

Je hochai machinalement la tête, essayant de suivre. Dromio distribuait. Mouvements vifs du poignet, d'une élégance pure, à chaque fois qu'il posait une carte devant un joueur. Chaque joueur gardait ses sentiments bien cachés. Regards remplacés par des fenêtres opaques. Lèvres serrées formant un trait horizontal. Pas la moindre émotion chez ces hommes. Peur, hésitation, joie ou exubérance, tout s'était envolé.

Impossible de savoir quel jeu se trouvait dans les mains de qui.

Impossible de savoir pourquoi M. Wallace avait réagi ainsi.

Impossible de savoir qui était qui.

Une tablée de statues figées, et à ma gauche, Dromio déclara :

– À toi de jouer, Jeremy !

J'examinai ma main. Quatre valets et un Deux me fixaient.

Je posai mes cartes sur le tapis, en faisant de mon mieux pour rester impassible.

Tendant les doigts vers une pile de jetons rouges, je fis une mise.

33

Mauvaise vue

Retour chez Dromio à 22 heures environ.

Les autres faisaient un Trivial Pursuit dans le salon. Jeremy était allongé, les jambes sur un coussin. Retrouvailles et embrassades. On examina la cheville de Jeremy. Profitant de cette agitation, je m'éclipsai.

Je dus appeler Big Niko trois ou quatre fois avant d'avoir Olaf au téléphone. Là-bas, la cuisine fonctionnait à toute vapeur. J'eus du mal à comprendre ce qu'il me disait, à cause de la cacophonie qui régnait, mais finalement, ce fut une conversation brève et sans douleur. Il voulait me rencontrer.

– Demain, jetée de Wrightsville. 15 heures.

Il ne me donna pas le moindre indice, pas la moindre corde à laquelle me raccrocher.

Je coupai la communication.

M'asseyant au bord du lit de Matilda, je gardai les yeux dans le vide pendant quelques instants. Immobile, en compagnie de plusieurs bibliothèques surchargées. Murs jaunes couverts de diplômes encadrés, rubans bleus, récompenses. Étagères exposant fièrement des prix d'excellence scolaire.

– Tel père, tel pas-tout-à-fait fils, marmonnai-je.

Je me frottai les yeux et m'allongeai sur le lit. Les pieds encore plantés sur la moquette blanc cassé. Entouré d'animaux en peluche qui m'offraient leur sympathie.

– Jeremy ?

Me relevant brusquement, je retrouvai la position assise.

Matilda était sur le seuil, en jean et veste rouge. Lunettes ovales amplifiant son air inquiet.

– Tu vas bien ?

– Je croyais que vous partiez tous à la plage ?

– Oui, la cheville de Sebastian va beaucoup mieux…

Elle entra et se pencha sous son bureau. Se mit à farfouiller, à quatre pattes. Les pieds nus, couverts de sable.

– Je suis revenue pour prendre quelques affaires.

– Désolé d'être dans ta chambre.

Je toussotai.

– Dromio m'a dit que tu avais une ligne téléphonique rien que pour toi.

– Ouais.

Elle se releva, tenant dans les mains une torche électrique et une boîte métallique rouge.

– Tu ne voulais pas qu'on t'entende parler avec ta petite amie, je suppose.

– Je n'ai pas de petite amie.

– D'après Christina, tu en as une qui s'appelle Sara.

Je fis un signe de tête vers la boîte rouge.

– Qu'est-ce qu'il y a, là-dedans ?

– Quelques éléments de chimie que j'ai réunis en vitesse. Il y a une quantité inhabituelle de phosphates dans le sable, ce soir. Tu ne peux pas faire un pas sans illuminer la plage. Je vais ramasser quelques échantillons. S'il y en a trop, ça signifie probablement que les bras de mer débordent. Ce n'est pas bon, car si les niveaux de phosphates dépassent neuf point neuf, tu es sûr qu'il y aura une croissance anarchique d'algues. Et ça, ça fait baisser le niveau d'oxygène dans l'eau, ce qui étouffe les autres organismes, et…

Gênée, Matilda fit une pause et regarda ses pieds. En soupirant, elle alluma et éteignit plusieurs fois la torche.

– Qu'est-ce que tu as ?

Matilda secoua la tête.

– Désolée. Je m'emballe toujours avec ces… enfin, ces trucs me montent à la tête.

– Ne dis pas ça.

– Au fond, je suis vraiment bizarre.

– Est-ce que tu joues de la cornemuse à roulettes ?

– Non.

– Alors tu n'as pas de souci à te faire.

– Bon sang, personne ne parle de phosphates !

– Ça m'intéressait, réellement.

– C'est gentil.

– Les faits ne sont pas vraiment gentils ou méchants.

– Tu trouves étrange que Christina soit ma meilleure amie ?

– Non…

Je pris une girafe en peluche et la fis tourner entre mes mains.

– D'après ce que je peux voir, tu es une fille anormalement intelligente. Et Christina n'est pas seulement intelligente, mais très sélective. Je serais fier de l'avoir pour copine.

Matilda eut un rire timide. Elle se couvrit la bouche pour cacher ses fils métalliques.

S'approcha du lit et s'assit près de moi.

Mains serrées sous ses cuisses, genoux joints.

Un pied sur l'autre.

– Tu aimes bien Christina ? demanda-t-elle.

Pas de regard direct.

Je fis un signe de tête indiquant : « comme ci, comme ça ».

– Il faut reconnaître qu'elle est comme un grand verre d'eau, comme dit le proverbe.

– Qu'est-ce que ça veut dire ? demanda Matilda.

– Je n'ai jamais bien compris cette expression.

Je souris.

Pas Matilda.

Elle frotta ses pieds l'un contre l'autre et déglutit.

– Est-ce que tu trouves que je suis un grand verre d'eau ?

Je me tournai vers elle. Quart de profil regardant n'importe où sauf de mon côté. Il y avait quelque chose de familier dans le besoin de Matilda d'être acceptée. Ses émotions en réserve, tout ce qu'elle avait sous la peau collé à la surface. Épaules tendues et souffle haletant.

– Matilda…

Je posai la main sur son épaule.

Elle leva les yeux, lentement. Avec réticence. Des yeux scintillants, agrandis par les verres.

Je lui ôtai ses lunettes et les pliai.

Lui souris.

Un de ses yeux essaya de s'ajuster, légèrement croisé avec l'autre.

– J'ai vraiment de vilains yeux, arriva-t-elle à dire.

Je secouai la tête.

– Je dirais plutôt que tu as une très mauvaise vue.

Matilda se mordit la lèvre inférieure. Lèvre supérieure faisant saillie pour garder son sourire secret.

Elle posa la tête sur mon épaule et se rapprocha, ses bras m'enveloppant.

Je sentis quelques larmes mouiller ma chemise. Pas de plainte ni de sanglot, et je me débrouillai pour passer un bras autour de ses épaules. Lui frottai doucement le dos. Le menton sur sa tête, ses cheveux balayés par le vent me caressant le cou. J'essayai de ne pas laisser le désespoir nous submerger.

Tout cela se prolongea quelques minutes.

Les trophées et les animaux en peluche se montraient discrets.

Bruits d'océan progressant sous la fenêtre.

Matilda renifla bruyamment, rompant le charme. Elle s'écarta de moi et s'essuya les yeux, le nez. Renifla plusieurs fois encore, les deux yeux à angle droit. Visage rouge et mouillé de larmes.

– Hé ! lançai-je.

Elle se tourna vers moi avec un ultime reniflement.

– Prends une girafe, dis-je en lui tendant l'animal.

Les lèvres de Matilda se retroussèrent et elle se mit à rire, sans cacher son appareil dentaire. Elle me prit la girafe des mains et la serra contre elle. Se balança un peu. Éternel réconfort de tout ce qui est doux et pelucheux. L'animal resta dans la même position, le museau dans le cou de Matilda.

Je dépliai ses lunettes et les glissai sur son nez.

Lui donnai un baiser sur la joue.

– Va chercher tes phosphates.

Elle rit de nouveau. Prit sa lampe et sa boîte de métal rouge. Se leva et s'approcha de la porte, s'arrêtant une minute sur le seuil. Elle se tourna, s'adossa au chambranle et me regarda avec un strabisme inquisiteur.

Je m'amusai à l'imiter.

– Ce n'est rien, dit-elle en secouant la tête. Je suis en train de penser que c'est bizarre que Sebastian soit ton meilleur ami.

– Pourquoi ?

Elle inclina la tête sur le côté. Leva les yeux au plafond, réfléchissant.

– Tu sembles avoir plus d'amitié pour lui qu'il n'en a pour toi.

Je clignai des paupières, essayant de laisser glisser ces paroles.

– Sebastian a un tas de problèmes en ce moment.

– Tu l'as dit.

Matilda se redressa.

– Je n'aimerais pas être dans les parages quand il va exploser.

Elle sourit et s'en alla. Dégringola l'escalier, apparemment rassérénée.

Je me levai pour m'approcher de la fenêtre.

Et contempler la plage. La lune était encore basse à l'horizon, répandant sur l'eau ses lueurs de nickel. Elle brillait sur les silhouettes de Dromio, Nancy et Jeremy. Ombres dans la nuit. Ils faisaient les imbéciles, le bras de Dromio autour de l'épaule retrouvée de Jeremy. Tentant une espèce de course sur trois jambes, chacun tenant une béquille sous son bras libre. Nancy courait avec eux en leur criant des paroles d'encouragement. Échos de cris joyeux et hilares arrivant jusqu'à moi.

Entrant par la fenêtre de Matilda.

Je crus distinguer le rire de Jeremy, mais seulement parce que c'était le seul son que je ne reconnaissais pas.

34

Une soirée intéressante

La lune avait fini par monter.

Même plage, éclairage différent.

Plus tard, dans la soirée, une maison entière telle que je l'avais trouvée ce matin.

Déjà endormie.

Fenêtres sombres regardant la terrasse, en plongée. Je m'appuyai à la balustrade, bras croisés, et contemplai le sable. Essayant de repérer les empreintes de pas de Dromio. À la recherche d'une lueur phosphorescente. Un signe, peut-être. Voix bruissant dans l'herbe de la dune, rayon de lumière occasionnel venant d'un bateau. Rhum-Coca à portée de main, cigarette entre les doigts. Deux vices liés par leur créateur.

Et je devais bien le reconnaître, les expériences de cette journée m'avaient poussé à me parler à moi-même.

Tout était au rendez-vous. Mes nombreuses rencontres avec Christina. Le va-et-vient entre ce que Dromio voulait me dire et ce que j'avais envie d'entendre. Matilda et son intelligence tétanisante. Nancy assise dans un bar minable, buvant de la vodka-orange dans un verre en plastique. M. Wallace, ingrédient inattendu dans mes salades. Coïncidence tournant autour des anecdotes des Faucons bleus. La renaissance soudaine de Jeremy. Le délire psychotique de Bradley. Le piège d'Olaf déjà tendu, et pas de moyen évident pour y échapper. Sara et ma mère coincées au milieu de tout ça.

La liste que j'égrenais mentalement commençait à devenir floue.

Notes prises sous la pluie, mots se bousculant.

Rien ne manquait à cette indescriptible pagaille.

Je n'arrivais pas à penser à quelque chose qui ait précédé la menace de suicide de Paul...

Paul... le grondement de l'océan accompagnait mes pensées. Je devrais l'appeler...

Cette idée fut balayée par le glissement d'une porte à moustiquaire. Un bruit de chaussures à talons sur la terrasse en bois, et Christina apparut.

– Déjà revenue ? dis-je.

– Il est bientôt minuit.

Je l'admis d'un signe de tête et tirai une bouffée de ma cigarette. Je voyais Christina du coin de l'œil. Les cheveux défaits, ses boucles s'agitant au gré du vent. Elle regardait droit devant elle, les yeux perdus au-delà de l'océan.

– Comment ça s'est passé ? demandai-je.

– Mon ex est un crétin.

J'acquiesçai en hochant la tête avant de boire un coup.

– On dirait que la journée a été dure au bureau.

– Tu passes une bonne soirée ?

C'était une conversation aussi normale que possible.

– Une soirée intéressante.

– Tu as joué aux cartes avec Dromio ?

Elle ajouta aussitôt :

– Ne sois pas gêné. C'est presque une légende, dans le coin. C'est le seul endroit où tu peux t'offrir une bonne vieille partie de poker. Toute la famille est au courant. Et Dromio sait que tout le monde le sait, mais il fait comme si…

– Ouais, d'accord.

J'étais incapable de trouver une bonne réplique.

– Je vois… Dromio est le diable en personne, d'accord. Il n'a même pas envie d'être franc avec sa propre famille.

Je gardai les yeux fixés sur l'eau. Je m'attendais à voir Christina partir. Le destin ne paraissait pas s'intéresser à nous en tant que couple.

– Je suis désolée, dit Christina.

– De quoi ?

Je regrettai aussitôt le ton que j'avais pris.

– Je suis désolée d'avoir été si dure avec toi.

J'attendis.

Christina resta un instant silencieuse. Elle se tenait très droite, les mains posées sur la balustrade.

– C'est plus que ça… Je suis désolée d'avoir été si dure au sujet de Dromio. Je ne vais pas mentir sur mes sentiments mais… après tout, il *est* ton père. Je n'ai pas le droit de le démolir. Tu es son fils, et j'ai eu tendance à l'oublier… Désolée.

C'était aussi inattendu que bienvenu.

– Merci.
– Je dois te voir plus âgé que tu n'es, parfois.
En riant vaguement, je la regardai.
– Tu disais ?
– Tais-toi, je ne vais pas le répéter.
La voyant sourire, je me mis à rire pour de bon.
Mon ventre tressautait, j'étais vraiment content.
Christina tourna le dos à l'océan. Posant les coudes sur la balustrade, elle se renversa en arrière. Écarta de ses yeux une mèche de cheveux.
– Je suppose qu'après avoir eu affaire à Anton, je peux tout tolérer.
– Hmmm…
Je me hissai sur la balustrade. À côté d'elle.
– Tu n'arrêtes pas de dire que tu ne supportes pas les frimeurs, alors que tu en fréquentais un régulièrement.
– J'étais jeune.
– Quand as-tu commencé à sortir avec lui ?
– Il y a un an.
– Sérieusement, qu'est-ce que tu lui trouvais, à ce type ?
Christina ne répondit pas tout de suite.
– Oh…
C'était d'une évidence affolante.
– Je vois… il a un sacré corps.
– Toi aussi, tu as un corps.
– Je ne vais pas demander si c'est un compliment.
– À cran, hein ?
Je secouai la tête.
– Fatigué.
– Qu'est-ce que tu fais, demain ?

Elle prenait un ton bien trop facile à reconnaître. Avec les nuances de quelqu'un qui a besoin d'aide. Ce ton ravivait une sensation que je souhaitais désespérément voir revenir : avoir de nouveau le contrôle de la situation. Ne désirant pas qu'elle comprenne, je sautai de la balustrade et saisis ma boisson. M'éloignai de quelques pas et la posai sur une petite table de verre. Je m'assis sur un fauteuil de jardin couvert de toiles d'araignées avant d'allumer une autre cigarette.

– Qu'est-ce que tu veux ?

– Tu parles couramment l'espagnol.

– Sûr.

– J'ai besoin d'un interprète.

– Attends !

Je levai la main.

– Tu as bien pris une option d'espagnol ?

– Oui.

– Et tu n'as jamais suivi un cours ?

Hérissée, elle croisa les bras.

– Bien sûr que si.

Je croisai les bras à mon tour. Et les jambes, prêt à me délecter de ce que j'allais entendre.

– Bon, d'accord !

Christina leva les bras en l'air en marchant vers moi.

– Je n'arrivais pas à conjuguer les verbes. Et j'avais aussi un problème avec l'accent tonique. Il y avait encore un petit obstacle avec le vocabulaire. Et mon accent était…

Elle vint s'asseoir près de moi.

– Plus proche de l'allemand…

– En fait, tu n'as rien appris du tout ?

– J'ai appris à faire illusion.

– Alors, tu n'es pas blanche comme neige, finalement ?

– Est-ce que tu veux bien m'aider, oui ou non ?

– Absolument.

– Très bien.

Elle me prit la main.

– Merci, Jeremy.

C'était bon qu'elle soit près de moi. Hanche contre hanche. L'autre facette de Christina, une sensation curieuse au cours de cet instant proche de minuit. J'oubliai que j'avais dix-huit ans et elle, vingt et un. Côte à côte, le visage près du sien. Reluquant sa main chaque fois qu'elle rejetait des mèches folles de son visage. Ses lèvres légèrement entrouvertes. Elle tenait ma main dans la sienne, sensation qui valait le coup.

Par inadvertance, je caressai sa paume de mon pouce.

– Je vais me coucher ! dit-elle abruptement.

Elle se leva et ajusta son chemisier.

– Tu devrais en faire autant. Nous aurons du boulot, demain.

Christina partit à longues enjambées et ouvrit la porte de la terrasse.

Elle passa de l'autre côté et la referma.

Pas le temps de lui dire bonne nuit.

Certitude absolue que, sur la plage, le moindre crabe se moquait de moi.

– Fermez-la ! leur criai-je.

Éteignant ma cigarette, j'abandonnai mon verre, au nom d'un repos bien mérité.

LUNDI

35

Ouvre l'œil !

Un sommeil sans rêves, et quelque part, une main essayait de me réveiller.

Je poussai un léger grognement, les yeux toujours clos. La dernière nuit me revenait en souvenirs superposés. L'odeur du savon ivoire.

J'arrivai à croasser :

– Christina ?

– Trop occupée à te détester…

Ouvrant les yeux, je m'assis sur le lit.

Le matin. 9 h 15, à en croire le réveil digital. Jeremy assis près de moi, une paire de béquilles sur les genoux. Entièrement habillé. Fraîchement douché, aussi. Cheveux humides d'un blond un peu plus foncé. Regard lucide, expression dédaigneuse qu'il ne pouvait que m'avoir volée.

Je me souvins brusquement de ce que Matilda avait dit la veille. « Je n'aimerais pas être dans les parages quand il va exploser. »

Je me redressai encore un peu.

– Tu as tout déballé ?
– Pas encore.
– Alors pourquoi fais-tu cette gueule ?
– Je suis né avec.
Jeremy remua sur le lit.
– Tu n'es pas sorti hier soir.
– J'avais besoin de réfléchir.
– Dromio ?
– Ouais, en fait…
Une fois de plus, j'étais complètement opérationnel, choisissant mes mots.
– Certaines choses ont attiré mon attention. Je commence à avoir ma petite idée, mais je ne suis pas encore sûr.
– Tu as découvert quelque chose au *Blue Paradise*, hier soir ?
– Un peu trop…
Dans un échange de bons procédés, je lui rapportai ma conversation avec Dromio. Ce que Dromio avait compris après avoir abandonné Brenda, certains détails de son passé. Mais je passai aussi sous silence d'autres détails. Qui me concernaient, moi et mes propres investigations. Je glissai jusqu'au jeu de poker.
À mi-chemin, Jeremy me conseilla de me brosser les dents…
Une fois dans la salle de bains, je lui parlai de M. Wallace. Jeremy écoutait, adossé au mur. Son visage restituant toutes les émotions de la veille. Troublé, comme je l'étais encore. Questions sans réponses, satisfaites de trouver une autre personne à hanter.

– Pourquoi Monsieur Wallace n'a pas…
– Crois-moi, Jeremy – je lançai un crachat blanc dans le lavabo –, je me suis déjà posé toutes ces questions.
– Combien de temps va-t-il rester à Wilmington ?
– Il a dit que ça dépendrait de l'argent qu'il allait récolter au jeu.
– Et toi, combien tu t'es fait ?
Je me rinçai la bouche et crachai une dernière fois.
– J'ai tout perdu.
– Tu as perdu 1 000 dollars ?
Abandonnant le mur, Jeremy bondit dans un fracas de béquilles. Il réfléchit quelques instants, debout sur une jambe.
– Qui a gagné ce fric ?
– Wallace. Il a tout gagné. En une seule main.
– Alors il va rester dans le coin un bon moment.
– Ouvre l'œil ! dis-je.
– Merci pour le conseil. À plus !
– Où vas-tu ?
– Dromio nous emmène faire de la voile, répondit Jeremy.
– Sais-tu pourquoi je n'ai pas été invité ?
Christina fit irruption dans la chambre. Cheveux relevés, mascara et rouge à lèvres. Lunettes cerclées de noir, que je n'avais jamais vues, perchées sur son nez. Toute trace de notre dernière conversation enterrée sous une robe très ajustée et des bas couleur chair. Fin prête, elle m'examina de la tête aux pieds.
– Tu as une allure d'enfer, dit-elle.
– Merci.

Je rangeai ma brosse à dents.

– Si une seule personne le remarque, ça vaut la peine !

Je partis sous la douche et Christina me cria :

– Prépare-toi et allons-y !

– Désolé ! criai-je sous le jet. Je n'entends pas !

– Nous allons être en retard ! hurla-t-elle. Dépêche-toi !

– Quoi ?

Je portai la main à l'oreille.

– Désolé, j'ai de l'eau !

– Abruti ! hurla Christina en sortant de la chambre comme un ouragan.

– Ouais… fit Jeremy en tirant une casquette de marin de sa poche arrière.

Il la posa sur sa tête et se dirigea vers la porte.

– Je vois que les choses se sont améliorées entre vous…

– Jeremy, attends…

Je cherchai une autre façon de poser la question, mais sans succès.

– Y a-t-il une raison quelconque pour laquelle je n'ai pas été invité ?

– C'est probablement parce que j'ai oublié de le faire.

Pas l'ombre d'un sourire. Sérieux à mort.

– Oui, je sais, il y a des choses dont je ne t'ai pas parlé.

– C'est le moins qu'on puisse dire, siffla Jeremy.

– Et moi, ce que je peux te dire, c'est que tu ne vas pas garder tout ça pour toi encore très longtemps.

– C'est sûr.

– Il y a des questions que je dois approfondir, dis-je.

– Par exemple ?
– Je ne peux rien affirmer.
– Alors je ne peux rien te promettre, conclut Jeremy.
De petites gouttes d'eau s'échappèrent du rideau de douche. Tombant sur le carrelage, les murs, autour du lavabo. Gouttes égarées arrivant sur la casquette de marin de Jeremy, dont les yeux restaient fixes sous la visière. L'eau s'écoulait avec un frénétique bruit de tambour. Situation fuyante, détonateur déjà prêt. Quels que soient les aspects agréables qui restaient dans notre amitié, le temps n'en faisait pas partie.
Le chronomètre s'emballait.
– Alors, dit Jeremy, qu'est-ce qui va se passer maintenant ?
– Je te demande juste de me laisser jusqu'à demain, dis-je, convaincu que ces questions ne me retiendraient pas plus longtemps. Laisse-moi faire ce que j'ai à faire. Quoi qu'il arrive, viens demain soir, on avouera tout. On verra bien comment ça tournera.
– Pourquoi accepterais-je ?
L'hostilité de nos échanges ne m'étonnait plus.
– Parce que, que ça te plaise ou non, c'est grâce à moi que tu es là. Sans moi, tu ne serais pas dans cette salle de bains, en train de décider si tu vas ou non me revaloir tout ce que j'ai fait pour toi.
– Maintenant, je ne suis plus qu'un nom de plus dans ta liste des services rendus.
– L'amitié ne semble pas aussi généreuse envers moi.
– Donc, aujourd'hui, c'est ma journée avec Dromio… dit Jeremy en se penchant pour ramasser ses béquilles.

Il les coinça sous ses bras.

– Nous allons faire du voilier, continua-t-il. Ce soir, nous irons dîner au *Blue Paradise*. Et je ne veux pas te voir dans les parages. Imagine ce que tu veux. Trouve ce que tu veux, mais fais-le tout seul. C'est à prendre ou à laisser.

La vapeur nous enveloppait.

Filtrait par la porte, s'échappait par la fenêtre.

Émancipation.

Et Jeremy m'avait piégé. Un acte brutal, devenu très réel pour lui, allez savoir comment. Seconde peau surmontée d'une casquette ridicule qui n'adoucissait en rien l'intensité du moment. S'assurant que je savais qu'il me fixait, qu'il regardait *en moi*, s'il le fallait. La haute main, les dernières cartes jouant en sa faveur. J'étais échec et mat, envoyé au tapis par un invisible crochet du gauche.

– Si je te revois aujourd'hui, conclut Jeremy, je connaîtrai ta réponse.

Il pivota. Empoigna ses béquilles et sortit de la salle de bains en oscillant.

S'arrêta.

– Ouvre l'œil ! me conseilla-t-il.

Il referma la porte derrière lui.

36

Tout vient de là

Je passai une chemise blanche, un pantalon noir et une fine cravate de la même couleur.

Christina faisait déjà tourner le moteur de sa Volvo d'un blanc crayeux.

Départ de la maison de Dromio à 10 heures, bien qu'une bonne partie de mon esprit soit restée chez lui. Dans la salle de bains, où j'avais passé un marché avec Jeremy. Luttant pour accepter une journée entière d'exil. Toutes les hypothèses, en chercheur scientifique privé de subvention. Essayant de mettre au point une contre-stratégie quelconque. Imaginant si je pouvais encore rassembler quelques informations pour faire pencher la balance d'un côté ou de l'autre.

Quinze minutes que nous roulions, et Christina me donna une claque sur l'épaule.

– Eh !

Elle appuya en même temps sur le klaxon en me regardant.

– Tu ne peux pas écouter ?

– Hein ?

Je refis surface, prenant conscience que j'avais manqué une bonne partie de son topo.

– Jeremy, je vais avoir besoin de ta participation complète. Ce n'est pas un voyage scolaire !

– D'accord.

Je fis de mon mieux pour laisser mes problèmes en suspens. Froisser la liste de tout ce que j'avais à faire, et écouter.

– Où allons-nous ? dis-je.

Christina soupira. Se frotta l'arête du nez sous ses lunettes.

– Très bien… Bon, je recommence. Nous nous occupons d'ouvriers agricoles mexicains. Il y en a plus d'un million dans ce pays, répartis dans les cinquante États. Il y a ceux qui cueillent les fruits et qui ramassent les légumes que tu trouves dans les supermarchés et les restaurants. Tout vient de là, Jeremy. Ce n'est pas comme si ça poussait sur les arbres.

– En fait, il y a des fruits qui y poussent, dis-je en mettant mes lunettes. Mais je te pardonne ce cliché hasardeux.

Christina serra les mâchoires avant de continuer :

– Je te parle de familles entières qui travaillent dans les champs, dans les pires conditions. Des hommes, des femmes, et même des enfants. Ils respirent des pesticides et vivent dans l'insalubrité. D'après les statistiques du ministère de la Santé et des Services humains des États-Unis, qui ont été faites il y a quelques années, les ouvriers agricoles immigrés ont une espérance de vie de quarante-neuf ans. Toi et moi, nous avons la chance de faire partie d'une moyenne nationale de soixante-treize ans. La mortalité infantile s'élève à 30 ‰, deux fois plus que la moyenne nationale.

– Christina…

– Est-ce que tu connais le prix de gros d'un cageot de tomates ?

– Non, mais tu m'as convaincu.

En soupirant, j'entrouvris la vitre. Les signes de vie urbaine disparaissaient lentement.

– Qu'allons-nous faire là-bas ?

– Nous allons rencontrer un groupe de ces hommes. Il faut les convaincre de laisser leurs femmes passer le permis de conduire.

– Je ne comprends toujours pas ce qui se passe.

– L'élément clé de leur survie est la famille, expliqua Christina. Chacun travaille, tout le monde reste ensemble. Une famille soudée, c'est leur seule garantie pour s'en sortir. Aux yeux des hommes, les femmes auront plus d'indépendance si elles ont le permis de conduire. Ils y voient une menace pour leur unité. Ajoute à ça leur tradition patriarcale, et ça crée des conflits.

– Mais cet argument au sujet de l'unité familiale n'est pas dépourvu de poids. Qu'est-ce que tu veux que je leur dise pour les convaincre du contraire ?

– Tout d'abord, les ouvriers immigrés se déplacent constamment. La plupart des familles déménagent tous les trois mois. De la Caroline à l'Illinois, puis vers Washington. Les camionnettes pick-up sont de véritables outils, indispensables, et les conducteurs aussi.

Deuxièmement, s'il y a davantage de personnes capables de conduire, cela permet de déléguer les responsabilités. Un bon nombre de ces enfants vont à l'école, mais les écoles les plus proches sont souvent à plus d'une heure de route. Les femmes qui conduiront ne détruiront pas leur famille, elles la rendront plus forte. Et troisièmement, tu ne vas rien dire du tout. Ou plutôt, tu vas traduire très précisément ce que je vais dire. Pas d'effet de charme, pas de double discours. Et enlève tes lunettes de soleil, sinon ils vont trouver que tu leur manques de respect.

– Autant qu'en portant des lunettes de vue dont tu n'as pas besoin ?

Christina les remonta sur son nez, ignorant ma remarque.

– Tu sais comment Ambrose Bierce définit le mot « immigré » ? dis-je.

– Jeremy…

– *Une personne non éclairée qui croit qu'un pays est mieux qu'un autre.*

– Ce n'est pas le moment, s'énerva Christina. Ce n'est pas le moment de lancer des aphorismes cyniques, et c'est encore moins le moment de faire de l'humour. C'est important, et tu ferais mieux de le reconnaître !

Assez d'indignation dans ses paroles pour me donner envie de ravaler les miennes. Je n'arrivais même pas à trouver une excuse pendant que Christina se calmait. Consultant sa montre, elle tourna dans une petite rue secondaire.

– Nous avons un tas de choses à préparer, dit-elle. Écoute…

Deux heures et un autre monde plus tard, nous étions arrivés. La voiture ralentit à l'approche d'un champ immense, précédé de rangées interminables de ralentisseurs verts. Les silhouettes courbées des travailleurs parsemaient le paysage. À peine un arbre, pas un coin d'ombre sur des kilomètres, un soleil qui ne risquait pas de se faire oublier. Je plissai les yeux à travers la vitre. Tracteurs et pick-up stationnaient sur des petites routes transversales poussiéreuses, dépourvues de macadam. Christina s'engagea sur l'une d'elles. Et s'arrêta quand un contremaître à la peau presque aussi noire que le charbon leva la main et nous fit signe de baisser les vitres.

Il souleva sa casquette de baseball et nous indiqua où nous devions nous garer. Il parla de camionnettes en route vers l'usine d'emballage.

Christina hocha la tête et suivit ses instructions.

Dès que nous fûmes descendus de voiture, le contremaître nous posa des questions. Assez poliment pour éviter tout conflit, mais visiblement, il n'était pas prêt à accueillir des visiteurs inattendus. Très professionnelle, Christina exhiba plusieurs documents, numéros de téléphone, accords écrits. Le contremaître me regarda plusieurs fois et nous demanda nos cartes d'identité. Sentant le sol se dérober sous mes pieds, je dis très vite que j'avais oublié mon permis chez moi. Christina me foudroya d'un bref regard et improvisa une espèce de discours de bureaucrate. Le contremaître se fatigua vite et nous fit comprendre que nous pouvions y aller. Christina le remercia. Reprit son permis de conduire, me fit signe de la suivre, et nous voilà sur la route défoncée.

Sur un chemin interminable, le véhicule à air conditionné derrière nous.

Chaussée avec bon sens, Christina marchait d'un pas ferme, à longues enjambées.

Ne pouvant m'empêcher d'observer autour de moi, je traînais derrière elle. Incapable de compter le nombre de travailleurs, ombres fantomatiques balançant des outils de jardinage, arrachant des racines. Nous passâmes un long chapelet de convoyeurs, bordé de chaque côté d'un grand nombre d'ouvriers. Aidant les adultes, quelques enfants de cinq ans, vêtus de jeans et de T-shirts aux couleurs vives. Debout sur des caisses et des boîtes à outils pour que leurs petits bras puissent atteindre les légumes qu'on leur tendait. Gardant ceux qui n'étaient pas bons pour le marché. Leurs yeux arrivant à peine au niveau du travail qu'ils exécutaient.

Je ralentis un peu plus le pas.

Oubliant comment marcher avec l'intention d'arriver quelque part.

Cherchant un sens à tout ça.

Regagnant du terrain, je réussis à rattraper Christina.

– Il n'y a pas de lois pour protéger les enfants, dans ce pays ?

– Ils aident volontairement leur famille, répondit-elle. Ils apprennent un métier. Il y a de fortes chances pour qu'ils fassent ce boulot quand ils seront adultes.

Je ralentis de nouveau.

Quelques camionnettes sans toit cahotèrent en ronflant, remplies à ras bord de produits frais.

Quand elles s'éloignèrent, nous étions arrivés au-delà des champs en activité. Dans une petite clairière d'herbe rare et de gros rochers. Quelques enfants couraient, jouant à cache-cache au milieu d'une rangée de petites cabanes blotties les unes contre les autres. Très basses. Longues planches de bois clouées en rangées anarchiques, trous visibles dans les murs. Toits ronds comme des carapaces de tortues, recouverts de plusieurs couches de toile goudronnée bleu clair.

Christina me poussa du coude et, d'un signe de tête, me désigna une camionnette, sous laquelle se trouvait une petite fille. Étendue sur une mince couverture, elle profitait de l'ombre. Elle leva sur nous des yeux brillants de curiosité.

Me mettant à genoux, je lui demandai son nom.

Elle ne répondit pas.

Comme c'était sans risque, je lui dis que je m'appelais Sebastian.

Elle leva une petite chaise de poupée rustique, faite de brindilles et de ficelles.

Je lui dis que c'était une très jolie chaise. Et lui demandai où se trouvait son père.

Elle pointa le doigt derrière moi.

Je jetai un coup d'œil par-dessus mon épaule. Quelques hommes sortaient d'une cabane. Silencieux, ils étaient prêts, le regard stoïque comme je n'en avais jamais vu. Je me relevai et ajustai ma cravate. Frappé par leur nombre, leurs journées de travail sans relâche imprimées sur leur visage et sur leurs mains épaisses et calleuses.

– Jeremy, chuchota Christina. J'ai besoin que tu te surpasses.

Oubliant Ambrose Bierce, je fis un signe de tête positif et me ressaisis.

– Quand tu veux, déclarai-je.

Christina hocha la tête et me conduisit vers eux.

À proximité, le vrombissement des machines était envahissant, pendant que nous faisions les présentations. C'était parti pour de longues négociations. Je collai à mon rôle de traducteur, d'intermédiaire.

Mot pour mot.

Pas la moindre manœuvre sournoise, pas de tentative d'improvisation, car la journée était de plus en plus chaude, et j'avais bien conscience que ce n'était pas moi qui commandais.

37

Le prix de la gloire

Je ne dis pas grand-chose pendant le trajet du retour. Je me concentrai, en prenant du recul, sur l'expérience que nous laissions derrière nous.

Il était bientôt 15 heures.

Christina me laissa au coin de la rue. S'éloigna en m'adressant un petit geste amical.

Au lieu de le lui rendre, je me contentai de regarder sa voiture tourner dans Cape Crane Road. L'heure de mon rendez-vous avec Olaf avait sonné, et je me dirigeai vers la jetée, montai la rampe de bois en direction de la galerie marchande. La main sur la rambarde, attentif aux échardes et aux clous à moitié arrachés. Désinvolte, je m'élevai lentement au-dessus du niveau de la mer. Me préparant à chaque pas. Cherchant une façon d'aborder notre future conversation, que je répétais dans ma tête, mais je ne trouvais rien. Échange imaginaire qui se terminait toujours de la même façon. J'étais aussi à l'aise qu'un prisonnier se demandant comment il allait s'habiller le jour de son exécution.

Au milieu de la rampe, je finis par me détendre.

Je glissai mes lunettes de soleil sur mon nez, ma peau dans celle de mon personnage.

Et je me faufilai dans l'ambiance glauque de la galerie.

En traversant la fumée, j'attirai l'attention du barman.

– Vous voulez des appâts ? cria-t-il.

Je l'ignorai et sortis sur la jetée.

Un pied devant l'autre, et de solides planches sous chacun d'eux. Je passai devant des couples et des adolescents qui s'ennuyaient. Des gens du coin, quelques étrangers de passage. Des hommes solitaires, main dans la main avec leurs habituels packs de bière. Perdus dans leurs pensées. Regardant les vagues se ruer sur la terre, perdre du terrain et retourner vers l'océan. Me rapprochant de plus en plus de l'extrémité, où des pêcheurs restaient immobiles pendant des heures. Lignes lancées et cannes fichées dans le sol. Assis sur des chaises de plage qui étaient toujours trop grandes ou trop petites. Attendant, plantés dans leurs bottes de caoutchouc et leur coupe-vent. Jour après jour, les semaines du calendrier ne représentant guère plus pour eux que de simples formalités…

Même de dos, ce n'était pas difficile de repérer Olaf.

Tout au bout, face à l'océan.

Les cheveux au vent.

Je m'approchai de lui et posai les avant-bras sur la rampe.

Ciel nuageux au-dessus et, à l'horizon, un spectre de gris pur.

– Te voilà, dit Olaf. Le petit sauveur de Sara…

– Tu vas me dire de quoi il s'agit ?

– À propos de petits sauveurs…

Olaf tourna le dos à l'océan. Se pencha en arrière, s'étira un bon coup avant de continuer :

– Je suis tombé sur ton ami, chez Big Niko. Ce crétin de Paul Inverso. Il veut que tu l'appelles dès que tu pourras.

– Ça ne m'intéresse pas du tout, Olaf.

– Il veut peut-être te proposer un prêt.

– Combien veux-tu ?

– Tu n'aimes pas le bavardage, hein ?

– Pas aujourd'hui.

Olaf hocha la tête. Fourra la main dans la poche de sa veste, d'où il sortit une petite boîte de fer carrée.

– Schimmelpenninck ?

– Qu'est-ce que c'est ?

Olaf ouvrit la boîte. Une rangée de dix petits cigares alignés comme des sardines.

– Je ne fume pas ces trucs-là, dis-je.

– Moi non plus.

Olaf en prit un, le cala entre ses dents. Rangea la boîte dans sa veste et gratta une allumette.

– J'ai pensé que c'était le moment de commencer.

– Je n'ai pas toute la journée, Olaf.

Il alluma le cigare. Aspira, pencha la tête en arrière et ajouta un peu de grisaille à l'air ambiant.

– Vingt-cinq, dit-il.

Mon estomac se noua, mais je fis en sorte qu'il ne s'aperçoive de rien.

– Vingt-cinq mille ?

– Ouais, vingt-cinq avec trois zéros.

– Je n'ai pas tout ce fric, Olaf. À ton avis, où je vais le trouver ?

– Plonge dans ta petite réserve bancaire.

M'éloignant de la rampe, je lui fis face.

Regardai autour de nous. Aucun pêcheur ne nous témoignait le moindre intérêt.

– Comment sais-tu, pour ce fric ?

– Les gens parlent…

Olaf tira sur son Schimmelpenninck.

– Des rumeurs, des murmures tombant des arbres, tu n'imagines pas comme c'est facile de démêler le vrai du faux… Personne n'est jamais en sécurité, Bastian.

– J'économise cet argent depuis plus de cinq ans.

– Tu aurais dû y penser avant de baiser Sara.

– Ce n'était pas moi.

Olaf eut un petit rire.

– Bien sûr… C'est pour ça que ta mère a imité les signatures sur le formulaire d'entrée ? Tu dois pouvoir m'expliquer. Ou bien, c'est elle qui me le dira quand j'irai la voir pour le fric que tu ne veux pas cracher.

– D'accord, tu as gagné.

J'ôtai mes lunettes de soleil. Je n'en avais plus besoin. Tout était maintenant comme je l'avais envisagé. Aucune marge de manœuvre. J'étais coincé entre Sara et ma mère. Le moment venu, je devrais payer les pots cassés, mais pour l'instant… il fallait jouer la dernière manche.

– Ça risque de prendre un peu de temps.

– Tu as jusqu'à demain soir, 6 heures. Rendez-vous au dernier étage du parking en face du *Hilton*. Apporte l'argent en billets de vingt, s'il te plaît. Pas de cinquante.

Le magasin était fermé, et Olaf était prêt à partir. Il jeta son cigare par-dessus la jetée et me dépassa de quelques pas. Il se retourna.

– À propos du *Hilton*, j'ai cru comprendre que tu connaissais bien l'équipe. Procure-moi une chambre pour ce soir, ou plutôt une suite. Je suis heureux de dire que c'est mon jour de chance.

– Tu as un nom de famille ?

– Stevenson, répondit-il en clignant de l'œil. À 6 heures demain soir, Sebastian.

Il s'éloigna sur la jetée.

J'attendis vingt minutes avant d'en faire autant.

De retour dans le café, conversation habituelle autour des appâts.

Je sortis et redescendis la rampe.

Marchant la tête haute. Vaincu, mais sans rien laisser paraître. Je réussis même à donner le change à Christina, qui m'attendait dans le parking. Sa robe sérieuse troquée contre un jean et un T-shirt noir arborant le logo d'Amnesty International. Cheveux libres, lunettes disparues.

– Comment s'est passé le rendez-vous ? demanda-t-elle.

– Je croyais que tu avais de la paperasse à faire chez toi, répliquai-je en m'approchant de la voiture et en allumant une cigarette.

Christina secoua la tête, tendit les bras.

– Je suis allée me changer.
– Pas mal, le résultat.
– Comment s'est passé ton rendez-vous ?
– Comme prévu.
– Dromio et les autres ne sont pas encore revenus de leur balade en bateau.

Christina ouvrit la portière du conducteur.

– Tu veux les attendre à la maison ?
– On est amis ? demandai-je abruptement.

Christina parut troublée. Elle referma la portière. Fronça les sourcils par-dessus le capot.

– De quoi parles-tu ?
– Il faut que quelqu'un m'emmène au *Hilton*.
– Pas de problème.

Elle rouvrit sa portière.

– Tu es un peu bizarre, tu sais ?

Je hochai la tête, ouvris la portière du passager. Jetai ma cigarette et me glissai sur le siège.

– N'oublie pas la ceinture de sécurité, dit Christina.

J'attrapai la ceinture, l'enfonçai dans la boucle pendant que la voiture démarrait.

Sécurité d'abord.

38

Est-ce que je peux vous aider ?

Christina et moi entrâmes dans le hall par la porte à tambour.

Musique classique planant dans cet espace caverneux. Chandeliers suspendus comme des boucles d'oreilles géantes, projetant une lueur uniforme dans le moindre recoin. Légers murmures de conversations entre l'équipe de l'hôtel et les clients tandis que je traversais la moquette rouge foncé, jusqu'à la réception. J'attendis. Pris quelques bonbons à la menthe dans un compotier de verre. En offris un à Christina, qui l'accepta avec un léger signe de tête.

Une femme d'une vingtaine d'années apparut derrière le comptoir. Sourire bien travaillé et cheveux blonds coupés très court venant de nulle part.

– Puis-je vous aider, monsieur ?

– Oui.

Je lui rendis son sourire.

– Je voudrais une chambre pour ce soir.

– Très bien, monsieur…

Elle pianota sur l'ordinateur, leva les yeux. Vit Christina et les baissa.

– Pour deux ?

– Je voudrais une suite, en fait. Mais c'est pour un de mes amis.

– Naturellement…

Encore quelques touches enfoncées sur l'ordinateur.

– Pourriez-vous me donner le numéro de votre carte de crédit en attendant que votre ami règle la chambre ?

– C'est moi qui vais la régler.

– Avec une carte de crédit ?

– En liquide.

Du coin de l'œil, je perçus l'air perplexe de Christina.

– Quel est le nom de votre ami ? interrogea la blonde.

– Olaf Stevenson.

– Pour une seule nuit ?

– Oui, je l'espère.

– Cela fera 425 dollars.

Je sortis de ma poche un gros paquet de billets de vingt et de cent. Sentis le regard de Christina s'adoucir tandis que je comptais trois billets de cent, six de vingt. Fouillant dans ma poche de pantalon, je trouvai cinq dollars. Je les recomptai encore avant de les donner.

– Merci, monsieur…

La blonde vérifia avant de sourire encore de toutes ses dents étincelantes.

– Quand votre ami arrivera, il suffit qu'il se présente à la réception pour prendre ses clés.

– Merci beaucoup.

Je souris avant de poser une dernière question :

– Où sont vos cabines téléphoniques ?
– De l'autre côté du hall, près des toilettes.

Je remis ce qui me restait d'argent dans ma poche et retraversai le hall.

Christina près de moi. Marchant sur le côté pour me voir en face. Perdant sans arrêt l'équilibre tandis qu'elle m'assommait de questions sur la chambre, Olaf, l'argent.

– Sérieusement, où l'as-tu trouvé ?
– En vendant de la drogue.
– Quoi ?
– Je te fais marcher.

Je m'arrêtai en face d'une cabine.

– Je l'ai gagné en jouant chez Dromio.
– Mais ce matin, Sebastian m'a dit que tu avais perdu.
– Laisse tomber Sebastian, dis-je d'un ton un peu plus venimeux que je ne souhaitais. Je ne suis pas obligé de tout lui raconter. J'ai commencé par tout perdre, écrasé par quatre reines. Dromio m'a avancé l'argent, j'ai tout récupéré, et même plus. J'ai appris une bonne leçon en compagnie de ces inconnus, une fin heureuse pour Jeremy Johansson. Maintenant, peux-tu me laisser seul un moment ? dis-je en prenant le téléphone.

Je commençai à composer un numéro.

Christina cligna des paupières et ravala d'autres questions.

– Bien sûr.

Elle resta encore quelques instants près de moi. Cligna de nouveau des yeux et partit dans les toilettes pour dames. La porte se referma derrière elle et, quelques secondes plus tard, ma mère était en ligne.

– Je suis très occupée, Bastian.

Affirmation illustrée par ce qui ressemblait à un chaos absolu en fond sonore.

– Deux deadlines et une réunion avec l'équipe senior. Qu'est-ce que je peux faire pour toi ?

J'allai droit au but.

– Le dernier chèque que tu voulais déposer pour financer mes études…

– Oui, je suis désolée, je n'ai pas encore eu le temps…

– C'est très bien, ne le dépose pas !

– Mais pourquoi ?

– Je ne peux pas t'expliquer maintenant.

– Tu ne veux plus que je dépose ce chèque ? Ça te prend d'un coup ?

– Exact.

– Bastian, que se passe-t-il à Wilmington ?

– Rien.

– Tu as des ennuis ?

La question était vraiment drôle.

Je détournai les yeux du téléphone et vis Cesar qui marchait dans ma direction. Vers les toilettes, juste à côté. Rien dans son regard ne pouvait laisser penser qu'il m'avait repéré. Pas encore, mais dans quelques secondes, il allait ouvrir les bras en m'appelant au milieu de ce beau monde.

– Tout va bien, Maman, dis-je très vite. Il faut que j'y aille, salut !

Je raccrochai et me dirigeai vers les toilettes pour hommes.

Me rendant compte que ça n'allait pas, j'obliquai.

Entrai dans les toilettes pour dames. Claquai la porte derrière moi et m'y appuyai, juste au moment où un cabinet s'ouvrit, d'où Christina sortit. Les yeux écarquillés, elle sursauta et recula en poussant un cri. Posa un instant la main sur sa bouche avant de lancer :

– Qu'est-ce que tu fous là ?

Je jetai un coup d'œil autour de moi, en priant pour qu'il n'y ait que nous deux.

– C'est une excellente question.

– Je sais !

– Et il y a une excellente réponse.

Christina se croisa les bras et tapa du pied.

– N'oublie pas de te laver les mains, lui conseillai-je.

– Sors d'ici !

– D'accord.

Tendant la main, je baissai la poignée de la porte. Fis la révérence comme un serviteur qui se retire pour la soirée, et sortis. Je refermai et me tournai prudemment. Avançai de trois pas dans le hall, pour me figer au quatrième. À dix mètres se trouvait la meilleure moitié de Cesar. Ses cheveux blonds dans les yeux, elle se dirigeait vers les toilettes en fouillant dans son sac.

Je fis volte-face et revins sur mes pas.

Le salut n'était pas dans les toilettes pour dames.

Je pivotai, croisai les doigts et fonçai vers celles des hommes. L'épaule en avant, le bras droit me couvrant à moitié le visage. Assez de visibilité pour voir Cesar devant les lavabos. Le dos tourné, il se lavait les mains. Une longue rangée de portes juste en face, et je chargeai. Enfonçai la première, que je claquai derrière moi. Haletant, je m'assis sur la cuvette. Le robinet d'eau se ferma, puis silence.

J'attendis.

Sous la porte, j'aperçus une paire de baskets qui venait vers moi.

La voix inquiète de Cesar :

– Vous avez un problème ?

Je verrouillai vivement en marmonnant.

– Monsieur ?

Maudissant silencieusement les cœurs généreux, je me mis à gémir. Imitai quelques sanglots étouffés. Baissai la voix et mis une main sur ma bouche.

– Je vais bien.

– Vous êtes sûr, monsieur ?

– Oui.

Je pris un accent géorgien teinté de chagrin.

– Je vais bien. Ne vous inquiétez pas.

Je pensais qu'il allait partir, mais non.

– Est-ce que je peux vous aider ?

– Non.

Je sanglotai, faisant tout pour l'effrayer et le faire déguerpir.

– Je… je viens de surprendre ma femme dans sa chambre avec un autre…

– Oh…

Silence gêné. Pieds tournant les talons. Puis revenant.

– Je suis désolé.

Bon sang.

– Ça ira, petit. Tu peux y aller, tout ira bien.

– J'ai un ami, Sebastian, qui dit toujours...

– Je m'en fous ! hurlai-je en donnant des coups de pied contre la porte.

Comme les pieds de Cesar faisaient un bond en arrière, j'ajoutai :

– Je m'en fous ! Ton ami Sebastian ne sait rien ! Ton ami est un con !

– D'accord. Désolé, monsieur...

Cesar commença à faire marche arrière tandis que je continuai à sangloter. Juste assez fort pour qu'il fiche le camp. Mais pas trop, pour pouvoir entendre la porte se refermer.

Mettant aussitôt fin à ma petite comédie, je m'adossai au mur et me passai les mains sur le visage. Allongeant les jambes, j'attendis. Poussai un long soupir frémissant en levant les yeux au plafond. Avant de les fermer. Admettant à contrecœur que je ne pouvais pas m'en sortir, je sentis les murs se resserrer autour de moi. En demandant à ma mère de ne pas déposer le chèque, je n'avais fait que me bercer d'illusions. Pâle imitation de quelqu'un qui tiendrait la situation en mains. Olaf allait obtenir ses 25 000 dollars demain, et je me retrouverais complètement fauché.

Curieusement, si cette pensée m'attristait, elle me procurait aussi un véritable soulagement.

Au bout du tunnel, je serais la seule victime... ma mère et Sara, tirées d'affaire. Olaf me lâchant les baskets. Un grand nombre d'explications à donner, mais au moins, ce serait terminé. Une idée à laquelle il était facile de s'habituer. Jeremy allait balancer mon nom dans un peu plus de vingt-quatre heures. Ç'aurait été bon d'avoir les réponses aux questions que je me posais sur Dromio avant qu'Olaf me prenne tout mon fric. D'avoir mon propre filet de sauvetage financier sur lequel rebondir, mais pour l'instant…

Au moment critique, j'aurais au moins fait ce que j'avais décidé de faire en venant ici.

C'était déjà ça.

J'entendis la porte des toilettes s'ouvrir.

Un claquement de talons hauts, puis un coup frappé à ma porte.

J'ouvris les yeux.

Je n'étais pas prêt à rire de tout ça, mais il y avait un salut possible au milieu de cette folie.

– Christina ?

– Jeremy ?

– Qu'est-ce que tu fais là ?

– J'essaie de rééquilibrer les balances de l'univers, répondit-elle. Tu vas bien ?

Me levant, j'ouvris la porte.

Christina m'accueillit avec un regard préoccupé.

– Je me demandais où tu étais passé.

– Les toilettes, c'est un endroit idéal pour réfléchir.

J'allai vers un lavabo. Me lavai les mains avec une lenteur délibérée. Trente secondes de savon et d'eau tiède, comme on nous l'apprend au jardin d'enfants. Christina s'approcha de moi, et je fermai le robinet.

Tournai les yeux vers elle.

Remarquai pour la première fois qu'elle avait une petite tache de naissance au bas du cou.

– Tu veux dîner avec moi ? demandai-je.

Christina ne s'y attendait pas.

– Je croyais qu'on allait au *Blue Paradise* ?

– Tu détestes cet endroit, de toute façon.

– Oui, mais… et Dromio ?

Je souris, du mieux que je pus, sachant que, pour Dromio, il fallait que j'attende le lendemain.

– Je sais où il habite.

– Tu es sûr que tout va bien ?

– Ça irait beaucoup mieux si tu dînais avec moi, dis-je, sérieux comme je ne l'avais jamais été. Sans blague, j'irais mille fois mieux !

– D'accord.

– Quoi ?

Elle tendit le bras près de moi pour attraper une serviette en papier.

– J'ai dit, d'accord… sortons ensemble ce soir.

La porte s'ouvrit et Christina fit volte-face.

Une étrange sensation de vide quand M. Wallace entra. Nous jeta un coup d'œil et continua son chemin. Pas le moindre indice de surprise, ni l'air de nous avoir reconnus. Il alla vers un cabinet, entra et referma la porte.

Ce qui me convenait parfaitement.

Je pris la serviette des mains de Christina, qui la serrait toujours contre sa poitrine. Je séchai les miennes et me dirigeai vers la porte, que je tins ouverte pour elle tout en faisant un geste emphatique de l'autre bras. Elle sortit et me demanda où je voulais aller.

– N'importe où, pourvu que ce soit sombre.

Nouvelle traversée du hall luxueux. Pieds glissant sur la moquette. Portiers nous souhaitant une bonne soirée. Les rues de Wilmington. Vers l'est, loin du soleil couchant.

39

Un garçon honnête

Christina m'emmena dans un bar restaurant raisonnablement chic.

L'hôtesse nous indiqua une banquette confortable près du comptoir. Sur chaque table, une lanterne électrique créait une ambiance chaleureuse et intime. Atmosphère tranquille, télévision en sourdine. J'arrivais presque à ignorer les murs recouverts de filets de pêche, de marsouins en plastique et autres nuisances visuelles.

Détendu, prêt à profiter de mon dernier dîner sous le nom de Jeremy.

Il y avait peu de monde, et le serveur s'approcha aussitôt de notre table.

– Salut, Christina !

Christina leva les yeux du menu. Sourire généreux.

– Salut, Tom.

– C'était comment, ton week-end ?

– Deux jours d'affilée, comme le précédent.

– C'est assez courant. Qu'est-ce que tu veux boire ?

– Une Corona, Tom.

Ce fut à mon tour, et je demandai un rhum-Coca.

– Je peux voir votre carte d'identité ?

– J'ai laissé ma sacoche dans ma voiture, répliquai-je.

– Où est votre voiture ?

– Je la laisse dans ma sacoche.

– Il a dix-huit ans, dit Christina.

– Il n'a donc pas droit aux remises pour senior, dit Tom en griffonnant son carnet. Une Corona et un Cuba libre.

Il partit chercher nos boissons. Me laissant avec une Christina narquoise, visiblement contente d'elle.

– Tu vois ce que peut t'apporter un peu de franchise ?

– Tu essaies de faire de moi un homme honnête ?

– Un homme honnête ? Tu ne peux même pas obtenir un rhum-Coca sans mon aide. Je serais impressionnée si je pouvais seulement faire de toi un *garçon* honnête.

Je sortis une cigarette, jetai le paquet sur la table.

– Ce n'est pas le mensonge qui te dérange, non ?

Christina prit le temps de réfléchir à ma question. J'allumai ma cigarette, et elle fit glisser le cendrier vers moi. M'observa à travers la fumée. Passant d'un air absent sa langue au coin de ses lèvres.

– Non.

– Alors, raconte.

– Il y a des gens qui ne devraient pas mentir, tout simplement, dit-elle.

– Comme qui, par exemple ?

Tom revint avec nos verres. Corona pour Christina, rhum-Coca pour moi. Il dut sentir qu'il nous avait interrompus car il disparut sans prendre nos commandes.

Nous laissant le temps de boire un coup. Christina enleva le citron vert de sa bière et me le tendit. Sans un mot, je le plongeai dans mon verre. Petites gorgées bienvenues pendant que nous retrouvions le chemin de la conversation.

– Comme qui ? répétai-je.

– Des gens comme toi.

– Comment sais-tu que je suis une personne de ce genre ?

– Je suis très douée pour ce genre de chose.

– Prouve-le.

– Mmm…

Christina prit son verre et but une grande rasade de bière. Elle se lécha les lèvres.

– Tout d'abord, tu es bien trop sûr de toi. Tu agis comme un chef de fanfare de province, oubliant tout ce qui n'est pas ta petite équipe de fans…

– Christina…

– Oh, n'essaie pas de le nier, Jeremy !

Elle but une autre gorgée.

– Tu es tellement suffisant. C'est la grandeur qui se fait des illusions sur toi.

– Wahou ! Tu viens juste de trouver ça ?

– Non, il y a un bout de temps que j'ai envie de le sortir.

– Je ne voulais rien nier du tout… affirmai-je.

J'ôtai ma cigarette de mes lèvres. Descendis la moitié de ma boisson, jouant à rattraper Christina.

– Mais si tu veux vraiment m'impressionner, il faudra que tu fasses mieux, dis-je.

– Je suppose que toi, tu pourrais faire mieux ?
– Je fais ce que je peux.
– Tom ! hurla Christina en plein restaurant.

Quelques personnes assises au bar se tournèrent vers nous, avant de se rappeler qu'elles étaient censées être cool. Mais Tom ne connaissait pas ce luxe, et il se précipita vers nous. Pas la moindre chance de demander à Christina ce qu'elle avait, elle pointait déjà le doigt sur moi.

– Tom, ce gamin a douze ans ! Il n'a pas le droit de boire de l'alcool !
– Alors je vous en sers deux autres ? conclut Tom.
– Et que ça saute !

Je n'étais pas vraiment prêt à découvrir cette nouvelle facette. Loin d'être sûr qu'une Christina joueuse puisse s'inscrire dans le grand complot du cosmos. Ce qui ne m'empêcha pas d'apprécier. Je dérivai de plus en plus loin de mes problèmes. Projets repoussés dans un avenir lointain. Je rattrapai les moments perdus alors que Christina se penchait en avant, bras croisés et sourire aux lèvres.

– Parfait, docteur Joyce Brothers. Parlez-moi de moi. Si vous osez, dit-elle.
– Trop facile.
– Mais maintenant, je suis curieuse de savoir !
– Dommage.

J'allumai encore une cigarette.

– Je veux repartir de zéro, dis-je.

Christina soutint mon regard plein de défi. Gardant les bras croisés sur la table de bois rustique. Réfléchissant. Réunissant des informations avant de me soumettre à un test.

– Ce type, au bar…

Au lieu de le regarder, je demandai, les yeux rivés dans ceux de Christina :

– Baskets rouges, veste de cuir noire ?

– Que peux-tu me dire sur lui ?

– Que veux-tu savoir ?

– Commençons par ce que tu sais.

– Il essaie d'assurer, dis-je. Cheveux luisants rejetés en arrière. Bien coupés. Je pourrais presque sentir d'ici sa lotion après-rasage. Montre à quartz. Chaussures sans la moindre tache ou éraflure. Il n'a pas enlevé sa veste de cuir. Mais elle ne cache pas son agitation. Il arrache l'étiquette de sa bouteille de bière. Il éteint sa cigarette avant qu'elle soit finie, parce qu'il ne sait pas ce qu'il pourrait faire d'autre…

– Je ne suis pas convaincue, dit Christina. S'il est si attaché à son apparence, comment se fait-il que son jean soit déchiré ?

– Il n'est pas déchiré. Il a des trous, mais il n'y a pas un seul fil qui pende. Encore moins près du revers. C'est toujours là que ça s'use et que ça se déchire en premier. C'est lui-même qui a fait les trous.

– Alors pourquoi a-t-il oublié de mettre une ceinture ?

– Il boit une Bud Light.

Le visage de Christina se fit sarcastique :

– Je suis éclairée, maître Dögen.

– Puis-je continuer ?

– D'accord.

Christina descendit de ses grands chevaux et me rejoignit.

– Alors comme ça, il boit une Bud Light…

– Et il n'arrête pas de reluquer les amuse-gueule. Mais il n'en a pas touché un. Ce type résiste. Il est au régime, mais sa ceinture n'a pas suivi. Non pas qu'il soit obèse. Le pauvre, il pourrait bien se permettre encore deux ou trois crans, mais c'est encore plus embarrassant que de ne pas porter de ceinture du tout. Il vient sans doute de rompre avec sa petite amie. Les gens sont plus gras à la fin d'une relation qu'au début.

Tom s'arrêta à notre table avec des boissons fraîches.

Christina se jeta avidement sur la sienne, prête à attaquer.

– N'as-tu jamais pensé, ne serait-ce qu'une seule fois, que s'il attend quelqu'un, il n'y a rien à redire au fait qu'il soit le mieux habillé possible ?

– Il n'attend personne, dis-je. Du moins, il n'attend personne en particulier. Si c'était le cas, il jetterait des coups d'œil fréquents vers l'entrée. En se demandant si elle va finir par arriver. En fait, il regarde du côté de la porte seulement quand quelqu'un entre. Il observe le déroulement de l'action. Il attend quelqu'un, mais ce quelqu'un peut être n'importe qui. Et il veut paraître au mieux quand la personne passera cette porte hasardeuse.

– Il attend peut-être un copain, dit Christina. Son copilote ?

– Il n'a pas consulté une seule fois sa montre.

– Peut-être que notre homme est simplement tombé ici par hasard.

– Oublie ça…

Christina l'observa du coin de l'œil pendant qu'il commandait une autre bière. Encore une bouteille ouverte, et le barman versa le breuvage. Le plaça devant lui et frappa deux fois sur le comptoir.

– Tu as vu ?

Je sirotai une autre gorgée.

– Il lui offre un pot. On t'offre un pot uniquement si tu en as déjà bu au moins trois.

– Ce type pourrait bien être un habitué, celui que le barman préfère.

– Il a mis de la monnaie sur le comptoir. Un habitué aurait une ardoise, il n'aurait même pas besoin de demander.

– Donc il en a déjà bu quelques-uns.

Christina finit son verre.

– Ce qui ne signifie pas qu'il cherche l'action. Il est peut-être là pour regarder le jeu.

Je me mis à rire.

– Quel jeu ? Le barman a changé huit fois de chaîne de télé, et ce type n'a même pas levé les yeux. Il y a beaucoup de surfeurs sur la plage, mais il n'est pas là pour ça. Il est seul. Il a peur. Et il espère guérir de la première condition pour ne pas avoir à s'inquiéter de la seconde.

Christina voulut arrêter ce petit jeu.

– Je suppose que nous ne le saurons jamais…

Considérant ses paroles comme une victoire, je me renversai sur mon dossier.

– Si c'est le cas, comment pourras-tu jamais connaître la moindre chose de moi ?

– Tout ce que j'ai dit, c'est que les gens comme toi ne devraient pas mentir.

– Et si je me souviens bien, je t'ai demandé quel genre de personne je suis.

– Et maintenant, je te dis…

La voix de Christina tomba dans un registre beaucoup plus sobre.

– … que des gens comme toi ne devraient pas mentir, parce qu'ils ne sont pas obligés de le faire pour s'en sortir.

Hochant la tête, je méditai sur cette déclaration.

– Comment sais-tu que je peux m'en sortir ?

– Parce que je ne pense pas que tu m'aies menti une seule fois depuis que nous nous connaissons…

Je plongeai le regard dans le cendrier. Je fis tomber la cendre dans la paume de verre tendue, et relevai les yeux.

– Comment pourras-tu jamais être sûre à mon égard ?

Les yeux de Christina gardèrent leur expression grave.

– En apprenant à te connaître.

– Et comment ça se passe jusqu'à maintenant ?

Pour toute réponse, j'eus une question.

– Sara n'est pas ta petite amie ?

– Non.

– Promis ?

Je fis une pause. Fis tourner mon verre sur la table. Dans le sens des aiguilles d'une montre, puis en sens inverse. Perceur de coffres-forts.

– J'ai rencontré Sara il y a un mois environ. On se voyait dans les couloirs. Quelques mots échangés par-ci par-là, pas grand-chose. Elle est venue me voir quand elle a eu un problème, et j'ai fait tout ce que j'ai pu pour l'aider. D'ailleurs, je continue…

Mes pensées étaient encore tournées vers Sara, et ces paroles étaient une première confession destinée autant à moi qu'à Christina.

– C'est une fille vraiment géniale, quelque part encore plus réelle que les autres filles du lycée. Je ne sais pas comment, mais elle a fini par compter beaucoup pour moi…

Je secouai la tête. Mes souvenirs ressemblaient à ceux de quelqu'un d'autre.

– La veille du jour où je suis arrivé ici, elle est venue me voir chez moi, le soir. Elle a essayé de m'embrasser. Bon, en réalité, elle m'a vraiment embrassé mais… malgré toute l'affection que j'éprouvais, je ne pensais qu'à l'aider. J'aurais aimé qu'il y ait autre chose, mais ce n'était pas le cas…

Je levai les yeux. Surpris de voir Christina afficher une expression de compréhension solennelle. Proche de l'empathie.

– Sara n'est pas ma petite amie. Ce serait bien, je le sais, mais ce n'est pas celle…

Christina hocha lentement la tête.

– Est-ce qu'il y a encore quelque chose que tu ne m'as pas dit ?

– Non.

Elle soupira, s'adossa à sa chaise. Saisit sa Corona et la termina. Elle posa le verre vide sur la table et le contempla. Je restai bouche cousue. Pas habitué à ce genre de situation, mais très conscient que quelque chose émergeait lentement. Pas très sûr de ce que c'était, ni du fait que ça portait un nom. Tournant et retournant les mots dans ma tête. Ne reconnaissant rien d'autre dans notre silence qui s'installait…

Christina tourna les yeux vers le bar.

Zieuta longuement notre ami aux baskets rouges.

Reporta son attention sur moi et releva un sourcil.

– Il y a quelque chose que je devrais savoir en ce qui me concerne ? demanda-t-elle.

En souriant, je répondis :

– Tu aimes boire du vin en dînant.

Christina prit la carte des boissons et me la tendit.

– Après tout, c'est très possible que tu saches vraiment ce que tu fais.

Sans un mot, j'acceptai ma mission et ouvris la carte pour trouver la bouteille appropriée. Je parcourus la liste des vins rouges et des vins blancs. Au verre, à la bouteille. 400 dollars en poche, et les prix ne s'accordaient pas vraiment à mes ressources mal gagnées.

40

Quatrième interlude

Voici ce que Dromio me raconta…

La fin de la journée les avait rejetés du bateau, jusqu'au *Blue Paradise*, puis vers un bowling près de Topsail Island. Dromio et Jeremy contre Nancy et Matilda. Envois de boule, strikes, sodas et snacks parmi le bruit des quilles qui tombent, des rires spontanés et des tirs ratés.

Jeremy venait de renverser ses premières quilles de la soirée. Ou plutôt, les premières quilles de sa vie, et les trente couloirs résonnèrent du cri triomphal de Dromio. Les femmes secouèrent la tête et les hommes applaudirent.

– Alors, qu'est-ce que vous en dites ?

Dromio exécuta une danse de la victoire devant Nancy.

– Pour un coup d'essai, c'est un coup d'embauche !

– Je n'y crois pas ! hurla à son tour Matilda. Ce n'est pas la première fois que Sebastian joue au bowling !

– Je suis d'accord avec toi, dit Nancy.

Elle but son verre en souriant.

– Bastian n'est qu'un tricheur de plus !

– Un tricheur en excellente compagnie ! s'exclama Dromio en passant un bras autour des épaules de Jeremy.

– C'est vrai !

Jeremy se frappa la poitrine d'un poing ferme.

– Voici le fils illégitime numéro deux, ici même !

– Il y en a partout ! cria Nancy, attirant l'attention de plusieurs joueurs.

Matilda ramassa les bouteilles vides et les assiettes en papier, et annonça qu'elle allait chercher d'autres boissons. Nancy la suivit d'un pas mal assuré, laissant Dromio calculer le score, penché en avant à transformer des chiffres en argent sous la lumière du projecteur. Sans remarquer que Jeremy était allé s'asseoir de l'autre côté. Ce n'est qu'après avoir posé son crayon qu'il leva les yeux et vit Jeremy qui le regardait.

– Un problème, Sebastian ?

Jeremy se mordilla la lèvre inférieure.

– Je pensais à Jeremy.

– Ne t'en fais pas pour lui.

Dromio alla s'asseoir près de lui et alluma une cigarette.

– Passer un peu de temps avec une femme plus âgée ne peut lui faire que du bien.

– Je ne m'inquiétais pas, affirma Jeremy d'un air sombre. Je réfléchissais.

– À quoi ?

– À ce qui va arriver si ça marche bien entre vous deux.

– Et pourquoi ça ne marcherait pas entre nous deux ?

Jeremy posa les yeux sur le couloir voisin. Un homme baraqué comme une armoire réussit un tir parfait. Il leva ses bras épais au-dessus de sa tête. Muscles proéminents, regard joyeux, psychotique. En héros conquérant, il retourna vers sa femme et lui planta un gros baiser dans le cou…

– On ne peut jamais connaître quelqu'un à fond, dit Jeremy. On peut toujours essayer, mais quand on croit y arriver, c'est là que quelque chose se déglingue. Parfois, c'est le moment où tout bascule.

Dromio hocha la tête, méditatif.

– Il m'a fallu plusieurs vies pour comprendre ça.

– Les choses changent… et le lendemain, il y a encore plus de différences. Et encore plus les jours suivants. Ce n'est plus qu'une question de temps avant qu'on fasse une découverte qui ne nous plaît vraiment pas.

Dromio soupira. Secoua la cendre tombée sur son short. Crispa et décrispa ses orteils, faisant claquer la semelle de sa sandale contre son talon.

– Tu sais, Sebastian… Quand j'ai reçu le télégramme de Jeremy, je me suis mis à gamberger comme tu es en train de le faire. Je ne suis plus l'homme qui a laissé Brenda King aux abois. Bon Dieu, ce n'était même pas encore Brenda King. Juste cette pauvre Brenda sans défense. Et en me retrouvant face à face avec cet aspect de moi-même, je n'arrivais à penser qu'à une seule chose… je devais le dire à Nancy. Le dire à Matilda. J'ai sorti ce vieux Dromio du placard et je l'ai jeté entre les mains du tribunal.

Jeremy gardait les yeux sur le joueur le plus proche.

Buvant en secret les aveux de son père dans leurs moindres détails.

– Mais finalement, cela n'avait rien à voir avec elles, continua Dromio. En fait, tout ce qui me tracassait me concernait, moi, uniquement. C'était moi qui devais voir les choses en face. C'était *mon* passé, *mon* vilain petit secret. Et son seul pouvoir réel venait du fait que c'était, justement, un secret.

Dromio se tourna vers Jeremy, qui restait impassible.

– Mon fils et moi, nous aurons toujours de nouveaux défis à affronter, même si ça marche déjà bien entre nous. Exactement comme tu viens de le dire, chaque jour apporte un peu plus de changements... C'est ce qui arrive quand nous nous lançons dans une bataille.

Jeremy eut un vague petit rire.

– Je trouve que « bataille » est un peu trop dramatique.

– Et moi, je dirais que « bataille » est le mot le mieux choisi.

Comme dans une mise en scène bien réglée, la conversation fut interrompue par un petit cri et un bruit de verre cassé.

Aucun des deux n'avait vu les bouteilles glisser des mains de Nancy. Brusquement, Nancy se retrouva par terre. Sur les fesses, entourée d'un mélange gluant de bière et de soda. Éclats de verre montrant les dents au pied du joueur de bowling musclé comme un boxeur. Il criait déjà en voyant les taches humides sur son pantalon et les gouttelettes qui avaient éclaboussé les jambes de sa femme. Fondant sur Nancy, il la regarda de toute sa hauteur, les veines de son cou semblant dangereusement près de s'échapper.

De l'autre côté, Matilda, clouée sur place.

En un clin d'œil, Jeremy bondit de son siège. Déjà dans la peau du personnage, vivante méthode de théâtre, alors qu'il avançait pour frapper.

Il vint se camper sous le nez du gorille.

– Attention à ce que vous allez dire !

– Ta mère devrait regarder où elle met les pieds !

– J'ai glissé, articula péniblement Nancy, un peu désorientée.

– Laissez-la ! ordonna Jeremy au gorille. C'était un accident !

– Qu'est-ce que ça change ?

Le gorille ne savait plus sur qui poser les yeux.

– Regarde mon pantalon ! À cause de cette bonne femme, j'ai l'air d'un enfoiré !

– Vous n'avez pas besoin d'elle pour avoir l'air d'un enfoiré, espèce d'enfoiré !

– Tu ferais mieux de faire attention à ce que tu dis, mon gars. Si tu ne veux pas que je te fasse avaler tes dents !

– Allez-y !

Au milieu de cette pagaille, Dromio se précipita vers Nancy. L'aida à se relever et lui dit d'emmener Matilda à l'écart. S'empara de Jeremy juste avant que la dynamite remplace le feu d'artifice. L'entraîna derrière lui, passant devant plusieurs joueurs ébahis. Adressant un signe de tête au directeur, il franchit la porte d'entrée et descendit les quelques marches qui conduisaient au parking avant de lâcher brusquement Jeremy, qu'il abandonna un instant sous le néon éclairé de l'immeuble.

Jeremy attendit, les poings serrés. Le regard brûlant de défi, essayant de projeter sa fureur sur n'importe quel obstacle qui voudrait bien la recevoir.

– C'était vraiment chouette de ta part, Sebastian, dit Dromio, les mains tendues en un geste apaisant. Merci d'avoir défendu Nancy. J'apprécie beaucoup. Mais je crois que tu y es allé un peu fort.

– J'aurais dû lui botter le cul, marmonna Jeremy.

– Ce type pèse le poids de plusieurs milliers d'éléphants !

– Il ne me fait pas peur.

– Eh bien, c'est dommage ! insista Dromio. Ce monstre aviné était capable de t'envoyer à l'hôpital avec le nez en bouillie ou la mâchoire cassée. Tu as déjà vu quelqu'un qui a la mâchoire recousue ?

Jeremy secoua la tête.

– Crois-moi, c'est plutôt moche.

Dromio fit une brève pause. Il n'entra pas dans les détails, mais soupira bruyamment. Puis il continua. Plus réservé, maintenant, ses émotions rangées dans la boîte à jouets.

– Tu n'es pas obligé de franchir tous les obstacles d'un seul bond, Bastian. Tu n'es pas obligé d'être plus puissant qu'une locomotive, pour bien agir. Ça, c'est des histoires de gosses.

– Attendez !

Jeremy était indigné, partagé entre des sentiments conflictuels.

– Je n'allais pas laisser ce crétin s'en tirer comme ça !

– Ouais, et pendant ce temps, c'est *moi* qui ai aidé Nancy à se relever. Et qui me suis assuré qu'*elle* allait bien. Tu te jettes à la tête de ce type et, brusquement, c'est *moi* qui suis obligé de *te* défendre, et le type peut nous tuer tous les deux. C'est bien trop évident pour que tu ne comprennes pas, Bastian. Alors dis-moi, s'il te plaît… depuis quand assures-tu cette vigilance merdique et macho ?

La bouche de Jeremy s'ouvrit. Il s'humecta les lèvres et secoua la tête. Plongeant les mains dans ses poches, il balaya du regard les plaques minéralogiques dans l'espoir qu'elles lui inspireraient des paroles convaincantes. Mais ses émotions le rendaient dyslexique. Il ne trouva rien d'autre à répondre que :

– Depuis samedi…

Il soupira. Baissa les yeux sur ses chaussures de bowling de location. Planta ses pieds dans l'asphalte.

– Depuis que je suis ici.

– Toi et les complexes, vous faites bon ménage, dit Dromio.

Jeremy eut un petit signe de tête affirmatif.

– Un peu déphasé par rapport à ce qui t'entoure ?

– Oui.

– Tu avances toujours avec prudence, dans n'importe quelle situation.

– Comment vous savez…

– Inutile d'être un génie pour s'en rendre compte. La plupart des gens sont aux antipodes de l'apparence qu'ils se donnent. L'individu sincère appartient au passé. Espèce disparue.

Dromio sourit affectueusement.

– Tu es allé un peu trop loin dans ton rôle de dur, c'est tout. J'ai pigé dès que je t'ai vu menacer ce type de lui casser les jambes, au *Blue Paradise*.

– Ah oui ?

– Ce dont je ne suis pas sûr, c'est pourquoi maintenant ? Pourquoi agir ainsi tout à coup ?

Jeremy semblait souhaiter jusqu'au bout des ongles se trouver n'importe où ailleurs. Même ses cheveux, soulevés par une brise passagère, semblaient chercher un moyen de s'échapper. Le regard rivé sur ses lacets, Jeremy bégaya :

– Je voulais... je voulais au moins être à égalité avec vous.

Dromio attendit. Le laissant patauger.

– Je suis venu ici...

Jeremy fit une pause et rectifia :

– Quand je suis venu ici... vous étiez au centre de tout, et je croyais... je croyais que vous cherchiez certains signes chez les autres. Certains signes de force. Je me suis dit que c'était maintenant ou jamais. Que c'était le moment de commencer à être fort, mais... apparemment, je ne le suis pas autant que j'aimerais l'être.

Dromio hocha la tête.

– Tu as déjà parlé ainsi à quelqu'un d'autre ?

Jeremy baissa un peu plus la tête, trahissant un début d'épuisement.

– Non.

– Tu as vu où ça peut te mener, d'être fort...

Dromio posa une main sur l'épaule de Jeremy.

– C'est cette force-là que j'aime. Je trouve qu'être toi-même te va bien mieux que tu ne crois. Mais ne te sens pas obligé de me faire une démonstration, à moi ou à qui que ce soit. Si tu as de la sympathie pour nous, c'est parce que nous sommes des gens bien. Et si nous sommes des gens bien, nous sommes déjà prêts à t'accepter, Bastian. Moi-même, je me moquerais complètement que tu sois un pirate télévangéliste.

Sans lever les yeux, Jeremy tenta de refréner un sourire.

– Ce serait plutôt chouette, si j'en étais un.

– Tu as parfaitement raison, reconnut Dromio. Bon sang, quelques-uns de mes meilleurs amis sont des pirates télévangélistes. Quoi qu'il en soit, je t'ai accueilli dans ma famille et c'était sincère. Mais si tu veux y rester, et si tu as décidé de nous accepter... de m'accepter... alors fais-moi plaisir, Bastian... Je t'en prie, arrête de te cacher.

Jeremy releva le menton.

Nez à nez avec Dromio.

Nappés de néon rouge, bien loin du *Blue Paradise*.

Jeremy ouvrit la bouche pour parler quand...

– Eh, espèce de petit salopard !

Ils tournèrent la tête, pour voir le gorille qui les rejoignait à toutes jambes.

Ses moindres mouvements alimentés par une fureur décuplée.

Dromio avait vu ça des milliers de fois chez des milliers d'autres types.

Pas le temps d'être diplomate. Il se prépara.

– Bastian ?
– Oui ?
– Détourne le visage de ses poings, et donne-lui un coup de pied dans les couilles si ça doit sauver ta peau…
Jeremy eut à peine le temps d'acquiescer d'un signe de tête.
Et il fallut trois ou quatre gars pour les séparer…
Du moins, c'est ce que Dromio me raconta.

41

Plénitude

La meilleure partie du dîner, ce ne fut pas le repas.

Ni le vin.

Pas même la conversation, bien qu'elle arrivât presque ex æquo. Tranquille, sans jamais devenir ennuyeuse ni alanguie. Paroles détendues entre deux bouchées de steak de New York et des pâtes cheveux d'ange. Agile et sans effort. Désaccords inhabituellement amicaux, parfois, sur n'importe quel sujet, mais sans goûter aux eaux amères des surprises désagréables. Absorbés dans nos échanges, nos idées, et nos sourires qui n'en finissaient plus de s'élargir…

Christina.

C'est grâce à ça que tout fonctionna bien. Quelque chose de nouveau après tout ce temps. Première échappée sur la plage. Pour la première fois à sauter sur un amas de feuilles. Première éclipse de lune ou pluie de météorites. Première soirée dans un cinéma quand les lumières s'éteignent. Première caresse, premier baiser, premier tour sur les montagnes russes, toutes ces sensations oubliées qui me revenaient d'un seul coup et qui s'imposaient, m'empêchant de détourner les yeux de ceux de Christina plus longtemps que nécessaire. Ne perdant pas un seul de ses gestes, chaque détail enregistré deux fois plus vite que la normale.

Un monde nouveau, plus fort.

C'était comme marcher sur la lune…

Les assiettes furent débarrassées, la note payée.

Un pourboire généreux pour Tom, et il nous demanda de rester.

De prendre un verre au bar.

Notre ami aux baskets rouges était parti en titubant depuis un bon moment. Je pris sa place, et Christina s'assit à côté de moi. Chacun commanda une rasade de rhum-Coca. Appuyés de biais au comptoir. Tête posée sur la main. Discussions tournant autour de nous, diminuant en décibels tandis que nos jambes s'effleuraient. Mains se glissant parfois dans un espace privé.

Paume contre paume à un moment donné.

Une Christina fascinée comparant la longueur de nos doigts.

– Wahou…

Elle se pencha plus près pour s'assurer qu'elle ne se trompait pas.

– Tu as des petites mains !

– Je ne suis pas très grand.

Christina inclina la tête et tira la langue. Chercha la paille de plastique rouge dans son verre. L'attrapa et but une longue gorgée.

– Est-ce que les mains de Sebastian sont plus petites que les tiennes ?

– Tu sais, Sebastian a cinq bons centimètres de plus que moi.

– Non !

– Si, c'est vrai.

– Ça ne se voit vraiment pas.

– Ouais…

Je lui lançai un sourire en coin.

– Je veux dire, si tu ne nous mesures pas…

– J'ai toujours cru que c'était ton petit frère.

– Il se trouve qu'il est également plus âgé que moi, de quelques mois.

– Mmm.

Quelques instants de silence, main dans la main.

– As-tu des frères et sœurs ? demandai-je.

– J'avais une sœur…

Christina retira sa main et croisa les bras sur le comptoir.

– Plus âgée que moi. Elle est morte après une opération chirurgicale très risquée. Ce qui est intéressant, parce que quand tu penses à la chirurgie à haut risque, la première chose qui vient à l'esprit de tout le monde, c'est la guérison miraculeuse.

C'était étrange, la façon dont elle en parlait.

Une tristesse à peine perceptible sous sa résignation.

Christina leva les yeux de son verre. Elle dut sentir ma sympathie.

– Il y a bien six ans de ça. Une très mauvaise année, en tout cas. Maintenant, je suis autant « en paix » que je pourrai jamais l'être.

Elle regarda de nouveau sa boisson. Joua avec la paille. Rien que nous deux assis au bar, mais le nombre trois semblait plus approprié.

– C'était une sœur formidable. Quelqu'un de bien, une très bonne assistante sociale. Elle aidait un tas de gens, elle faisait un tas de bonnes actions pour beaucoup de gens. C'est grâce à elle que je fais ce que je fais. Et c'est grâce à elle que je suis assise en face de toi, à l'heure qu'il est, au lieu d'être en face d'une autre moi-même.

– Culpabilité ?

– Oh, pas du tout !

Christina secoua la tête, tourna sa chaise pour mieux me regarder.

– J'aime ce que je fais, et j'aimais ma sœur. Les souvenirs me rendent la vie plus facile, pas pire. Tu m'as mal comprise.

Je décidai qu'il valait mieux sourire. Et même lever mon verre.

– Buvons à mon erreur.

– Je suppose qu'il faut bien que ça arrive parfois, admit Christina en se joignant à moi pour boire. Maintenant, parle-moi de toi.

– Je te l'ai dit, je n'ai ni frère ni…

– Je voulais dire, pourquoi aides-tu les autres ?

– Je n'en sais rien.

– Tous les gens qui agissent ont aussi une part d'ombre.

– On pourrait croire que tous les gens qui portent des lunettes ont des problèmes de vue, et pourtant…

– Jeremy…

– Tu n'as jamais pensé que certaines personnes sont seulement ce qu'elles sont ?

– C'est venu à l'esprit de Ralph Waldo Emerson, un jour.

– Et aussi d'Edgar Allan Poe, mais ils m'avaient volé cette idée.

Je levai la main pour empêcher Christina de riposter.

– Je suis peut-être simplement comme ça. Ce n'est pas seulement un rôle, mais c'est ma vie. Je n'arrive même pas à me rappeler comment j'étais avant de commencer à aider les gens.

– Qu'est-ce que ça t'apporte ?

– Eh bien…

Je fis une pause, cherchant vainement une réponse. Je savais bien qu'il n'y en avait pas. J'étais presque effrayé par le vide qui me regardait. Je promenai les yeux sur la surface du comptoir, cherchant une explication parmi les dessous-de-verre, les bouteilles vides et les coques de cacahuètes éparpillées.

Penchée en avant, Christina me fixait d'un regard expectatif. Le menton posé sur la main.

– Je ne sais pas, répondis-je.

Elle ne détourna pas les yeux.

– Et toi, qu'est-ce que ça t'apporte ? demandai-je.

– Moi ?

– Oui.

– Une plénitude.

– Je ne comprends pas, dis-je, incapable d'effacer l'étonnement qui perçait dans ma voix.

– Eh…

Christina discutait d'un ton rassurant.

– Ne t'inquiète pas pour ça.

– Il y a peu de chance, pour l'instant.

– Tu sais, je ne crois pas que Dromio soit satisfait, lui non plus, de la mission qu'il s'est assignée lui-même. Mais il a Nancy et Matilda. Et maintenant, il t'a, toi, c'est là qu'il trouve sa… enfin, tu vois ce que je veux dire. Ce truc qui lui permet d'être équilibré. Ce sont ses priorités absolues. Et ça va t'aider, toi aussi, d'avoir trouvé ton père…

Je poussai un soupir. Incapable de continuer à discuter sans tout déballer. Le barman s'approcha, posa des boissons fraîches devant nous. Frappa deux fois sur le comptoir. Je pris mon verre, en sortis la paille et le vidai dans le cendrier.

– Jeremy.

Christina me donna une petite tape affectueuse sur le bras. Vacilla légèrement.

– Comment se fait-il que tu n'aies pas de petite amie ? Tu es intelligent, débrouillard, et ça t'arrive même d'être drôle…

– N'oublie pas ma belle gueule, dis-je avec un petit ricanement. Il me semble que quelqu'un a dit que j'avais une belle gueule, l'autre jour.

– C'est vrai. Tu ne crois pas que ce serait bien pour toi, d'avoir une petite amie ?

– Aucune idée. Je n'en ai jamais eu.

– Tu n'as jamais eu de petite amie ?

Je regrettai aussitôt mes paroles. Cherchai mes cigarettes.

– Pas comme on l’entend.

Christina évaluait mon expression. Cherchant ce que j’essayais de cacher, mais le rhum faisait son effet sur moi. Je commençais à avoir recours à des techniques d’amateur. Évitant le contact du regard, feignant un intérêt profond pour mon briquet. Et le même intérêt pour la fumée qui s’élevait en spirales de ma bouche. Et brusquement, ce fut la révélation.

– Mais alors, si tu n’as jamais eu de petite amie… tu n’as… jamais ?

– À ton avis ?

Ses yeux et sa bouche prirent la forme de sphères béantes, atteignant le statut de planètes. Elle dut certainement avoir un courage surhumain pour demander :

– Tu es vierge ?

Je soupirai.

– Oui, oui, je suis vierge.

– Wahou !

– Mais je l’attribue seulement au fait que je n’ai jamais eu de relations sexuelles.

– C’est ce qu’on pourrait croire !

– Je suis vierge par choix.

– Les femmes choisissent de ne pas avoir de relations sexuelles avec toi ?

– Tu as tout compris.

– Wahou…

– Comme tu dis.

– Qu’est-ce que tu es ? Un mutant ?

– Non, mais je suis très populaire sur les îles qui ont des volcans en activité.

– C'est vraiment difficile à croire, de la part d'un Johansson. Ton père a dû se faire la moitié des femmes de Chicago.

Je hochai la tête.

– C'est une idée qui me trotte par la tête depuis que je suis arrivé.

– Tu veux savoir comment Dromio et ta mère se sont rencontrés ?

– Tu le sais ?

– Ça t'intéresse ?

– Ça nous aiderait peut-être à changer de sujet, répondis-je, soudain un peu dégrisé.

Christina sourit. Sirota son Cuba libre, fit claquer ses lèvres, et remonta dans le passé…

– Ta mère travaillait dans une grande surface, à Chicago. Elle voit un type entrer et se diriger vers le rayon d'épicerie fine. Il se met à remplir son chariot, entassant des articles pour environ 500 dollars. En même temps, il se balade. Il goûte des fruits, mange un peu de pain, un pot de yaourt, il ouvre même des sachets de viande froide. Personne n'y fait attention, parce qu'il continue à pousser son chariot plein à ras bord. Les bons clients prennent leur temps, mais ta mère l'avait repéré. Presque dès le début…

Je croisai les bras sur le comptoir. Y appuyai le menton.

– Et voilà qu'elle ne le quitte plus des yeux. Elle le regarde encore quand il abandonne le chariot dans un coin à l'écart et qu'il sort du magasin. Après avoir mangé à sa faim sans payer un centime. Elle lui court après, jusque sur le parking. Elle l'arrête et va droit au but. Mais il se fiche pas mal qu'elle l'ait vu. Il se contente de sourire d'un air triste en reconnaissant que c'est son arnaque préférée. Qu'il la pratique trois fois par jour. Et ta mère éclate de rire.

Christina fit une pause.

– Et ensuite ? dis-je.

– La suite, tu la connais.

Hochant la tête, j'engrangeai tous les détails.

– Christina ?

– Ouais.

Je fixai les bouteilles posées devant moi, tandis qu'une pensée commençait à se former dans ma tête.

– Est-ce que Dromio a été pris ?

Christina ne répondit pas.

J'inclinai la tête pour mieux la voir.

– Je dois le savoir, Christina.

– Écoute, ce n'est pas très grave…

Christina se croisa les bras sur le comptoir. Baissa la tête à mon niveau. La joue sur le bras, ses yeux plongés dans les miens. Coude à coude.

– Il a été pris deux ou trois fois. Pour vol à l'étalage.

– Quatre fois ?

Christina cligna des paupières.

– Oui, comment le sais…

– Un coup de pot, dis-je sans réfléchir. En fait, c'est le chiffre qui me porte chance.

– C'est bien quatre fois, mais il n'est jamais allé en prison.

Chaque phrase correspondait mot pour mot à la conversation que j'avais eue avec ma mère. Au sujet de mon père, les détails de ses démêlés avec la justice formant une scène plus élaborée.

– Il a fait du charme au juge pour qu'il le laisse en liberté ?

– Tu as le cerveau en… éruption, ce soir !

Un sourire se répandit sur mon visage. Les deux aspects d'un dialogue intime et ivre arrivant lentement à se réconcilier.

– Disons que je sais certaines choses.

– Tu es content ?

– Je me sens simplement revitalisé.

– Hmm.

– Merci.

Christina se mit à rire. C'était tellement inattendu qu'elle en fut elle-même surprise et s'arrêta. Elle s'éclaircit la voix avant de demander :

– Merci de quoi ?

– D'exister, je suppose.

– À mon avis, ce sont mes parents que tu devrais remercier.

Je ne répliquai pas. Les yeux rivés dans ceux de Christina. Elle ne détourna pas le regard, et les quelques bruits qui subsistaient autour de nous s'évanouirent lentement. La salle de restaurant disparut quand Christina tendit la main et me caressa le visage. Puis la nuque. Tendant un doigt, je touchai le bout de son index droit.

Immobiles pendant quelques instants.

Christina finit par rompre le silence.

– Tu avais raison au sujet du gourami.

– Je sais.

– Le problème, c'est… comment se reproduisent-ils ?
– Pardon ?
– Tu m'as dit qu'ils se déchiquetaient mutuellement s'ils se trouvaient dans le même aquarium. Si c'est vrai, alors comment les gouramis…
Elle m'adressa un petit sourire sage.
– Comment les gouramis font-ils ça ?
J'avais la gorge sèche.
– Quand je t'ai parlé d'eux, je ne faisais pas allusion à nous.
– Qu'est-ce qui te rend si sûr que je parle de nous en ce moment ?
– Je sais des choses sur les gens.
– Comme tu l'as prouvé maintes et maintes fois.
Christina détourna les yeux vers la pendule au-dessus du bar.
Les reporta sur les miens.
– Tu veux venir chez moi ?
– Tu crois que tu peux conduire ?
– On va appeler un taxi.
– Est-ce que le chauffeur pourra conduire ?
– On verra bien s'il nous envoie dans un arbre.
– Comment vas-tu récupérer ta voiture ?
– Jeremy…
Elle posa un doigt sur mes lèvres pour les réduire au silence.
– Est-ce que tu veux venir chez moi ?
Je pris une inspiration. Espérant que mon souffle n'était pas trop frémissant contre le doigt de Christina. Je hochai la tête.

– Tu peux dire oui, chuchota-t-elle.
– Oui.
– Bravo !
Elle appela un taxi.
Je réglai l'addition.
Laissai un gros pourboire, et nous quittâmes le bar.
Enlacés.

42

Ce qui est véritablement important

L'appartement de Christina était au deuxième étage. Troisième porte à droite. Ascension de l'escalier pas trop difficile en nous soutenant mutuellement. Jambes instables souhaitant nous faire redescendre en bas. Puis le défi de la porte. Recherche des clés, combat pour trouver la serrure dans l'obscurité du couloir. Quand la porte finit par céder, nous entrâmes en trébuchant. Propulsé, je glissai et atterris sur le derrière. Christina éclata de rire et m'aida à me relever.

– C'est le salon, dit-elle.

– Je sais, il vient de m'attaquer.

Christina ferma la porte. S'excusa pour le fouillis de papiers, classeurs et blocs-notes jonchant la pièce. Aucune chance de se poser quelque part, mais Christina trouva la solution en m'entraînant dans sa chambre. Beaucoup plus en ordre, et il y avait un lit pour se poser. Christina prit ma veste et vint s'asseoir à côté de moi. Je ne bougeai pas. Les mains sur les genoux, pieds à plat sur le sol. Posture parfaite. Regard parcourant la pièce, et accordant beaucoup trop d'attention au moindre détail. J'arrivai à demander :

– Est-ce qu'il y a un seul poster sur ces murs qui ne représente pas une révolution sociale ?

Christina pivota au niveau de la taille et pointa le doigt derrière nous.

Faisant comme elle, je vis la tête d'Albert Einstein, qui nous regardait. Cheveux marque déposée et moustache broussailleuse. Yeux écarquillés et moqueurs, langue tirée. Esprit brillant s'offrant une détente pure, ridicule.

– Il en est l'expression parfaite, dis-je.

– Il y a mieux encore.

– Quoi ?

– Regarde ce qui est écrit sous la photo...

Je rampai sur le lit.

Christina me rejoignit et je me levai.

Je lus les mots imprimés :

Quant à la recherche de la vérité, je sais par ma propre recherche douloureuse... à quel point c'est difficile de faire un pas fiable, aussi petit soit-il... vers la compréhension...

– « De ce qui est véritablement important », termina Christina en me prenant dans ses bras pour un baiser profond, sans fond.

Je l'embrassai sans l'ombre d'une hésitation. En l'étreignant. Un flot de lumière presque exaspérant brillait sous mes paupières closes. Nous tombâmes contre le mur. Pressés contre le visage d'une révolution scientifique, tandis que Christina s'efforçait d'ôter ma chemise, qui se coinça autour de ma tête. Christina m'embrassa à travers le tissu. Elle finit par me libérer du vêtement et murmura :

– Dieu, comme tu es maigre.

– Ne m'appelle pas Dieu, tu vas tout gâcher.

Elle se mit à rire contre ma bouche et nous voilà repartis. Baisers intenses balayant tout le reste, m'emmenant de plus en plus loin de mes pensées. Ou de plus en plus profondément dans mes pensées. M'emportant quelque part où j'avais envie de me trouver, c'était tout ce que je savais. L'unique et dernière chose dont je pouvais être certain.

Trois coups timides venant du salon.

Pause pour Christina et moi. Respiration haletante, oreille tendue.

Et moi, espérant que c'était un tour de mon imagination.

Mais pas du tout, et les coups suivants retentirent encore plus fort.

– Ne réponds pas, dis-je.

– Et si c'était une urgence ?

– On en a déjà une sur le feu.

– Il faut que je réponde, dit Christina.

Elle ramassa sa chemise, qui s'était retrouvée par terre.

– Si c'est ton ex-petit-ami, est-ce que je peux le passer à tabac ?

– Ça dépend si tu as envie d'en prendre plein la gueule.

– D'accord…

– Attends-moi ici.

Christina enfila sa chemise et je dis un adieu silencieux à son soutien-gorge. Elle traversa la chambre. Fit une pause près de la porte et se tourna vers moi.

– Ne va pas imaginer que ça signifie que je t'aime bien.

Je lui adressai un signe de tête poli.

– Ça ne m'est pas venu une seule seconde à l'esprit.

Trois autres coups à la porte. Plus violents, cette fois.

– Je reviens tout de suite, dit-elle.

Referma la porte.

Seul dans la chambre, je dus me retenir de me mettre à danser. Choisis de m'adosser au mur. Enchanté de mes joues toutes rouges. De la chaleur qui montait en pure exultation. Ventre noué, mais par une excitation sexuelle débordante. Je fermai les yeux pour me repaître de toutes ces sensations.

Puis j'entendis la voix de Christina.

– Oh, mon Dieu, Maria !

Figé, je sentis mon sang perdre trente-cinq degrés.

– Jeremy ! Viens vite !

Je bondis par-dessus le lit. Direction le salon, où je m'arrêtai pile.

Christina guidait une petite femme mexicaine vers le canapé. Jeans, sweat à capuche grise, et…

Une boule horrifiée se logea dans ma gorge.

Elle avait le visage tuméfié et tailladé. Une vraie bouillie sous sa capuche. Les deux lèvres fendues. Un œil au beurre noir, l'autre pratiquement fermé sous l'enflure. Large entaille sur la joue. Le sang avait séché sur son visage, et coulé sur son cou, colorant le haut du sweat d'une écœurante teinte rouille.

Elle parlait très vite en espagnol, les mots se bousculant sur ses lèvres déchirées.

Christina la fit asseoir et se tourna vers moi.

– Jeremy, demande-lui ce qui s'est passé.

Ma voix resta piégée quelque part dans mes poumons.

– Jeremy ! aboya Christina. Reprends-toi, et demande-lui ce qui s'est passé !

Je finis par formuler péniblement une question. Et j'essayai de suivre quand Maria débita à toute allure sa réponse. Je manquai tout le reste pendant que je traduisais :

– Elle dit qu'elle est rentrée chez elle… et son mari… avait bu et… oh, bon sang, il l'a agressée avec un fer à repasser…

– Où est-il maintenant ? demanda Christina.

Je posai la question, attendis la réponse, que je retransmis.

– Elle n'en sait rien… elle s'est enfuie… il l'a poursuivie, mais il était trop ivre… Christina, elle est venue jusqu'ici à pied.

– Réconforte-la, ordonna Christina.

– Quoi ?

– Viens ici et réconforte-la !

Je m'approchai de Maria. Assis sur la table de salon, je lui dis que maintenant elle était en sécurité, que nous allions prendre soin d'elle. Sans savoir si c'était vrai. Je faisais ce que je pouvais, mais avec chaque parole, cela semblait de plus en plus infime. Je lui touchai le bras et elle s'écarta en tressaillant.

Christina lui retroussa une manche.

Révélant un poignet qui formait une saillie grotesque.

Christina avait dû sentir que j'allais crier. Elle anticipa.

– Ne crie pas, Jeremy. Je t'en prie, il ne faut pas que Maria nous voie plus effrayés qu'elle.

Ravalant mon cri, je remarquai autre chose et ressentis un coup sinistre dans l'estomac.

– Christina, sa capuche…

Christina baissa les yeux et vit le sang.

Tendit la main.

– Ça va aller, Jeremy, dit-elle en respirant très fort, se contrôlant totalement, toutes luttes cachées… Essaie de garder ton sang-froid. Ça ne va sûrement pas être joli à voir.

Elle fit glisser la capuche.

Le sang avait maculé la moitié de ses cheveux, jusqu'à la nuque.

En mèches poisseuses et emmêlées.

Je ne pus m'empêcher de murmurer :

– Bon Dieu !

– Dis-lui que nous l'emmenons à l'hôpital, ordonna Christina.

Maria dut comprendre le mot « hôpital » car l'expression choquée de son regard fit place à un air épouvanté. Elle se dressa brusquement. Déluge de protestations saccadées.

– Jeremy…

Christina se leva pour la maintenir.

– Explique-lui que les médecins sont là pour l'aider, et que la loi leur impose de ne parler à personne de son statut sur ce territoire.

– Son mari dit que l'hôpital va…
– Explique-lui !
Je fis ce qu'elle me demandait. La peur s'effaça un peu tandis que Maria acquiesçait d'un signe de tête craintif.
– Je vais l'aider à descendre l'escalier, dit Christina. Appelle un taxi et retrouve-nous en bas.
– Où est ton annuaire ?
– Laisse tomber, j'appellerai moi-même. Va mettre ta chemise et accompagne Maria.
Je courus dans la chambre. Cherchai frénétiquement sous la photo extatique d'Albert Einstein. Ne la trouvant pas, je ramassai ma veste par terre. L'endossai, remontai la fermeture Éclair et retournai en courant dans le salon.
– Attention à son bras, dit Christina. Reste toujours sur la marche en dessous d'elle. Si elle tombe, tu pourras la rattraper. Si vous tombez tous les deux, fais en sorte que ce soit *elle* qui tombe sur toi. Pas le contraire. Il ne faut pas qu'elle tombe par terre, tu as compris ?
Je hochai la tête.
– Et continue à lui parler ! cria-t-elle par-dessus son épaule tout en se précipitant dans la cuisine.
Un bras autour des épaules de Maria, je la guidai vers la porte. La maintins fermement en approchant des marches, son sweat incrusté de sang se frottant contre moi. Un pas après l'autre. Je continuai à parler jusqu'au bas de l'escalier.
Une porte s'ouvrit sur notre droite et une grosse femme sortit. Chemise de nuit à pois et bonnet de douche sur sa tête charnue. Accent du Sud.

– Qui êtes-vous ?
– Un ami de Christina, répondis-je en me dirigeant lentement vers la porte.
– Il est 11 heures et demie, nom de Dieu !
Je me mis à beugler :
– Cette femme est mourante !
– Jeremy !
Christina apparut près de moi. Une couverture à la main gauche. S'adressant à la grosse femme en toute diplomatie.
– Je suis désolée, madame Banes. Il faut que nous l'emmenions à l'hôpital…
– Il est 11 heures et demie !
– Je sais…
– Ce n'est pas un hôtel, ici !
J'avais déjà passé la porte et je descendais une autre volée de marches.
Christina me rejoignit, les oreilles fermées à ce que Mme Banes hurlait derrière nous :
– C'est la dernière fois, mademoiselle Michaels ! J'en ai assez de voir ces salauds de criminels dans ma maison ! Vous m'entendez ? C'est la dernière fois !
J'entendis claquer la porte à moustiquaire, et nous voilà sur le trottoir.
Nuit fraîche succédant à une journée couverte.
Il ne restait plus qu'à attendre le taxi.
Christina me donna encore des instructions.
– Quand le taxi arrivera, tu monteras à l'arrière avec Maria. Moi, je me mettrai tout de suite devant pour m'assurer qu'il ne repartira pas sans nous.

– Pourquoi ferait-il ça ?
– Tu sais que les taxis ne prennent pas les Noirs à New York ?
– Oui.
– C'est le même principe. Parle-lui sans arrêt.

Christina enveloppa Maria dans la couverture, et je continuai à me servir de ma voix. Rien d'autre à faire. Un choix approprié de mots peut faire des merveilles, j'y ai toujours cru. Pourtant, ce fut difficile de m'accrocher à cette certitude. Frissonnant dans les rues abandonnées, à des kilomètres de l'hôpital, à des années-lumière de la vérité, et très loin de comprendre ce qui était véritablement important.

43

Toute la douleur et la misère du monde

Il était bientôt une heure du matin.

Quelques personnes étaient assises dans la salle d'attente de l'hôpital de Cape Fear. Des couples en détresse, leurs visages fatigués livrés à l'inquiétude. Une ou deux mères avec leurs enfants endormis. Lumière uniforme venant d'en haut et transformant la pièce en une expérience surréaliste et pâteuse.

Je m'accroupis quelque part. Coudes sur les cuisses, mains croisées. Regard sur le plancher. Genou droit rebondissant rapidement. Voilà au moins quelque chose que le véritable Jeremy aurait fait. Parfois, un coup d'œil à droite ou à gauche. Besoin hasardeux de feuilleter un magazine dépourvu d'intérêt, avec les sourires plastifiés de couples qui s'offraient des dîners très chers, des whiskys à l'eau et des promenades en yacht sur des eaux bleues et cristallines.

Pas un médecin en vue.

Un bébé se réveilla. Se mit à pleurer.

Je le regardai.

Détournai les yeux quand sa mère lui donna le sein.

Deux pieds s'arrêtèrent devant moi.

Je levai les yeux. C'était Christina. Son visage calme n'exprimait pas grand-chose, et c'est tout juste si je voulais en savoir plus.

– Elle va s'en sortir, dit-elle à voix basse.

Une voix d'hôpital.

– Sa tête ? demandai-je sur le même volume.

– Une faible contusion. Le sang a cessé de couler bien avant qu'elle n'arrive chez moi. Ils sont en train de lui faire des points de suture. Son bras a été remis d'aplomb, elle a un joli petit plâtre. Les ecchymoses, les boursouflures… ça va guérir tout seul. Elle aura aussi des calmants pour l'aider.

Je soupirai.

– Bien.

– Nous ne pouvons plus faire grand-chose ici, Jeremy.

– Et c'est ça qui te donne un sentiment de plénitude ?

– Toute lutte pour la bonne cause est accompagnée d'une triste question.

– Qui est ?

– Comment peut-il y avoir un monde dans lequel une lutte comme celle-ci est nécessaire ?

Le sol attira de nouveau mon attention. Je fixai les carreaux blancs, mon propre reflet brouillé me renvoyant mon regard. Je ne répondis pas quand Christina me demanda si j'allais bien. Tout ce qui était arrivé après 23 heures me rongeait. Mâchant une couche de réalité après l'autre. Pour la deuxième fois de la semaine, je mettais mes espoirs dans un hôpital. Cependant, pas tout à fait le même. Mon exploit avec la clinique d'avortement n'avait aucun point commun avec cette expérience, quatre jours plus tard.

Christina posa le bras sur mon épaule.

Je relevai brusquement la tête. Christina venait de s'asseoir à côté de moi.

– Tu as été super, Jeremy. À chaque étape, tu as été formidable. Tu as fait quelque chose de bien pour quelqu'un, ce soir. Et toute la douleur et la misère du monde n'y changeront rien.

– Il l'a battue à coups de fer !

– Je sais.

– C'est peut-être parce que j'ai dit quelque chose qui lui a déplu ?

Christina fronça les sourcils.

– À qui ?

– À son mari...

J'essayai de soutenir le regard de Christina.

– Quand on était dehors, dans les champs, j'ai peut-être dit quelque chose qu'il ne fallait pas dire. Ou alors, je n'en ai pas dit assez, et quand elle est rentrée chez elle...

– Son mari n'était pas là-bas. Ce n'est pas comme ça que je l'ai connue.

– Ah bon ?

– Maria travaille au *Blue Paradise*, Jeremy.

J'ouvris la bouche. Et la refermai. Pas trop sûr de ce que je ressentais. Il s'en passait trop, dehors et dedans. Je savais bien que tout ça n'avait rien à voir avec Dromio, mais je perdais pied. Je tournais en rond, les yeux bandés.

Agitant ma canne devant moi, en tentant d'avoir un morceau de la piñata.

– Écoute, Jeremy !

Christina paraissait fatiguée. Nous n'avions plus beaucoup d'énergie, mais elle continua malgré tout.

– Ça ne change rien au fait qu'il donne à tous les immigrés qui travaillent dans sa cuisine le même salaire qu'à n'importe qui. Et ça ne change rien au fait que, si Maria était allée vers lui ce soir, c'est lui qui serait ici en ce moment, à notre place. À sa manière, ton père est un homme bien.

J'eus un rire faible.

– Tu m'as sorti un millier d'arguments pour me faire comprendre que tu détestais Dromio, tout ça pour arriver à la conclusion que c'est un homme bien ?

– Quand il arrive ce qui est arrivé ce soir, je suis obligée de regarder les choses avec du recul.

– Je suis fatigué.

Christina hocha la tête.

– Allons chercher ma voiture. Nous rentrons chez Dromio.

– Tu n'es plus soûle ?

– Et toi ?

– Je n'ai jamais été aussi sobre de ma vie.

– On dit que la réalité peut dégriser. Ce n'est pas pour rien.

– Ouais.

– Viens.

Une fois debout, j'enlaçai Christina.

Elle me rendit aussitôt *la faveur*.

Elle se serra contre moi.

Une heure du matin dans la salle d'attente de l'hôpital de Cape Fear. Nappés de lumière fluorescente et de la triste évidence que les urgences nocturnes ne s'arrêtaient jamais. Inlassables, même quand le monde entier dormait. Paupières fermées dans des chambres obscures. Alarmes réglées sur l'heure choisie pour se réveiller, quelle qu'elle soit.

44

Bonne nuit, Jeremy !

Christina éteignit la lumière et se glissa entre les draps. Se blottit contre moi, ses bras m'enveloppant d'une chaleur bien méritée. Jambes enlacées aux miennes. Lèvres sur ma nuque. Sombrant ensemble dans la patiente étreinte de rêves improvisés.

Un dernier effort de Christina pour me chuchoter à l'oreille :

– Bonne nuit, Jeremy !

Les bruits de l'océan accompagnèrent nos derniers instants de veille.

Avant que nous nous évanouissions tous les deux dans un grand et unique battement de cœur.

MARDI

45

Et si personne n'abandonne ?

Le réveil fut aussi facile, sinon plus doux, que le sommeil.

Le soleil entrait à flots par les fenêtres. Le réveil de la table de chevet avait poussé la journée jusqu'à une heure et demie de l'après-midi. Dehors, le chant de l'océan et le cri des mouettes. Tout cela m'était certainement d'un grand secours.

Cependant, j'ouvris les yeux.

Et je vis aussitôt le visage de Christina.

Ce qui plaça tout le reste au rang des hésitations de Dieu.

Je ne bougeai pas, restant étendu sur le flanc, les lèvres de Christina à quelques centimètres des miennes. La regardant dormir, suivant le mouvement de sa poitrine qui se soulevait à chaque respiration. Cinq minutes, puis dix. Dix, puis quinze. J'aurais été heureux de laisser les quinze s'étirer pendant le reste de ma vie, mais elle se réveilla à dix-huit. Papillonnement de paupières, et nos pupilles se rencontrèrent.

Elle sourit.

– Tu te sens mieux ?

– Oui.

– Bien.

J'hésitai. Christina s'en rendit compte et m'adressa un regard interrogateur.

– J'étais en train de me dire que ça doit être toi, arrivai-je à dire.

– Qu'est-ce qui est moi ?

– Je me suis endormi avec tout ce poids. Et maintenant, il n'y est plus. Je crois que c'est grâce à toi.

Christina m'honora d'une caresse sur le visage, du bout des doigts.

– C'est adorable.

– Tu as sucé toute la douleur.

– Ça, c'est beaucoup moins adorable.

– Peut-être, mais c'est vrai.

– Sais-tu que les progrès médicaux ont rendu les sangsues obsolètes ?

– D'accord. Désolé pour le mot « sucé ».

Je m'approchai un peu plus près.

– Je ne me suis jamais réveillé à côté de quelqu'un. C'est tout nouveau pour moi.

– Alors tu veux que je te dise ce qui va se passer maintenant ?

– Qu'est-ce qui va se passer ?

Christina rapprocha son visage du mien.

– On va s'embrasser...

Paroles suivies d'un baiser.

– Ensuite, on va encore s'embrasser...

Encore d'autres baisers. Prolongés.

– Ensuite, on va continuer à s'embrasser…

Elle ne mentait pas.

– On va continuer jusqu'à ce qu'un de nous deux abandonne et dise à l'autre de se laver les dents…

Ce qui fut suivi par un long soupir frémissant.

– Et si ni l'un ni l'autre n'abandonne ? demandai-je, à peine capable d'articuler.

– Tu veux savoir ? murmura-t-elle en m'attirant tout contre elle.

Cette fois, il n'y eut pas de coup frappé à la porte.

Parce qu'il paraît que la foudre ne frappe jamais deux fois au même endroit.

Parce que Jeremy ne prit pas la peine de frapper. Il fit irruption, l'air égaré, le téléphone de la cuisine dans les mains.

– Eh, réveille-toi ! Oh, MERDE !

Christina et moi nous séparâmes avec un cri de surprise très synchronisé.

– Bon sang, Sebastian ! hurla-t-elle.

Elle s'enveloppa dans le drap, bien qu'elle fût habillée.

– Tu ne frappes jamais avant d'entrer ?

– Pas tant que les portes auront une poignée, répondit-il.

Il se tourna vers moi, parlant délibérément avec lenteur entre ses dents serrées.

– Appel téléphonique pour toi, Jeremy. C'est ta mère.

Le fait que Christina soit près de moi était de nouveau une indéniable calamité.

Serrant les dents à mon tour, je demandai à Jeremy d'être plus clair.

– Tu veux dire *ma* mère, ou *ta* mère ?

– *Ta* mère !

Christina leva la main.

– Vous avez un problème, tous les deux ?

– Non, pas de problème pour lui ni pour moi, répondit Jeremy en chantant presque pour cacher son irritation. C'est juste que la mère de Jeremy est à Wilmington. Au *Hilton*.

– Bastian, qu'est-ce que tu as au visage ? interrogea Christina.

J'avais remarqué moi aussi les bleus et la lèvre fendue. Sans avoir le temps, ou l'envie, de m'y intéresser. Sautant du lit, je lui arrachai le téléphone des mains. Le collant à mon oreille, je sortis dans le couloir, seulement vêtu à partir de la taille. Faisant un effort incroyable pour ne pas me mettre à courir.

– Maman !

Ce n'était plus la peine d'avoir l'air décontracté.

– Qu'est-ce que tu fais au *Hilton* ?

– Pourquoi n'es-tu pas au *Hilton* ?

– Pourquoi n'es-tu pas à ton travail ? rétorquai-je pour gagner du temps, tout en dégringolant l'escalier.

– Je ne suis pas à mon travail parce que je suis ici ! Et je suis ici parce qu'il y a quelque chose de pourri, comme l'enfer dans le royaume de Danemark, jeune homme !

« Jeune homme ». Ce n'était jamais bon signe.

– Comment as-tu trouvé ce numéro de téléphone ? dis-je en entrant dans le salon.

– J'ai dit au directeur que j'étais ta petite amie.

– Et il t'a crue ?

– Bastian, on me donne facilement vingt-six ans.

– Tu viens juste de m'appeler « jeune homme ». Tu ne pouvais pas passer pour le roi Tut[1].

– Oh, maintenant, tu es *vraiment* dans de sales draps, fulmina-t-elle à en faire trembler de peur tous les poteaux téléphoniques de la côte. Donne-moi ton adresse, que je vienne te flanquer une bonne gifle !

– Non, c'est moi qui vais venir au *Hilton*, tu pourras me gifler là-bas.

– Bastian !

– Dans une heure, hall principal, dis-je avant de couper la communication.

Jeremy descendit l'escalier, entra dans le salon, parlant sans détour, sans baratin.

– D'accord, on ne s'amuse plus, Baz. Le train déraille. Nous allons tout leur dire maintenant !

– Tu m'as laissé jusqu'à ce soir.

Me précipitant vers la porte, j'enfilai mes chaussures.

– Tu m'as promis. Jusqu'à ce soir !

– Je ne t'ai rien promis du tout.

– Je t'ai laissé une journée avec Dromio ! murmurai-je d'un ton dur. Maintenant, tu la fermes, Bastian, c'est ma famille aussi !

– Bon Dieu…

Jeremy secoua la tête, les poings serrés.

– Tu n'imagines même pas à quelle profondeur tu es en train de creuser ta propre tombe !

Christina entra en scène, suivie par les femmes Johansson.

1. Diminutif de Toutankhamon.

Notre petite bataille resta en attente, alors que Nancy décidait de compliquer un peu plus la situation.

– Jeremy, ta mère est en ville ?

– Je m'en occupe, répondis-je.

– Écoute…

Nancy s'assit dans un fauteuil et se frotta le visage.

– Je pourrais venir avec toi ? Nous raconterions à ta mère ce qui s'est passé. De toute façon, elle finira bien par l'apprendre, alors… je crois que c'est le moment d'avoir une réunion de famille.

– Exactement ce que je pensais, dis-je.

Je pris ma veste au portemanteau et retournai au centre de la pièce.

– Écoutez tous, toute la famille… Retrouvons-nous au *Blue Paradise* ce soir à 6 heures et demie, et nous parlerons de tout ça. Vous y serez ?

Ignorant les acquiescements évidents, je me tournai vers Jeremy.

Sachant très bien que c'était ma dernière tentative.

– C'est presque fini, lui dis-je.

Je savais que mon regard était suppliant.

– Je te promets, Sebastian.

Jeremy baissa les yeux sur moi.

Les autres n'avaient pas conscience de ce qui se passait réellement.

– Nous y serons, dit Jeremy. À 6 heures et demie.

Passant ma veste, je me jetai dehors. Descendis les marches deux par deux, sautant les cinq dernières d'un seul bond. Entendis Christina qui me suivait en m'appelant.

Elle me rejoignit au moment où j'ouvrais la portière de la voiture.

– Jeremy, où vas-tu ?

– Christina, tu es sûre, pour mon père ?

– Quoi ?

– Dromio, insistai-je en parlant à toute vitesse. Es-tu sûre que c'est la façon dont il a rencontré ma mère, en commettant ces vols dans un supermarché ?

Christina paraissait prise dans un ouragan.

– Oui, mais...

Je m'engouffrai dans ma voiture. Mettant le moteur en marche, je fis demi-tour. Enfonçai le champignon, faisant voltiger le gravier. Enclenchai la première et me catapultai vers Wilmington.

Sans même penser à dire au revoir à Christina.

Sans y penser, car l'horloge égrenait les minutes.

Des minutes qui tombaient comme des dominos, et de toute façon, tout serait terminé dans quelques heures.

46

Comment pourrais-je le savoir autrement ?

14 h 30, et la lumière du jour perdait déjà son intérêt pour moi.

Je m'arrêtai dans un crissement de pneus sur le parking du *Hilton*.

Sautai de voiture et grimpai l'escalier en courant.

Ma mère m'attendait devant l'accueil principal. M'apercevant, elle vint à ma rencontre. Longues enjambées, talons hauts. Puissantes enjambées. Elle me rejoignit au milieu du hall et notre précédente conversation me fut vivement rappelée par sa main qui s'abattit sur ma joue gauche.

– Voilà pour ta remarque sur le roi Tut.

Je me frottai la joue en hochant la tête.

– Ce n'est que justice.

– Et tu peux éviter une autre punition en m'expliquant très précisément ce qui se passe. Et pas de mensonges, Sebastian. Je veux la vérité !

– Oui, la vérité. Je te dirai la vérité, je veux te dire la vérité. Mais avant, tu dois me promettre de me poser un minimum de questions et de faire exactement ce que je vais te dire. J'ai besoin que tu me fasses un peu confiance.

– Donne-moi une seule raison pour que j'accepte ?

– Je me mettrais bien à genoux, mais on va avoir l'air bizarres, tous les deux.

Ma mère soupira.

– D'accord, marché conclu. Que se passe-t-il ?

– Pas ici, dis-je.

Je fis un signe de tête et elle me suivit dans le hall, jusqu'au bar, vers une table près de la fenêtre qui surplombait Cape Fear River. J'appelai une serveuse et commandai deux cafés.

Dès qu'elle fut partie, ma mère tendit le bras par-dessus la table. Saisis la fermeture Éclair de ma veste et la tira.

Elle s'adossa en m'adressant un regard incrédule.

– Y a-t-il une raison pour que tu n'aies pas de chemise là-dessous ?

– Oui, plusieurs, à vrai dire.

Je remontai la fermeture.

– Tu as dormi tout habillé.

– Oui.

– Je t'en prie, dis-moi que tu dors dans un lit, dans une maison…

– Je fais tout ça.

– Où ?

J'attendis avant de répondre. Aperçus un grand bateau qui descendait la rivière. Naviguant sur des eaux miroitantes. Nuages se tenant à l'écart du soleil. Filaments cotonneux regardant de loin, et je posai timidement un pied devant l'autre.

– Maman, je suis amoureux.

Ma mère resta un instant sans voix. Nos cafés arrivèrent, accompagnés du sourire rafraîchissant de la serveuse, qui ne se doutait de rien. Je la remerciai, tandis que ma mère essayait de se reconnecter. Je remerciai encore la serveuse et pris du sucre. Deux sachets. Regardai de l'autre côté de la table.

– Maman ?

– Hmm ?

– De la crème ?

– Tu es amoureux ?

– Oui.

Ma mère se couvrit les yeux d'une main.

– Tu l'as mise enceinte et tu veux que je…

– Non, Maman, ce n'est pas ça !

Je remuai mon café, essayant d'avoir l'air détendu.

– Pour le moment, je suis juste amoureux.

– Passe-moi la crème.

Je fis glisser le pot chromé sur la table. Elle se servit. Se mit à remuer, perdue dans des pensées tourbillonnantes. Elle secoua la tête, lentement. Soupira et leva les yeux.

– Il faut que je te dise, Sebastian, tu me… déçois un peu.

– Je te déçois ?

– Un peu plus qu'un peu, à vrai dire.

– Je croyais que tu serais heureuse.

– Difficile d'être heureuse en pensant à ce que tu vas dire à Sara quand elle va le savoir…

– Maman…

Je n'avais pas prévu ça, mais je n'avais plus le choix.

– Je ne sais pas comment te le dire, mais… je suis encore vierge. Ce n'est pas moi qui ai mis Sara enceinte.

Ma mère resta bouche bée quelques secondes avant de hurler :

– Alors qui est-ce qui l'a fait ?

Je dois dire à ma décharge que je n'avais qu'une demi-seconde pour trouver une réponse capable de justifier pourquoi j'avais eu besoin d'elle. Mais sans aucun doute, j'aurais pu trouver mieux que :

– Jeremy.

– Jeremy ?

– Moins fort, Maman !

Elle baissa le ton, se pencha vers moi.

– J'aurais pu avoir un tas d'ennuis.

– Je sais, je suis désolé. Mais tu n'en as pas eu.

– Pourquoi Brenda King n'a-t-elle pas signé elle-même ces foutus papiers ?

– Elle n'était pas au courant. Et même si elle l'avait été, tu es la seule qui soit capable d'imiter une signature.

– Tu peux au moins remercier ton père pour ce petit cours de spécialiste.

Bingo !

J'allais donner le coup de grâce.

– Faussaire, voleur…

J'eus un sourire ironique, du moins je l'espérais.

– Un sacré bonhomme, ce père que je n'ai jamais vu.

– On apprend quelque chose tous les jours.

Ma mère leva sa tasse et but une gorgée.

– Tu te souviens, quand tu m'as raconté son escroquerie favorite ? dis-je.

– Hein ?

– Tu sais, cette histoire au supermarché…

– Ah oui. Les repas gratuits et le chariot plein de nourriture !

Une autre gorgée de café.

– Je ne me rappelle pas t'en avoir parlé.

– Si.

La pièce semblait s'étirer. Fenêtres laissant entrer deux fois plus de lumière, une excitation saturée m'envoyant dans un tête-à-queue euphorique. 180 °C devenant 360 °C, tournant encore, et je dus faire un effort considérable pour garder un visage neutre, tout en insistant :

– Tu me l'as raconté, Maman… Comment pourrais-je le savoir autrement ?

Et soudain, il y eut du champagne.

Avec un serveur. Grand et moustachu, apportant un seau plein de glace, et une bouteille de Dom Pérignon.

– Madame, c'est de la part du jeune homme, au comptoir.

Ma mère regarda derrière moi. Un sourire confus aux lèvres, elle repéra son bienfaiteur.

– Un peu jeune, je le crains, mais apparemment, il en pince.

Je me tournai sur mon siège. Focalisant mon regard, je tentai de ravaler une grimace. Pas très emballé de voir Olaf assis au bar. Avec un large sourire, il nous fit signe et retourna à sa boisson. Je retournai à ma mère en lui conseillant de faire renvoyer le champagne à son expéditeur.

– Gardez-le-moi au frais, dit-elle.

– Maman, ce type essaie de t'enivrer à 3 heures de l'après-midi. Ne lui parle pas.

– Qu'est-ce qui t'arrive ?

– Je dois m'occuper de quelque chose, répondis-je en me levant.

Je voulus attraper machinalement ma veste, avant de me rendre compte que je l'avais déjà sur le dos.

– En attendant, on se retrouve au *Blue Paradise* ce soir, pour le dîner. Sois-y à 7 heures.

– Au *Blue Paradise* ?

– Le meilleur restaurant de la ville. 7 heures tapantes. Pas une minute plus tôt.

– Eh… !

Ma mère fouilla dans son sac. En sortit une enveloppe et me la tendit. J'y jetai un coup d'œil. Elle portait des bandes imprimées. La retournant, je vis les mots TOP SECRET. Au marqueur rouge.

Je levai les yeux.

– Quand sommes-nous devenus des agents secrets ?

– C'est de la part de Paul.

– C'est une lettre de suicide ?

– Si c'en est une, c'est vraiment un suicide top secret.

– Je jure devant Dieu que je n'ai pas le temps de m'en occuper…

Je fourrai l'enveloppe dans ma poche et j'embrassai ma mère sur le front, à la hâte. Avant de sortir, je lui rappelai le dîner, l'heure et l'adresse. Je passai devant Olaf sans lui adresser l'ombre d'un regard. Au milieu du hall, j'entendis ma mère m'appeler. Me coupant l'herbe sous le pied. Je me retournai. Elle me rejoignit, un petit morceau de papier à la main. Me l'agita sous le nez.

Plus sérieuse que jamais.

– Que veux-tu que je fasse de ce chèque ?

– Quoi ?

– Le chèque que tu m'as demandé de ne pas déposer. Qu'est-ce que j'en fais ?

Je haussai les épaules.

– Épargne ton argent.

– Oui, c'est pour cela que ça s'appelle un compte d'épargne. Tu vois un meilleur moyen de payer l'université ?

– En fait, oui…

Je fis un clin d'œil.

– *Blue Paradise*. 7 heures.

– Pas plus tôt…

– Ça va être une sacrée soirée ! dis-je.

Je pris la porte et me retrouvai dans la rue.

En route pour retirer vingt-cinq paquets de la banque.

Sifflotant, le pas élastique. Pas besoin d'une calculette pour compter. La somme de toutes les parties montrant assez que 25 000 était un petit prix à payer pour ce que j'allais recevoir en retour.

47

Personne ne s'en sort jamais les mains propres

Ce fut un peu plus long que prévu. L'agence First Union la plus proche se trouvait à une demi-heure de route de Wilmington. Tout retrait supérieur à 10 000 nécessitait plusieurs chèques de garantie. De plus, il ne restait plus assez sur mon compte pour que je puisse le garder. Le directeur de la banque m'informa que je devais le fermer, ce qui ne me posait aucun problème. Je sortis de la banque avec tout ce qui me restait, soit 26 613 dollars. En glissai 25 000 dans un fourre-tout noir, que je jetai dans le coffre de la voiture. Encore une demi-heure pour le trajet retour, et il était presque 6 heures quand je me garai devant le *Blue Paradise*. Je réservai la table habituelle de Dromio auprès de Chaucer. Prenant exemple sur Olaf, je lui demandai de faire rafraîchir deux bouteilles de champagne. Quand Chaucer posa des questions, je lui répondis seulement qu'il y avait un certain nombre de surprises en perspective. Sans se démonter, il fit ce que je lui demandais.

Je retournai vers ma voiture.

Olaf était garé au bout de la rue. À l'affût derrière le pare-brise d'un camion de livraison appartenant à Big Niko. Il riva ses yeux dans les miens. Hochant la tête, je me mis au volant de ma voiture. Tacite compréhension. Olaf démarra, et je le suivis. Comme il m'avait suivi toute la journée. Jusqu'au *Hilton*, depuis le *Hilton*, et maintenant, on y retournait. Encore une rampe à remonter pour arriver au cinquième et dernier étage du parking.

Une fois garé, j'ouvris le coffre, en sortis le sac.

Traversai l'espace vide jusqu'au véhicule d'Olaf.

Peu de temps pour apprécier le panorama sur Cape Fear River. Vus de cette hauteur, les bateaux et les luxueux yachts ressemblaient à des jouets. Le soleil déclinant jetait des reflets orange sur l'eau, violets sur les immeubles. Un grand calme régnait sur les toits environnants, loin de la vie trépidante de Wilmington. Olaf s'extirpa de sa voiture, fit quelques pas vers moi et s'arrêta.

Sortit un Schimmelpenninck.

Souffla comme un vieux pot d'échappement quand j'arrivai vers lui.

Face à face, plantés à trois mètres de distance l'un de l'autre.

Pas une parole prononcée, toute négociation déjà terminée.

Olaf tira une bouffée de son cigare. La souffla et contempla l'effet produit.

Tourna les yeux vers moi.

– Tu es sûr que tu n'en veux pas un ?

– Un Schimmelpenninck ?

– Reconnais que tu aimes bien ce nom.

Je regardai autour de moi.

– Tu sais quoi ? Je vais t'en acheter un. 25 000, ça te paraît correct ?

– Ça fait plaisir à entendre.

Olaf sortit de sa poche la boîte de cigares. Il en tira un Schimmelpenninck et me le lança.

En visant à la perfection. Le cigare suivit une belle trajectoire et atterrit directement dans ma main tendue. Je le mis entre mes dents et l'allumai. C'était une tentative hasardeuse, je n'avais pas envie de ce goût sur la langue. Je soufflai comme une vieille locomotive en lui rendant son regard.

Olaf tendit la main.

– Mon fric ?

Je lui tins tête un moment. Tirai une autre bouffée avant de continuer :

– Qu'est-ce qui me dit que ce sera terminé ? Qu'est-ce qui me dit que tu ne vas pas recommencer dans deux mois ? Quand tu seras à sec ? Tu me donnes quelle garantie ?

Olaf laissa retomber son bras.

– Franchement, je sais bien que tu n'auras plus rien à me donner.

– Ma mère s'est pas mal mouillée dans cette histoire, elle aussi.

– Elle n'a pas grand-chose à partager. On ne tire pas de l'eau d'une pierre.

– Et Sara ?

– C'est sa mère à elle qui est riche, raisonna Olaf. Et je sais ce que tu penses, alors ne t'inquiète pas, je n'irai pas voir Esther Shaw. Si elle découvrait que sa fille s'est fait avorter, elle vous enverrait joyeusement en prison, ta mère et toi. Et qu'est-ce que ça nous apporterait ?

– Merci d'y avoir pensé.

– C'est pour l'université, Sebastian. Je n'ai jamais eu les moyens d'y aller, moi non plus. C'est comme ça.

Soudain, je me sentis furieux contre lui. Maintenant que la question de l'argent était réglée, je sentais le couteau me labourer le ventre. Malade de me rendre compte que je m'étais fait avoir, je me mis dans une rage pur jus. Pratiquement incapable de la contenir. Impossible de retenir les mots qui se déversaient brusquement de ma bouche.

– Mon père a grandi presque sans argent. Pas la moindre chance, exactement comme toi. Il est allé à l'université grâce à une bourse de basket-ball. Il l'a perdue et s'est retrouvé dans la rue. Mais il n'y est pas resté. Il s'en est sorti. Il s'en est sorti, et maintenant, il peut nourrir sa famille sans aucun problème. Parce que devenir adulte, ça n'arrive pas tout seul. Il faut le vouloir.

– Cette volonté, seuls les gens incroyablement privilégiés peuvent en parler, ricana Olaf. Il y a une chose que ton père a oublié de te dire : avant qu'il se décide à grandir, ça faisait un bout de temps que la vie ne lui avait pas laissé le choix. Si tu veux survivre dans ce pays, il faut avoir les dents plus grandes que le ventre. Tu as intérêt à te tailler un chemin à coups de griffes si tu veux te tirer de la tombe dans laquelle tu es né. Ne me raconte pas que ton père est devenu un type formidable, des années plus tard. Il a été exactement comme moi, Sebastian... personne ne s'en sort jamais les mains propres.

– Ce n'est pas une excuse ! hurlai-je.

– Je ne te présente pas d'excuses, dit Olaf, toujours aussi calme, imperturbable. Mais permets-moi de te faire remarquer que je suis le seul, ici, qui n'ait menti à personne. Alors s'il vous plaît, *Votre Honneur*, finissons-en, file-moi mon fric, et je te ferai l'honneur de ne pas aller voir ton père, quel qu'il soit.

C'était terminé.

Un oiseau vint se poser sur le parking. Regarda autour de lui et s'envola.

Olaf tendit la main.

Je jetai le sac, qui atterrit à ses pieds.

Olaf le ramassa.

L'ouvrit, heureux de voir ce qu'il voyait.

Le referma et tourna les talons.

Il rejoignit la camionnette, et je me dis que celle-ci n'allait pas retourner de sitôt chez Big Niko. Olaf ouvrit la portière. Je lui criai une dernière question :

– Qui est-ce qui t'a mis au courant ?

Olaf me regarda d'un air tout à fait raisonnable.

– Si ce n'était pas toi qui avais mis Sara enceinte, alors ce serait qui ?

Je hochai la tête. Je comprenais.

– Je suppose que tu ne le sauras jamais.

– Et que tu n'auras pas de réponse, toi non plus, alors bienvenue au club.

Olaf monta dans son véhicule et referma la portière. Je ne le quittai pas des yeux pendant que le moteur se réveillait. Puis je fis demi-tour et me dirigeai vers la rampe. Je l'empruntai, et le bruit du moteur s'estompa.

Je m'approchai du bord du parking.

Regardant en bas, je vis Olaf s'engager dans la rue. Respectueux de la vitesse limite. Des stops. Attentif au passage des piétons. Il ralentit pour laisser passer un groupe d'enfants. S'arrêta à un feu rouge. Mit le clignotant pour signaler qu'il allait tourner à gauche, avant de disparaître au coin de la rue.

Hors de ma vue.

– Amuse-toi bien, fils de pute ! murmurai-je. J'ai plus de choses qu'une nullité comme toi n'en aura jamais.

Je consultai ma montre. C'était bientôt l'heure.

Je descendis, me préparant pour le dernier acte.

48

Réunion de famille

Je dus faire plusieurs fois le tour.

Presque une demi-heure avant de trouver une place près du front de mer.

Trop tard pour me changer. Même pantalon que la veille. Mêmes chaussettes, mêmes sous-vêtements. Une simple veste entre ma peau nue et l'air du soir. Aucun vêtement de rechange dans le coffre ni sur le siège arrière. Pas le temps d'acheter quelque chose de sympa avant de me précipiter au *Blue Paradise*. M'exhortant à ne pas m'en faire pour ça, je passai à la vitesse supérieure. Le rideau allait bientôt tomber, à deux pâtés d'immeubles de là.

19 heures précises quand j'arrivai au coin de la rue.

Une longue file serpentant dans ma direction. Le *Blue Paradise* allait tourner à plein.

J'aperçus ma mère au bout de la file.

M'approchant d'elle, je l'entraînai.

– Viens avec moi, Maman.

– Eh, attends !

Elle trotta près de moi à pas pressés.

– Tu m'as fait perdre ma place dans la file !

– Ne t'en fais pas. Cette boîte m'appartient.

– Qu'est-ce que tu racontes ?

Nous passâmes devant Chaucer. Bloc-notes à la main, fouillant du regard sa liste des invités. Il leva les yeux et hocha la tête.

– Ils sont tous là, Jeremy.

– Bravo, Chaucer.

– Qu'est-ce qui se passe, Bastian ?... dit ma mère en s'arrêtant pile.

Mes pieds firent de même, s'arrêtant devant la porte du *Blue Paradise*.

– Attends un peu... Jeremy ?

Je posai une main rassurante sur son épaule.

– Pour trois ou quatre minutes encore.

– Après quoi je devrai t'appeler comment ?

– Il y aura une réponse à toutes tes questions, affirmai-je. Maintenant, en entrant ici, j'aurai besoin que tu ménages ton adversaire. Et promets-moi une dernière chose.

– Quoi encore ?

– De compter jusqu'à dix. Quoi qu'il arrive, promets-moi de compter jusqu'à dix avant de parler.

– Est-ce que j'ai le choix ?

Pour toute réponse, je la pris par le bras et l'entraînai à l'intérieur du *Blue Paradise*.

Une salle compacte nous accueillit. Toutes les tables étaient prises. Le bar débordait d'habitués, les serveurs couraient dans tous les sens. Les voix étaient à leur volume maximum. Le juke-box se déchaînait, recrachant l'énergie et l'excitation du restaurant enfumé de Dromio.

Un rapide coup d'œil de l'autre côté de la salle : Jeremy était assis avec les autres à la grande table. Rencontrant le regard de Dromio, je sentis que le moment approchait. Sans prendre le temps de me demander pourquoi son nez était bandé comme celui d'un poids lourd descendant du ring. Je pris une profonde inspiration. Poumons remplis, tête bouillonnante sous l'effet de l'adrénaline. Air ressortant précipitamment, me débarrassant de toute hésitation. Plus la moindre trace de peur, tandis que je me dirigeais à grandes enjambées vers le bar en distribuant quelques saluts rapides et silencieux aux frères O'Neill, au commissaire Hunt, à l'épouse de Chaucer...

Je priai le barman d'arrêter le juke-box.

Plantai le pied gauche sur un tabouret vide devant le comptoir.

Me hissai, le pied droit sur le barreau.

Les deux pieds bien calés, je fis face à la salle et criai par-dessus le brouhaha :

– MESDAMES ET MESSIEURS ! PUIS-JE AVOIR VOTRE ATTENTION, S'IL VOUS PLAÎT ?

Tous ceux qui se trouvaient à la table de Dromio se levèrent comme un seul homme. Alarmés, chacun laissant la conversation s'éteindre. Posant fourchettes et couteaux. Juke-box réduit au silence. Dromio, Jeremy, Nancy et Matilda se dirigeant vers moi à pas lents et inquiets. Christina sur leurs talons. Expression confuse et, soudain, tous les yeux se tournèrent vers moi.

Plus aucun bruit, à part les chaises que l'on tournait. Une toux étouffée.

– Merci !

Je pris quelques secondes avant de continuer :

– À ceux d'entre vous qui ne me connaissent pas, merci pour votre attention ! Et ceux qui croient me connaître, je souhaite leur annoncer que ce soir va marquer un tournant monumental dans ma vie. Depuis dix-huit ans, je suis une personne incomplète. Rien que moi et ma mère, qui a fait un si bon boulot en m'élevant que je ne m'étais même pas rendu compte qu'il me manquait quelque chose. Pourtant, c'était toujours là, quelque part dans ma tête. Rôdant autour de moi, les soirs où j'étais seul dans ma chambre à attendre que le téléphone sonne ou à essayer… essayer de finir le dernier paragraphe d'une dissertation. Je me posais des questions, je rêvais secrètement qu'un jour, je le trouverais. Pas mort, comme ma mère me l'a toujours fait croire, mais ressuscité par quelque miracle fantastique…

Je fis une pause pour produire mon effet. Je sentais mon auditoire vibrer, chaque personne buvant mes paroles.

– En fait… j'étais venu à Wilmington avec une seule idée : je voulais aider mon meilleur ami à faire ce que j'avais toujours voulu faire, et que je n'avais jamais pu faire. Mais finalement, ce soir, je peux dire…

Je baissai les yeux sur ma mère qui fixait sur moi un regard plein d'appréhension.

Dromio la rejoignit lentement, et ils se retrouvèrent côte à côte.

– Je peux enfin dire : « Maman, le moment est venu pour une réunion de famille. »

Je jetai un coup d'œil sur cet océan de visages grands ouverts, faisant déferler ma proclamation sur les loyaux sujets du *Blue Paradise*.

– Je m'appelle Sebastian Montero. Et voici...

Je fis un signe vers Dromio...

– Voici mon père.

Un long silence s'installa.

Regards choqués de Dromio et de ma mère, laquelle s'éclaircit la gorge.

– Un, deux, trois...

Jeremy s'approcha du bar.

– Sebastian, c'est terminé.

Nancy et Matilda sortirent en même temps de leur torpeur.

– Sebastian ?

– C'est la vérité, dit Dromio, une inquiétude douloureuse dans les yeux.

– Lui, c'est Sebastian, et lui, c'est Jeremy. Ils ont échangé leurs noms.

– Je n'ai pas pu mentir à mon père, m'expliqua Jeremy. Alors je lui ai tout dit ce matin, Baz. Tout. C'est terminé.

– Jeremy !

Sautant de mon perchoir, je me glissai jusqu'à lui.

– Tu ne comprends pas ! Dromio est aussi mon père. Tu es mon frère !

– Est-ce que vous êtes tous devenus fous ? hurla Nancy.

– ... neuf, dix.

Ma mère avait fini de compter.

– Sebastian, ce n'est pas ton père !

– Maman, arrête !
– Bastian…
– Il n'a sûrement pas changé tant que ça. Regarde-le bien !
– Bastian…
Elle prononçait mon nom comme si elle faisait une négociation avec un preneur d'otages.
– Je n'ai jamais vu cet homme de ma vie !
– Dromio ! dis-je d'un ton désespéré. Dromio, dites-lui !
– Bastian…
En entendant mon prénom dans la bouche de Dromio, je me sentis assailli par une première vague de doutes.
– C'est la première fois que je vois cette femme. Je crois comprendre que c'est ta mère ?
Je me mis à hurler :
– Arrêtez, tous les deux !
Je perdais mon sang-froid, mes certitudes érodées par les regards que les clients m'envoyaient. Regards sinistres, maintenant, ceux d'un millier de jurés peu convaincus.
– Arrêtez toute cette merde ! Comportez-vous comme des adultes, nom de Dieu ! Je me fiche de ce qui s'est passé il y a des années. J'ai besoin de vous deux ! criai-je.
– Bastian…
Ma mère avait retrouvé ce drôle de ton, essayant de m'éloigner du bord d'un toit, me parlant comme à un enfant.
– Que faut-il que je te dise pour te convaincre que cet homme n'est *pas* ton père ?
– Tu pourrais déjà m'expliquer pourquoi je suis exactement comme lui !

– Bastian…
– Il n'est pas assez bien ?
Je n'en pouvais plus d'entendre mon nom prononcé comme si je tenais un fusil entre les mains.
– Comment se fait-il que Dromio jouait dans la même équipe de basket que mon père ? Les Faucons bleus, tu l'as dit toi-même ! Comment se fait-il que tu connaissais l'escroquerie favorite de Dromio, le chariot plein de marchandises ? Arrêté quatre fois pour vol à l'étalage, il a évité la prison à chaque fois en faisant du charme ! Bon Dieu, tout concorde !
Ma mère était sous le choc. Une expression d'horreur absolue s'était emparée de son visage.
– J'aimerais que nous parlions de tout ça ailleurs.
– Non, Maman.
– Je t'en prie !
– Non, tu dois affronter la vérité.
Elle prit encore une profonde inspiration.
– La vérité, c'est que ton père est mort.
– Arrête avec ça. Mon père est là, à côté de toi.
– Non, il est mort… vraiment mort.
Elle baissa la voix, bien que cela ne changeât pas grand-chose pour la multitude de visages qui nous entourait.
– Il est mort en prison. Il avait été condamné comme faussaire six mois avant ta naissance.
Je restai hésitant pendant une minute. Me ressaisissant, je repartis à l'attaque :
– Alors, toutes ces histoires ? Tout ce que tu m'as raconté ? Comment ça se fait que Dromio soit exactement comme lui ?

Quelque chose dans sa façon d'hésiter me révéla tout. La qualité du silence environnant donna à son expression un air de compréhension blessée. On dit que la vérité délivre, mais il n'y avait vraiment rien de libérateur dans la main de fer qui me serrait le cou pendant que ma mère achevait de briser mes espoirs.

– C'est la vérité…

Elle respira profondément.

– Ton père est mort en prison. Il n'avait pas seulement été condamné comme faussaire… ce n'était pas un homme bon, et il aurait été pire en tant que père, et j'avais… honte d'avoir… je ne voulais pas que tu le saches, alors je t'en ai inventé un autre. J'avais besoin de quelqu'un de réel, d'un modèle, et c'est Brenda King qui me l'a donné, ce modèle. J'ai pris tout ce que j'ai pu du père de Jeremy, qui était parti depuis si longtemps, pour compenser ce qu'il y avait de mauvais chez le tien. Excepté Brenda, j'étais la seule personne à le savoir, et je n'aurais jamais cru… je n'aurais jamais cru qu'elle allait parler à Jeremy de son père. Je n'aurais jamais cru qu'il essaierait un jour de le retrouver. Et surtout, je ne pensais pas que c'était si important pour toi…

Ma mère eut une expression d'indéniable culpabilité.

– Je suis vraiment désolée, Bastian. Je croyais que c'était sans danger.

Un silence mortifié s'ensuivit.

La main qui m'étreignait la gorge fut rejointe par sa cousine, qui me donna un coup droit dans l'estomac. Enserrant des organes dont j'ignorais l'existence. Une sensation de bile monta, se répandit. Pas seulement dans ma gorge, mais dans mes jambes, bras, doigts, dans chaque partie de mon corps qui cherchait un moyen de vomir. De crier, de me répandre en injures contre ce que je venais d'entendre, et contre ce que j'avais entendu ma mère me raconter. Mais j'avais l'impression que mes cris allaient faire exploser ce lieu. Faire tomber les murs et s'écrouler le plafond sur une clientèle qui nous observait, muette. Je n'avais aucun moyen pour m'en sortir avec dignité, aucun moyen pour rassembler tout ça raisonnablement et l'accepter comme étant l'œuvre du destin. Les derniers jours s'effilochaient. Tout ce travail d'inventions et de réflexions intimes venant s'effondrer à mes pieds. S'égouttant comme la blessure d'un animal atteint par une balle.

Plus rien à déclarer.

Plus grand-chose à dire, mais je me tournai quand même vers Dromio, pour essayer.

– Je suis vraiment…

Je fis une pause, et recommençai :

– Je ne sais vraiment pas quoi dire.

– Moi, je sais !

La voix de Christina déchira le silence. Elle fondit sur moi, la bouche déformée par l'outrage.

– Je t'ai donné une chance, hier soir ! Tu aurais pu me dire quelque chose, à n'importe quel moment ! Je t'ai donné une chance !

Ma mère se racla la gorge…

– Je suppose que c'est ta petite amie.

Christina s'arrêta devant moi, et je fis l'impossible pour éviter son regard. Pour nier ce qui arrivait, au moment même où ça arrivait.

– Tu n'es qu'un tissu de mensonges !

Une gifle aurait été plus douce.

Une gifle aurait été mille fois plus douce.

Au lieu de m'en donner une, Christina me tourna le dos. Elle mit son sac sur son dos et s'éloigna, passa les portes du restaurant, les laissant claquer derrière elle.

Pas assez d'activité pour faire tourner la machine, et le *Blue Paradise* resta aussi immobile que le Colisée. Continua un bon moment ainsi, me prenant au piège. Je voulais bouger, mais j'avais peur de ce qui pouvait arriver si je le faisais. Réflexion-minute en scrutant chaque visage. Les frères O'Neill, le commissaire Hunt, Matilda, Dromio, et ma mère.

L'enfer est installé là où se trouve le cœur, et je me redressai.

Réunissant le peu de sang-froid que j'avais encore, je dis, sur le ton le plus raisonnable que j'aie jamais réussi à adopter :

– Désolé…

Je passai devant Dromio et ma mère. Devant Jeremy, évitant de le regarder dans les yeux. Me dirigeant tout droit vers la porte du *Blue Paradise*, premier d'une série d'objectifs. Le premier pas vers le lieu où j'allais aller, quel qu'il soit. Tête haute, pour une seule et unique raison : c'était la seule chose que je savais vraiment faire.

La porte derrière moi, les rues devant, où je finis par laisser tomber le masque.

Tournant à droite, je me mis à courir.

49

Je suis désolé pour ton père

Les blessures voyagent rarement sans leur compagne de toujours. L'insulte se joignit aux festivités sous la forme d'une place de parking vide.

Plus de voiture, juste une bouche d'incendie.

Je parcourus la rue des yeux, comme si mon véhicule pouvait se cacher quelque part.

Pour me jouer un mauvais tour.

Mais ce n'était pas le cas.

Je restai figé, sans prendre vraiment conscience de la situation. Ma voiture avait été embarquée, mais ce n'était qu'un problème supplémentaire. Un événement. Le genre de choses qui arrive.

Je me contentai de m'éloigner et de me balader.

Sans savoir que le vieux Wilmington couvrait une plus petite superficie que je n'aurais cru.

J'étais aveugle aux immeubles éventrés et aux usines qui avaient poussé tout autour.

Sourd aux pas qui arrivaient dans mon dos.

Et qui devinrent bien réels quand je fus saisi par derrière. Un grand nombre de mains, de bras me traînant dans une allée. Seulement mes sens et un éclairage voisin pour m'informer de cette soudaine embûche. Brusquement, je me retrouvai libre, debout devant un groupe de personnes. Vêtues de chemises de polo pastel. L'une d'elles s'avança, le regard coléreux décorant un sourire féroce.

– Hé, là, Bradley…

Bradley hocha la tête, cet acte semblant faire bander ses biceps.

– Il serait temps que tu apprennes mon nom, Johansson.

– Ouais, à propos…

Ma patience était à bout malgré le vide qui gonflait en moi à chaque seconde.

– Je ne sais pas ce que tu as contre moi, mais finissons-en tout de suite. Et si nous devons en finir tout de suite, pourquoi ne pas le faire rien que tous les deux, toi et moi ? Laisse ces losers en dehors de ça. De toute façon, tu es le seul vrai bagarreur de la bande, je crois bien ?

Bradley avança, me rappelant une fois de plus mon mètre soixante-quinze.

– Tu crois vraiment que tu peux m'affronter ?

– Non. Tu n'as qu'à me balancer ton coup le plus réussi, si tu penses que ça fera l'affaire.

Je vis moins son poing que je ne le sentis.

Une douleur aveuglante se répandit dans ma joue, convoquant des étoiles devant mes yeux.

Pas plus de quelques secondes pour comprendre que, s'il n'existe que douze règles dans la boxe, il y en a en réalité treize de plus en dehors du ring. Pas de round, pas de minuteur, pas d'arbitre. La bagarre était improvisée, sans scrupules, et plus rapide que les battements de cœur d'un colibri. Pas de ballet, rien qui se rapproche du charleston. Rien qui puisse se rapprocher d'une quelconque chorégraphie. Seule, une fureur aveugle, qui prenait la forme de la curiosité : combien de temps une personne peut-elle se faire bourrer de coups ? Les veines brûlant sous la peau jusqu'à ce que l'un des deux se retrouve par terre.

C'était peut-être une histoire de génétique. Ou un don que je ne me connaissais pas. Peut-être simplement les vannes qui venaient de s'ouvrir. Le choc et la dépression fatiguée donnant naissance à une rage soudaine. Aveuglée par les espoirs et les échecs spectaculaires des derniers jours, une chaleur hurlante semblait monter directement de sous mes paupières, alimentant des poings dont je ne m'étais jamais servi. Chaque erreur et chaque faux pas envoyant de solides coups sur la mâchoire de Bradley, l'œil droit, le menton, une véritable explosion à chaque fois qu'ils s'abattaient. Ceux de Bradley laissaient leur trace quelque part au beau milieu de tout ça, mais sans que je les sente. Je ne voyais plus grand-chose, à part des couleurs brouillées, zébrées de lueurs fulgurantes. Rien de concret qui puisse s'attacher à ma mémoire, car en un clin d'œil, Bradley rendit mon visage méconnaissable. La seconde suivante, je me trouvais au-dessus de lui. Avec plusieurs phalanges fendues. Les lèvres en mauvais état. Impossible d'évaluer les dommages sur le reste de mon visage, mais je m'attendais à avoir des ecchymoses au lever du soleil.

La lumière blanche de la rue brillait sur la face meurtrie de Bradley.

Le sang jaillissait de son nez.

Ses dents étaient rouges.

Ses acolytes nous fixaient, n'en croyant pas leurs yeux.

Probablement aussi novices que moi à ce petit jeu. Debout près d'un Bradley cloué au sol, comme ils auraient attendu le bus.

Une victoire évidente, mais pas si importante que ça.

La colère décroissait, retombant plus vite que le taux de sucre d'un diabétique.

Pas un seul problème résolu, rien de changé.

Pas une seule modification identifiable dans ces quelques secondes de bagarre.

– Bradley…

Mon souffle sortait par vagues saccadées. J'étais haletant, les lèvres maculées de sang.

– Bradley, qu'est-ce que je t'ai fait ?

– Ton père…

Bradley fit un effort pour se soulever, cracha un peu de sang. Roula sur lui-même et réussit à se mettre à quatre pattes.

– J'ai été obligé de travailler depuis mes dix-sept ans pour aider ma famille, grâce à ton ordure de père.

Je levai les yeux.

Étalage de visages privilégiés et incrédules pour témoins.

Baissant de nouveau les yeux, je vis que Bradley était arrivé à s'asseoir. Son visage défait tourné vers moi, il me jeta un regard plein de défi. Soufflant par la bouche grande ouverte.

– Le *Blue Paradise* était à eux. À ton père et au mien. Ton père a obligé le mien à se retirer de leur partenariat, il ne lui a même pas racheté ses parts… Mon père est resté la tête sous l'eau depuis, Johansson. Est-ce que tu imagines un peu ce que ça veut dire ?

– Je ne suis pas le fils de Dromio.

Interloqué, Bradley arriva tout juste à bredouiller :

– Quoi ?

– C'est tout faux. Je ne suis pas le fils de Dromio Johansson. Je m'appelle Sebastian Montero.

– Alors pourquoi… ?

– Dromio a un fils, nommé Jeremy. Et Jeremy n'est pas responsable des actes de son père. Exactement comme ton père n'est pas responsable du passage à tabac que tu viens de me faire subir. Et j'aimerais bien que tu te rappelles une chose, Bradley : quand tu rencontreras Jeremy Johansson, n'oublie pas ce que je viens de te dire…

Je lui tendis la main.

Il l'ignora, et c'est triste à dire, mais je compris.

Tournant les talons, je m'éloignai.

M'arrêtai et fis volte-face.

Bradley s'était mis debout.

– Je suis désolé pour ton père, Bradley. Crois-moi, je le suis vraiment.

Et cette fois, je m'en allai. Je quittai l'allée pour m'enfoncer dans les rues industrielles, tandis que les nuages s'amoncelaient.

Et il se mit à pleuvoir…

50

L'homme qui avait un plan

Je me retrouvai devant l'immeuble de Christina.

Sa porte fermée à clé.

J'attendis quelques instants. Redescendis l'escalier et sortis sur le trottoir. Levai les yeux. Pas de lumière chez elle.

La pluie tombait, légère mais serrée. Prévisible jusque-là. Mais brusquement, la nuit s'exprima par des trombes d'eau, d'énormes gouttes témoignant que je n'étais pas le bienvenu. Giflé par la pluie, cheveux, vêtements et chaussures trempés. Mais ce n'était rien qu'un désagrément de plus, et je préférai ignorer le gargouillement des caniveaux.

Criant contre la bourrasque, j'appelai Christina. J'attendis sous le déluge, et c'est sa propriétaire qui apparut.

– Fichez le camp d'ici ! hurla-t-elle depuis la véranda. Sortez de ma propriété avant que j'appelle la police ! Christina n'est pas chez elle !

Techniquement parlant, je n'étais pas dans sa propriété, aussi je recommençai à appeler.

– Partez d'ici ! beugla encore Mme Banes.

J'aurais pu insister. Sans me soucier des conséquences, hurlant à pleins poumons jusqu'à ce que les événements décident d'y mettre un terme.

Je cessai à la vue de deux phares qui se rapprochaient.

Lentement.

La vitre d'une BMW descendit et une voix familière appela :

– Bastian !

Me détournant de l'immeuble de Christina, je clignai des paupières, chassant l'eau de mes yeux, et lorgnai la voiture.

– Cesar ?

– Hé, Bastian ! cria-t-il encore.

– À qui est cette bagnole ?

– À Nicole ! Dépêche-toi de monter, il pleut !

J'obtempérai et me laissai tomber sur le siège de cuir. L'eau dégoulinait de partout, recueillant un éclat de rire de Cesar, qui avait redémarré.

– Bon sang, qu'est-ce qui t'arrive ?

Ayant oublié à quoi ressemblait mon visage, j'improvisai une vague réponse.

– Entendu dire que tu serais à Wilmington, annonça-t-il.

Il sourit.

– Je savais bien que ce n'était qu'une question de temps avant qu'on se revoie.

J'approuvai.

– Où vas-tu ? demanda-t-il.

– Est-ce que tu peux me déposer à Wrightsville Beach ?

– Ça me fera un petit détour, mais si je considère la façon dont ça s'est passé avec Nicole…

N'attendant rien d'autre comme accompagnement sonore que le bruit des essuie-glaces, je croyais qu'il allait en rester là.

– Tu veux savoir si ça s'est bien passé ? demanda-t-il.

– Comment ça s'est passé, Cesar ?

– Je n'arrive pas à y croire ! La semaine a été fantastique !

Seulement des pensées heureuses répercutées par les vitres.

– Bon sang, Sebastian, tu es vraiment génial ! Nicole et moi… c'est comme dans un film, quand il y a une véritable histoire d'amour, tu vois ce que je veux dire ? Mais là, c'est pour de bon, c'est dans la vie ! Et c'est à toi que nous le devons, Bastian. L'homme qui avait un plan. Au fait, il faut que je te dise : Hamilton a reçu un coup de téléphone de Monsieur Wallace pour le féliciter. Il paraît que sa dissertation est une des meilleures qu'il ait jamais lues. Hamilton m'a dit qu'il n'avait pas écrit un seul mot avant le cours, vendredi, alors comment as-tu fait pour réussir ce coup ?

Je ne comprenais rien à ce qu'il me racontait. Il me fallut quelques secondes pour me rappeler. J'étais chez Big Niko avec Jeremy. Nous mettions au point notre plan génial. Mon plan génial, pour le protéger de son propre père. Photographies de la nouvelle famille de

Jeremy et rapports complets jonchaient la table pendant ces préparatifs d'avenir.

Hamilton s'était approché de nous. Un parmi tant d'autres venant de temps en temps me demander un peu d'aide. Il n'avait pas encore couché un seul mot sur le papier pour la dissertation de littérature britannique demandée par M. Wallace. Il avait plaidé désespérément pour que je le tire d'affaire.

Cela me parut remonter aussi loin qu'avant J.-C. Une date enterrée sous tant de couches d'histoire qu'elle perdait de son importance…

Mais je sentais que Cesar attendait des détails.

Aussi, je levai les yeux, contemplai des lueurs fugitives sur le plafond…

– C'est un vieux tour… dis-je platement, d'un ton 100 % monotone. Je n'en parle qu'à une ou deux personnes chaque année. Voilà : tu es en retard pour ta dissert. Tu n'as rien écrit. Tu connais ton sujet, tu sais comment tu vas commencer. Alors tu imagines l'argumentation de la fin. Le sujet de Hamilton était : « Et si Shakespeare était une femme ? » Je lui ai dit que la dernière ligne de son papier devait être : « En résumé, Othella n'aurait pas été un foutu bonhomme. »

Je fis une pause, sans me soucier vraiment de ce que je disais.

– Ensuite ? demanda Cesar en tournant à gauche.

– Tu tapes la dernière phrase de ta dissert en haut de la page, que tu numérotes en bas. Mettons que c'est la page 9. Tu poses deux agrafes en haut de la page. Au début du cours, quand tout le monde rend son papier, tu glisses ta feuille au milieu des autres. Au moment où le professeur les lit, il va trouver ta dernière page, et il va croire que les autres feuilles se sont détachées. Le temps qu'il te demande de les lui donner, tu les as écrites grâce au sursis que ce petit tour t'a laissé…

Mes paroles dégoulinaient dans le silence. Je n'avais pas envie de souligner cette démonstration par un effet dramatique. Pourtant Cesar aurait bien aimé, j'en étais sûr. Il était penché en avant, les deux mains sur le volant.

Au lieu de continuer, je lui demandai une cigarette.

Cesar ne fumait pas. Il suggéra un arrêt au bureau de tabac.

Je lui dis de laisser tomber. Imbibé d'eau, mon cerveau morne tournait douloureusement à vide. Prêt à continuer le trajet en silence. Mais Cesar m'abreuvait de louanges. Me faisait le rapport de l'aide que j'avais apportée à d'autres personnes, autres histoires réussies. Revenant toujours à la bonne tournure que les choses avaient prise entre Nicole et lui. J'accueillais ces paroles en hochant poliment la tête, les renvoyant aussitôt. Ce n'est qu'en arrivant sur le pont de Wrightsville qu'il me parla de Sara.

– Quelle est ton idée ? demandai-je.

– Elle a peut-être fait une fugue. Si j'ai bien compris, elle a dit à sa mère qu'elle allait dormir chez une amie. Ce matin, son amie a dit qu'elle n'était pas au courant. Et personne ne sait où Sara est passée.

– C'est tout ? dis-je.

Remarquant que la pluie avait dédaigné Wrightsville Beach. Et qu'il y avait quelque chose dans ma poche à la place des cigarettes…

– C'est tout ce que je sais, admit Cesar.

Une enveloppe.

À peine touchée par la pluie. Couverte de bandes de papier imprimé. Les mots TOP SECRET tracés au marqueur rouge.

– Tu devrais appeler la mère de Sara, conseilla Cesar pendant que j'examinais l'enveloppe. Il paraît qu'elle te cherche. Et ta mère aussi. Elle doit être dans tous ses états.

Je déchirai le papier. L'ouvris et lus la lettre sans la sortir.

Pas besoin de la lire deux fois.

En soupirant, je montrai silencieusement la maison de Dromio.

– Wahou, Bastian !

Assez impressionné, Cesar s'engagea dans l'allée, baissant la tête pour avoir une vue d'ensemble du bâtiment.

– Apparemment, on a de la veine tous les deux, pour les vacances de Pâques.

– Ouais.

Je descendis de voiture.

– À bientôt, Cesar.

– Sois sage, Bastian…

Au lieu de refermer la portière, je me penchai vers lui.

– Eh, Cesar ?

Il coupa le moteur.

– Ouais ?

– C'est ton père ou ta mère qui a traversé la frontière du Mexique ?

– Ma mère.

– Mmm…

– Pourquoi ?

En réalité, je ne savais pas pourquoi je lui avais posé cette question.

– Je me disais juste que, pour un tas de gens, la mère fait partie du décor.

Cesar médita. Et finit par hocher la tête.

J'en fis autant avant de refermer la portière.

Je l'entendis démarrer pendant que je grimpais l'escalier.

Entrai dans la maison déserte en même temps qu'une rafale de vent solitaire aux effluves salés.

51

Bravo, mon vieux !

J'appelai Esther Shaw tout de suite après m'être changé. Il était 21 h 45 quand elle répondit. Malade d'angoisse. Une vraie épave, elle devait verser une larme par parole. J'arrivai à la calmer. Lui dis que ma mère se trouvait au *Hilton*, à Wilmington, mais que ce n'était pas la peine qu'elle l'appelle. Qu'il valait mieux qu'elle s'adresse à la police, pour lancer la recherche d'un homme de vingt-cinq ans, de type caucasien, nommé Olaf Stevenson. Qu'elle dise à la police de téléphoner à Big Niko, qui devait avoir une foule d'informations sur lui.

– Trouvez Olaf, et vous trouverez Sara, lui dis-je.

Coupant court à d'autres questions, j'annonçai que je rentrais le lendemain.

Je raccrochai et baissai les yeux sur la lettre de Paul Inverso.

Numéro griffonné dans le coin inférieur droit.

Je le composai. Écoutai sonner l'appareil en observant la cuisine, et en essayant de me rappeler à quoi ressemblait la mienne. Retour à Durham. Retour dans un lieu où, finalement, il s'avérait que j'étais chez moi.

Un répondeur prit mon appel. M'annonçant que j'étais bien chez Paul, et que j'aille droit au but.

J'arrivais à peine au milieu de ma première phrase quand il prit l'appareil.

– Bon Dieu, Sebastian !

Il paraissait inquiet, presque bouleversé.

– Où étais-tu passé ?

– À Wilmington.

– Ça, je le sais.

L'inquiétude s'effaça, remplacée par l'irritation.

– Ça fait quatre jours que j'essaie de te contacter !

– Je sais. Excuse-moi. C'est vrai, je suis désolé.

– Tu as eu ma lettre ?

– Ouais…

Je baissai de nouveau les yeux. Une évidence désastreuse me renvoya mon regard.

– Comment l'as-tu découvert ? demandai-je.

– Quand nous sommes allés à la clinique. Après le départ de Sara habillée en coursier, une infirmière… s'est mise à flirter avec moi. Le vendredi, je suis retourné la voir. On s'est donné rendez-vous pour samedi, et c'est ce jour-là qu'elle m'a demandé des nouvelles de Sara. Je lui ai parlé de la situation, et elle m'a expliqué que Sara avait dû avoir une grossesse nerveuse.

– Une grossesse nerveuse ?

– C'est quand une femme croit dur comme fer qu'elle est enceinte.

Je poussai un soupir.

– Sauf que ce n'était pas ça ?

– Oui. Selon cette infirmière, Sara s'est contentée de rester assise dans la salle d'attente. En disant qu'elle attendait quelqu'un. Elle n'avait pas de rendez-vous pour une IVG, ni pour une consultation. Sara savait qu'elle n'était pas enceinte, et je n'arrive pas à comprendre…

– C'est bon, Paul. Il n'y a plus rien à comprendre. Ne te fais plus de souci.

– Sebastian, sais-tu seulement ce qu'ils demandent en Caroline du Nord, pour le consentement parental ?

J'hésitai un instant.

– Le consentement parental ?

– Tu croyais vraiment qu'il suffisait d'un simple morceau de papier signé ? demanda Paul.

Encore plus sombre, la suite me fit rentrer la tête dans les épaules.

– Les parents doivent confirmer leur consentement devant le toubib, et le consentement doit être *écrit* aussi bien que *signé* par les parents. Il n'y a pas de formulaire tout prêt, comme celui que Sara t'a donné, en tout cas pas dans l'État de Caroline du Nord, et probablement dans aucun État. Est-ce que tu as pensé à vérifier ça ?

Fermant les yeux, j'appuyai le front au mur. Revoyant le visage innocent de Sara, son regard qui reléguait le moindre soupçon au bord de la route.

Ce qui était sûr, c'est que je n'arriverais jamais à en rire.

– Bastian, tu es là ?

– Oui, Paul. Rends-toi un petit service…

Je reniflai, avant de me ressaisir.

– Ne raconte cette histoire à personne. Ni ce que tu viens d'apprendre, ni comment tu l'as appris. Ça va barder à Durham, et je n'ai vraiment pas envie de te voir pris dans la tourmente.

– Écoute, Bastian...

Maintenant, Paul était fou furieux.

– N'essaie pas de te débarrasser de moi!

– Je ne me débarrasse pas de toi.

J'ouvris un tiroir, y trouvai un paquet de cigarettes.

– Je l'ai fait avant, mais je ne croyais pas que tu... D'ailleurs, qu'est-ce que ça change? Tu as été très bien, Paul.

J'allumai la cigarette et jetai l'allumette dans l'évier.

– Sérieusement, tu as fait du bon boulot. Tu peux être fier de toi.

Paul ne répondit pas.

Je crus que la ligne avait été coupée, qu'il avait raccroché.

Mais brusquement, il dit à voix basse:

– Merci.

– Merci à *toi*.

– Est-ce que tout va s'arranger avec Sara et...

– Fais-moi confiance, Paul. Tu n'as pas envie d'être mêlé à ça. Et cette conversation n'a jamais eu lieu.

– Quelle conversation?

J'essayai de sourire, mais impossible à cause des entailles sur mes lèvres...

– Bravo, mon vieux.

Je raccrochai. Posai le téléphone sur son support et m'avançai au milieu du salon. Le luxe qui m'entourait n'était plus qu'un étalage de confort hostile. Divans profonds, tapis blanc, un lieu de loisirs qui me rejetait. Je marchai vers les portes de verre. En fis glisser une et sortis sur la véranda. M'approchai de la balustrade. La lune, elle, allait peut-être apprécier ma compagnie.

Je levai les yeux sur l'horizon.

1 613 dollars en poche.

Tout ce qui restait de mon avenir.

Ecchymoses, phalanges effilochées... commencèrent à attirer mon attention.

Pensées distantes de Olaf et Sara.

Où se trouvaient-ils en ce moment précis ?

Difficile de ne pas reconnaître qu'ils s'étaient magnifiquement payé ma tête.

Et je me posai la question : quand avaient-ils commencé à mettre au point le sale tour qu'ils m'avaient joué ?

En sachant que je ne pouvais pas refuser d'aider Sara.

Que je ne poserais aucune question, que je pouvais faire n'importe quoi.

Que j'étais simplement comme j'étais...

La marée remontait, et mes pensées finirent par se tourner vers Dromio.

52

Ultime interlude

Voici ce que Dromio me raconta…

Après l'heure de la fermeture, même scène familière.

Dromio et sa famille prenant un verre à leur table. Chaucer derrière le comptoir, comptant les additions. Faisant l'inventaire. Quelques employés mexicains balayaient, avant de pointer. Apparemment, personne n'avait pensé à remettre le juke-box en marche après mon départ, mais les accents d'une radio latino en sourdine s'échappaient de la cuisine. Salsa et samba, qui ne produisaient aucun effet sur ma mère. Assise au bar, les doigts inertes, pas un seul ne battant la mesure sur le comptoir. Le verre à la main, elle était perdue dans ses pensées.

Elle ne vit pas Dromio s'asseoir à côté d'elle.

– Ça va, Anita ?

Elle but une gorgée et fit claquer ses lèvres.

– Ce n'est pas de moi qu'il faut vous inquiéter.

– Il ira bien, dit Dromio en effleurant le pansement sur son nez. Bastian est un artiste.

– Bastian a dix-huit ans.

– Écoutez, je sais que la situation nous a échappé…

– À qui la faute ? rétorqua ma mère. Vous saviez depuis le début qu'ils avaient échangé leurs identités ! Vous avez dit que Chaucer vous avait fourni un dossier complet sur eux, avec photos à l'appui !

– Deux étrangers qui tombent du ciel ? Vous imaginez bien que je savais de quoi il s'agissait.

– Oui, mais comment Jeremy et Sebastian étaient-ils censés le savoir si vous ne le leur *disiez* pas ?

– Ils ne faisaient pas ça uniquement pour s'amuser, Anita.

Dromio avait baissé la voix.

– Ils avaient leurs motivations, et la mienne, c'était de ne pas faire fuir mon fils en l'effrayant.

– Et *mon* fils ?

– Je suis sûr que ça lui servira de leçon.

Ma mère faillit recracher sa boisson.

– Que ça lui servira de leçon ?

– Comment ? demanda Dromio en lui tendant une serviette. Vous n'avez jamais envoyé Sebastian dans sa chambre sans dîner ?

– Ça, c'est une punition, l'informa-t-elle en ignorant la serviette. Vous avez puni mon fils parce qu'il a voulu vous berner. C'est son châtiment. N'essayez pas de faire passer ça pour une leçon que vous auriez eu le droit de lui donner. Quoi qu'il ait pu croire, vous n'êtes pas son père.

– Où peut-il bien avoir trouvé cette idée ?

Ma mère avala le restant de sa boisson. Posa le verre et se leva brusquement.

– Combien je vous dois pour le dîner ?
– Vingt-cinq cents.
– Envoyez la facture à mon bureau, dit-elle.
Elle repoussa vivement le siège sous le comptoir.
– Et pour les boissons ?
– C'est la maison qui les offre.
– J'espère bien !
Elle regarda de l'autre côté de la salle, derrière les chaises posées à l'envers sur les tables vides. Appela Jeremy.
– Quand tu verras Bastian, dis-lui qu'il a toujours sa chambre à la maison !
Sur ce, elle se dirigea vers la porte.
Qu'elle essaya d'ouvrir, avant de se souvenir qu'elle était fermée à clé.
Chaucer apparut à côté d'elle comme par magie. Un tour de clé, et elle se retrouva dans la nuit.
Laissant Jeremy avec sa nouvelle famille, et Dromio debout près du bar.
Une autre soirée qui tirait à sa fin dans la vie du *Blue Paradise*.
Du moins, c'est ce que Dromio me raconta.

53

Ce n'est certainement pas fini

Quelqu'un m'enveloppa dans une couverture, et je revins à moi.

Une lune voilée m'apprit qu'il était bientôt minuit. Peau moite, à cause de l'humidité inhabituellement élevée du bord de mer. Les bandes en plastique d'une chaise de plage m'entraient dans le dos. Dromio assis au pied. Me proposant une bouteille d'eau. Je la pris, en fis descendre une longue gorgée. La posai à côté de moi et remis mes bras sous la couverture.

Quelques minutes s'écoulèrent.

Lui et moi laissions l'océan s'exprimer.

Une lumière s'alluma derrière l'une des fenêtres, au-dessus de nous.

S'éteignit.

– Je n'ai pas vu ta voiture dans l'allée, dit Dromio.

– Elle a été embarquée à Wilmington.

– Comment es-tu arrivé ici ?

Je haussai les épaules.

– Je suppose que vous le savez déjà.

– Comment ça ?
– Je me suis mis à réfléchir, ce soir.
– À quoi ?
– Au whisky, répondis-je. Je me rappelle quelqu'un, au *Blue Paradise*, me disant que je devrais apprécier ce que j'avais, parce que parfois, il suffisait d'une semaine pour tout perdre. Imaginant une jolie petite métaphore avec le whisky pour me parler de ce qui allait m'arriver. Je lui ai demandé aussi s'il savait lire les lignes de la main, et il a éludé ma question en riant. Je suppose que j'aurais dû comprendre d'une façon ou d'une autre, à ce moment-là, mais… ce n'est que maintenant, rétrospectivement, que j'en suis vraiment sûr. Un homme de votre influence, un ex-détective responsable de votre restaurant, et un gamin arrivant de nulle part et prétendant être votre fils…
– Ah…
Dromio s'avança vers la balustrade. Se tourna pour me faire face.
– Alors, tu sais tout sur moi ?
– J'ai fait comme vous. Un rapport complet sur vous et votre famille, avec photographies et tout le reste. Mais je ne m'attendais pas à ce que vous soyez aussi… enfin… comme vous êtes.
– Préparé.
– Ça tombe sous le sens.
– C'est ce que j'ai expliqué à ta mère.
Je relevai les genoux sous mon menton.
– Elle est furieuse contre moi ?
– Et toi, tu es furieux contre elle ?
– Oui…

J'écoutai les bruits qui m'entouraient, guettant autre chose que le va-et-vient des vagues.

– Mais je suppose qu'on ne pourrait pas tomber sur quelqu'un qui ne soit pas coupable, dans cette ville. Sauf Christina, peut-être… Christina est définitivement une victime.

– Les victimes ne sont pas toujours innocentes.

– Qu'est-ce qui est arrivé à votre nez ?

– J'allais te poser la même question à propos de ton visage.

– Une collision avec Bradley.

– Oh…

– Ouais… Il paraît que vous avez viré son père d'une société par actions qui s'appelait le *Blue Paradise*.

– Il m'avait volé, dit Dromio.

Des mots directs, sans une once de regrets ou d'excuse.

– Il avait détourné de l'argent, et si je ne m'en étais pas rendu compte, il se serait retrouvé en prison. Je ne voulais pas que ça arrive, mais je ne voulais plus de lui comme associé. Je n'allais certainement pas lui racheter ses parts après ce qu'il venait de me faire, alors je lui ai gentiment montré la porte… C'est les affaires qui veulent ça, on ne fait pas toujours ce qu'on veut.

– Intéressant à entendre, de la part d'un homme qui tient un restaurant socialiste.

Dromio me jeta un coup d'œil.

– Tu as vu une enseigne devant mon restaurant marquée « Paradis rouge » ? C'est une affaire, Sebastian. Rien d'autre. Je donne un bon salaire à mes serveurs pour m'assurer qu'ils n'auront pas besoin d'aller vers quelqu'un d'autre pour gagner leur vie. Grâce à mes profits, j'ai une maison à Wrightsville Beach, trois voitures, des investissements substantiels, un compte d'étudiant pour ma fille et, maintenant, un pour mon fils. Démontre-moi qu'un socialiste dépense son argent autrement, et alors je chercherai peut-être une résidence en utopie.

– Je me fiche pas mal de vos idées politiques, l'informai-je. Capitalisme versus altruisme. Avantage personnel versus désintéressement. Ça m'est égal que votre restaurant soit une mine d'or qui se fasse passer pour la forêt de Sherwood. Ça ne me dérange pas que vous embauchiez des clandestins, tant que vous les payez bien. Et si Bradley veut vous faire des reproches à vous plutôt qu'à la nature des affaires, c'est son problème.

Balançant mes jambes hors de la chaise longue, je m'assis.

– Ça fait plusieurs années que je suis tout, sauf quelqu'un qui sait tirer juste. Je l'admets sans en demander pardon…

– Vraiment ?

– Qu'est-ce que vous pouviez bien gagner en jouant avec moi de cette façon ? demandai-je.

– Un fils.

– Arrêtez. Vous l'aviez dès le premier jour, et vous le saviez. Vous auriez pu arrêter cette comédie, et ça n'avait rien à voir avec le fait de gagner un fils.

– J'ai eu Jeremy dès le premier jour, et tu le savais, toi aussi. Tu aurais pu tout arrêter, mais tu voulais un père. Alors, arrête de jouer à ce petit jeu, Bastian. Qu'est-ce que tu veux réellement ?

Dromio et moi, nous étions comme deux étrangers dans un train. Quatre jours d'affilée sous le même toit, et pas plus en terrain de connaissance qu'avant de nous rencontrer. J'avais l'impression d'être un client dans l'hôtel de Dromio, rien de plus. Et Dromio n'était rien de plus qu'un directeur. Quatre journées consécutives à essayer de se connaître, et tout semblait n'être qu'un lien imaginaire entre n'importe quel pékin et son client.

Personne ne s'en sort jamais les mains propres.

C'était suffisant pour me décourager. Pour chambouler ma vie et me pourrir les idées.

– Vous n'étiez pas obligé d'être si accommodant, arrivai-je à dire.

J'avais l'impression que ma voix se traînait sur les planches de bois qui me soutenaient.

– Vous n'étiez pas obligé de me parler comme vous m'avez parlé au *Blue Paradise*. Vous n'étiez pas obligé de me traiter comme si j'étais vraiment votre fils.

Dromio hocha la tête.

C'était peut-être une erreur de ma part, un signe mal interprété dans l'obscurité, mais j'aurais juré qu'il était sur le point de me dire autre chose avant de déclarer :

– Je ne m'attends pas à ce que tu comprennes tout immédiatement.

– Pendant tout ce temps… m'avez-vous dit une seule chose qui ne soit pas un mensonge ? Est-ce que je vais repartir en ayant au moins un petit bout de vérité ?

– La vérité…

Dromio soupira et leva les yeux sur les nuages qui filaient.

– *Un mélange ingénieux de désir et d'apparence.*

– Y a-t-il quelqu'un dans cette ville qui ne puisse pas citer Ambrose Bierce ?

– La vérité est beaucoup plus intangible que quelque chose que tu peux emporter, dit Dromio avec force.

Et avec une conviction qui ressemblait à de la foi, teintée de passion.

– C'est là que le mensonge entre en jeu, poursuivit-il. Il tient juste dans le creux de ta main, tu peux presque le goûter. C'est ce qui permet à la Terre de continuer à tourner. C'est ce que font les gens comme nous.

– Les gens comme nous ?

– Tu l'as affirmé toi-même, Bastian. Toi et moi, nous sommes absolument identiques.

– Oubliez ça, dis-je tandis que les nuages commençaient à s'éparpiller.

Je quittai ma chaise, laissant tomber la couverture à mes pieds.

– Oubliez ça, Dromio. Il n'y a aucune chance pour que je vive de cette manière.

– De quelle manière ?

Je fis une pause. Je n'avais pas vraiment besoin de réfléchir, il suffisait de le dire…

– Comme vous.

– Alors tu vas devoir changer, Bastian. Que tu le veuilles ou non.

– Comme vous avez changé après avoir quitté la mère de Jeremy ? Ce « grand événement » qui vous a forcé à grandir pour que vous vous sentiez mieux avec vous-même et votre grande sagesse ? Alors vous vous êtes installé, vous avez fondé une famille. Vous ne volez plus dans les supermarchés, vous parlez gentiment à vos clients. Vous ne vous amusez plus avec d'autres femmes, mais vous vous amusez avec tous les gens qui vous entourent. Honnêtement, Dromio, pouvez-vous me citer une seule différence fondamentale dans votre personnalité, au bout de dix-huit ans?

Je n'avais pas eu l'intention d'en arriver là. Mais en voyant le changement d'expression de Dromio, je n'eus vraiment pas envie de me rétracter. On jouait cartes sur table. Il ne s'agissait plus de bluffer. Dominant Dromio encore assis, l'observant pendant qu'il affrontait les faits. Affronter les faits, et peu importait qu'ils soient voilés par le temps et la distance.

Une vague gigantesque vint s'écraser sur la plage quand Dromio se contenta de lever les yeux sur moi avec un sourire satisfait.

– J'ai vraiment changé, Bastian… crois-moi.

Il se leva, remonta son short.

– Mais je n'ai certainement pas fini. Pas plus que toi, d'ailleurs.

Dromio retrouva son mètre soixante-quinze et se dirigea vers la porte.

S'arrêta sur le seuil.

Me tournant le dos.

– Permets-moi d'ajouter ceci: rien ne dit que cette conversation sera la dernière entre nous, conclut-il.

– C'est une promesse ou une menace?

– Qui sait? répondit-il, rêveur.

Il leva la main et frappa l'encadrement de bois au-dessus de sa tête.

– Je suppose que nous le saurons quand ça se présentera.

– Ouais.

– N'oublie pas de refermer quand tu seras rentré…

Sortie de scène.

Je restai derrière.

Je restai derrière avec pour seuls compagnons jeudi, vendredi, samedi, dimanche, lundi, mardi et le mercredi qui arrivait. La lumière lunaire s'estompait, selon l'institution immuable des cycles. Remplacée par un vent humide qui s'attaquait aux racines de l'herbe des dunes. Un phare lointain envoyait ses avertissements à tous ceux qui naviguaient en mer. Des rangées de maisons le long de la côte, alignées en dents de scie comme des chaînes de montagnes, surplombant une plage déserte qui attendait de se peupler.

J'étais à des kilomètres de chez moi.

Complètement incertain de ce qui m'attendait.

Des erreurs tenaces qui n'avaient aucun intérêt à être corrigées.

Me disant que peut-être, la prochaine fois, je ferais mieux.

Je restai encore un moment.

Assez longtemps pour voir si les crabes, dans le sable, avaient besoin de quelque chose avant que je leur dise bonne nuit.

Avant de rentrer pour emballer tout ce que j'avais emporté avec moi sur la côte de Caroline du Nord.

Épilogue

Bien que je me sois fait avoir, tout était loin d'être terminé.

L'accueil que je reçus chez moi prit la forme de deux policiers en civil qui m'attendaient dans la cuisine. Le retour de Wilmington m'avait permis de rester seul un bon moment. Ces kilomètres d'*interstate* m'avaient laissé le loisir de répéter. Je mis en attente ma décision de dire la vérité, par commodité, en essayant de garder à distance le visage de Dromio.

Me glissant de nouveau dans la peau du personnage, pour survivre, je servis à la police une histoire crédible au sujet de Sara et Olaf: comment aurais-je pu être au courant, pourquoi je n'avais alerté personne, toutes ces questions affrontées avec la nervosité de l'innocence.

Pas un mot concernant l'avortement ou le chantage.

La police m'avertit qu'il y aurait un autre interrogatoire, mais les nouvelles se répandirent rapidement. Vite et loin, et je ne fus pas vraiment choqué quand Dromio me téléphona quelques jours plus tard pour me dire que le commissaire Hunt avait appelé la direction de la police.

Qu'il avait parlé de moi en bons termes.

« Ils ne t'embêteront plus », m'annonça Dromio.

La conversation qui s'ensuivit avec Dromio m'amena à lui avouer ce qui s'était réellement passé avec Sara et Olaf. L'avortement qui n'avait jamais eu lieu, le chantage, tout ce que j'avais omis de dire dans ma déclaration à la police.

Tout l'argent que j'avais économisé pour l'université, perdu.

Un accord fut trouvé entre nous, avant que nous parlions du temps que j'avais passé à Wilmington. Je révélai quelques moments de choix, et Dromio combla quelques lacunes pour moi. Presque avec désinvolture, bien loin de notre dernière conversation sur le balcon. Rien que quelques formalités couronnées par un au revoir qui n'expliquait ni ne concluait rien du tout.

Ce soir-là, je parlai avec ma mère.

L'air s'allégea autant que possible.

Mes erreurs en échange des mensonges au sujet de mon père.

C'était une entrée en matière qui en valait bien une autre.

Mais Jeremy ne m'offrit pas la même possibilité. Près de deux semaines s'écoulèrent avant que nous puissions nous retrouver dans le couloir. Même à ce moment-là, toutes traces de ce qui était arrivé furent effacées. Remplacées, au bout du compte, par ce qui avait toujours existé. Jamais de vrais frères, jamais de vrais amis, et la chaîne avait fini par se rompre à Wilmington. Plus rien à se dire, car tout avait déjà été dit. Ce lundi matin dans la salle de bains. Nos dernières négociations, l'illusion d'avoir sacrifié notre amitié au nom de nos propres fins et désirs. Tout ce qu'il y avait à savoir sur Jeremy me parvenant officiellement par des tiers une ou deux fois par semaine. Beaucoup plus de temps pour moi, et un aperçu de ce qui allait arriver.

Je mis lentement un frein aux services que je rendais.

D'inévitables effondrements s'ensuivirent. Le château de cartes que j'avais construit sur les faveurs que j'apportais aux autres s'écroula, carte par carte. Et à chaque fois qu'un événement tournait mal pour les autres, les choses continuaient à avancer pour moi, accompagnées d'une précieuse petite fanfare. Big Niko finit par être pris en train de tromper sa femme pendant que je passais l'examen d'entrée à l'université. Cesar et Nicole se séparèrent, et j'envoyai aux quatre coins des États-Unis une demande d'entrée à l'université. Brenda et Peter King s'engueulèrent et choisirent de se quitter provisoirement. J'en étais à mes examens de dernière année. On finit par retrouver Sara Shaw et Olaf Stevenson en Floride. L'argent n'avait pas duré longtemps, et Olaf s'était fait coffrer en posant sa candidature dans une pizzeria. Il fut accusé d'avoir emmené une mineure au-delà des frontières de l'État. Esther Shaw, comme ma mère l'avait prédit, empêcha sa fille de sortir pendant un mois à peine, avant de réunir un conseil de famille.

Je découvris tout ça quand j'obtins mes diplômes.

Une journée étrangement sombre pour moi.

Je ne me souviens pas du cérémonial. Orateurs invités, lauréats, j'ai tout oublié. Je me rappelle le sourire de ma mère à travers ses larmes, assez atypiques. Les gens gardaient leurs distances par rapport à moi, à l'exception de M. Wallace. Fier et chaleureux, malgré la négligence d'Olaf, qui avait provoqué la mort d'un de ses chiens. Il se contenta de sourire. De m'écraser la main dans l'étreinte de ses cinq doigts et de m'offrir ses félicitations les plus enthousiastes. Sans jamais faire allusion à ce qui s'était passé à Wilmington.

Encore une de ces boîtes qui ne seront jamais ouvertes.

L'été arriva, et il était temps de me fourrer gracieusement sous la coupe de Dromio. Quatre étés consécutifs à travailler au *Blue Paradise* en échange de mes frais de scolarité.

Je savais que ce ne serait pas suffisant pour le rembourser. Il y aurait encore d'autres choses à faire, d'autres services à rendre. Je gagnai autant d'argent que possible, hébergé gratuitement dans le grenier d'un autre restaurant de la chaîne de Dromio.

Des journées et des soirées à prendre les commandes des clients. Tard dans la nuit, sous le plafond bas de poutres en bois, étendu sur un lit coincé entre un bureau bancal et une machine à coudre North Star de 1872. Nuits tardives en compagnie de mes nombreuses pensées, qui tournaient le plus souvent autour de Dromio. Analysant nos conversations, du début à la fin, mots gentils et conseils qu'il n'était pas obligé de me donner. L'histoire que Nancy m'avait racontée sur Dromio et son ancien entourage, comment il avait pleuré sur le siège avant de leur voiture en lui disant qu'il ne voulait plus jamais y retourner.

Je ne veux plus jamais être comme ça.

Ce qui me fit réfléchir au chemin que je m'étais tracé avant que tout cela n'arrive. Où ce chemin m'aurait-il conduit si je n'avais pas rencontré Dromio ? Impossible de le savoir, mais je ne pouvais m'empêcher de me demander s'il avait pu deviner vers quoi je me dirigeais. S'il m'avait imaginé, à des décades de mes dix-huit ans, le visage enfoui dans mes mains. Les larmes coulant, angoissées, sur une jeunesse gaspillée. Car il avait bien dû le savoir, à un moment donné pendant mon séjour chez lui, que l'échange des noms allait m'exploser à la figure. Il avait dû se préparer, alimentant la moindre chance de rendre ma défaite d'autant plus handicapante. Peut-être pas depuis le début, mais au moment de notre dernière confrontation, quand je lui avais demandé :

« Qu'est-ce que vous pouviez bien gagner en jouant avec moi de cette façon ? »

Une question qu'il avait éludée avec élégance en me demandant :

« De quoi s'agit-il réellement ?

– Vous n'aviez pas besoin de me traiter comme si j'étais vraiment votre fils. »

Et l'unique réponse de Dromio avait été :

« Je ne m'attends pas à ce que tu comprennes tout immédiatement… »

Mais il avait été sur le point de dire autre chose. Chaque fois que je revivais la scène, j'en étais un peu plus convaincu. Ce n'était pas seulement une pause pour faire de l'effet avant de parler, mais une irréfutable hésitation avant de passer à la page suivante. De sortir son manifeste sur les mensonges. Un outil nécessaire pour « les gens comme nous », et il devait savoir. Il avait dû voir que ça me déplaisait, et que je ne me permettrais jamais de devenir comme lui. Comme l'homme qui m'avait appâté, pris à l'hameçon et tiré sur son bateau avant de me rejeter à l'eau avec une cicatrice qui me rappellerait toujours…

Mais n'était-ce pas exactement ce que j'avais fait ?

Plus d'aide, plus de mensonge, dénonçant chaque fibre de moi-même que j'avais appris à connaître comme étant Sebastian Montero. Finis, les services rendus. J'avais assez de temps maintenant pour m'allonger sur le dos, tard dans la nuit, et comprendre que tous mes objectifs, avant de rencontrer Dromio, avaient toujours été de l'ordre de la conjecture.

Encore une de ces boîtes qui ne seraient jamais déverrouillées.

Maintenant, je n'étais qu'un serveur au *Blue Paradise*, et plus rien n'était pareil. J'essayais de m'adapter au plus grand nombre de changements possible, sans jamais m'adresser à Dromio autrement qu'à un patron. Quand l'occasion se présentait, aux moments où je les servais, lui, Nancy et Matilda. Et Jeremy, dont je compris les préférences à la mi-juin. Sans éviter cette douleur envahissante, quand je prenais leurs commandes. Posant des assiettes devant chacun d'eux, toujours assis à la même place, jour après jour. Semaine après semaine, c'était simplement une situation qu'il fallait affronter. Nancy continuait à boire des vodka-orange, Matilda souriait et me glissait deux dollars de temps à autre, mais rien de tout cela ne faisait la moindre différence. À la fin de l'été, ils avaient pour moi le visage d'étrangers devenus familiers. Redécouverts, réécrits comme des clients qui étaient de bons vivants et donnaient de généreux pourboires.

La table des Johansson...

L'automne me trouva dans le Minnesota.

La dernière université sur ma liste, mais les accès de claustrophobie étaient devenus un passe-temps. Isolement enneigé, cours d'économie respectable, pas trop miteux. À supposer que j'aie eu le projet d'étudier l'économie. En réalité, je n'avais aucun projet. Pas de matière principale à l'esprit, aucune idée de l'endroit où j'allais. Définitivement résolu à éviter les activités d'étudiants. Ma première visite à une soirée dura dix minutes et un demi Cuba libre. La première fois que je participai à une réunion d'étudiants, je me contentai d'ouvrir les discussions en faisant des remarques. Ma première partie de basket-ball ne dura même pas jusqu'au premier arrêt de jeu.

Et pour rien au monde je n'aurais intégré une confrérie.

Mais je suivis les cours.

Fréquentai la bibliothèque.

M'attaquai à mes dissertations le jour même où le sujet était donné. Essayant de m'installer dans ma chrysalide apaisante, malgré le fait qu'il restait encore le dernier paragraphe à écrire. Incapable de finir tant que je n'y étais pas absolument contraint. Une bizarrerie qui me restait, et qui n'avait jamais été vraiment une habitude, je passais des heures, avant la date limite, à taper des rangées de

« 3 », et de « q » minuscules. Sans désir d'achever ce que j'avais commencé. L'œil rivé sur la neige qui s'amoncelait derrière ma fenêtre et cachait les détails, donnant vie à une sérénité temporaire.

Dernier paragraphe.

Ce qui est inévitable.

Comme toutes les conclusions.

Ce qui finalement me ramène à toi, Christina.

À toi et moi, et à la dernière fois que je t'ai vue. Sortant précipitamment du *Blue Paradise*, les portes s'ouvrant et les rues t'avalant tout entière. Lumières éteintes me jaugeant depuis ton appartement quand je restais dehors sous la pluie. Je t'imagine t'enfuyant. Un souvenir optimiste, et inventé de toutes pièces, où tu te jettes à mon cou. L'eau tombant sur nous, et les cieux disant « Qu'il pleuve ! ». J'imagine des coups de téléphone et des lettres. Je laisse défiler l'été dernier, faisant entrer de force ta présence dans mes nuits libres. Me faisant croire que tu ne travaillais pas hors de l'État parce que ça t'arrangeait bien. Me repassant nos conversations, extensions de notre premier et unique non-rendez-vous. Le temps passé ensemble en-dehors des quelques jours que nous avons eus, et je fais tout ce que je peux pour mettre un terme à ces pensées. M'empêchant de les considérer sérieusement.

Réunissant tout mon courage pour te laisser là où les événements t'ont placée.

Conscient que je n'ai pas fait la moindre chose pour changer.

Que je ne sais pas comment m'y prendre.

Au mieux, je viens juste de m'arrêter. De me retourner, et de me faire plaisir en regardant en arrière.

Et je crois sincèrement que nous devrions remercier Dromio pour ça.

Mais rien de cela n'est assez bien.

Ce qui est simple n'est pas assez bien.

Je veux récupérer mes plumes, Christina.

Voilà les nouvelles que tu as reçues de moi, mais je trouve que tu devrais prendre un moment. Prendre quelques jours, prendre les mois avant que le printemps devienne l'été pour considérer que le moindre mot de tout ça est finalement la pure vérité.

Si tu as besoin de me voir, tu sauras où me trouver.

Un large sourire aux lèvres, m'occupant des requêtes sans fin de clients exigeants.

Faisant mon travail.

Une commande après l'autre, jusqu'à l'heure de la fermeture.

Me la jouant tranquille, à l'ombre du *Blue Paradise*.

DANS LA MÊME COLLECTION

Manhattan macadam
d'Ariel et Joaquin Dorfman

Traduit de l'anglais (États-Unis)
par Nathalie M.-C. Laverroux

New York.
Une ville monstrueuse, sans état d'âme. Une ville qui avale les gens sans aucune pitié. Chacun vit dans son coin, vaque à ses petites affaires… Et quand les mauvaises nouvelles arrivent, plus personne n'est là pour tendre la main. Sauf Heller, ce garçon anonyme qu'on ne remarque pas, mais qui rappelle à chacun ce qu'il y a d'humain en lui.

Extrait :
« Le monde entier va fondre », se dit Heller.
C'était le 4 juillet, et tout Manhattan transpirait. La sueur suintait des rues, des immeubles, des robinets. Toutes les radios parlaient d'un temps inhabituel. Les couples se réveillaient dans des draps humides. Les ouvriers du bâtiment travaillaient torse nu, et les agents de change desserraient leurs cravates avec un soupir d'envie. Les touristes se plaignaient, les vendeurs de glaces souriaient, et le mercure menaçait de faire exploser le thermomètre. Heller Highland voyait tout ça, et ce qu'il ne pouvait pas voir, il le savait, tout simplement.

Entre chiens et loups
de Malorie Blackman

Traduit de l'anglais
par Amélie Sarn

Imaginez un monde. Un monde où tout est noir ou blanc. Où ce qui est noir est riche, puissant et dominant. Où ce qui est blanc est pauvre, opprimé et méprisé. Un monde où les communautés s'affrontent à coups de lois racistes et de bombes. C'est un monde où Callum et Sephy n'ont pas le droit de s'aimer. Car elle est noire et fille de ministre. Et lui blanc et fils d'un rebelle clandestin...
Et s'ils changeaient ce monde ?

Extrait :
Callum m'a regardée. Je ne savais pas, avant cela, à quel point un regard pouvait être physique. Callum m'a caressé les joues, puis sa main a touché mes lèvres et mon nez et mon front. J'ai fermé les yeux et je l'ai senti effleurer mes paupières. Puis ses lèvres ont pris le relais et ont à leur tour exploré mon visage. Nous allions faire durer ce moment. Le faire durer une éternité. Callum avait raison : nous étions ici et maintenant. C'était tout ce qui comptait. Je me suis laissée aller, prête à suivre Callum partout où il voudrait m'emmener. Au paradis. Ou en enfer.

La Couleur de la haine

de Malorie Blackman

Traduit de l'anglais
par Amélie Sarn

Imaginez un monde. Un monde où tout est noir ou blanc. Où ce qui est noir est riche, puissant et dominant. Où ce qui est blanc est pauvre, opprimé et méprisé.
Noirs et Blancs ne se mélangent pas. Jamais. Pourtant, Callie Rose est née. Enfant de l'amour pour Sephy et Callum, ses parents. Enfant de la honte pour le monde entier. Chacun doit alors choisir son camp et sa couleur. Mais pour certains, cette couleur prend une teinte dangereuse… celle de la haine.

Extrait :
J'ai compris que je ne savais rien de la manière dont je devais m'occuper de toi, Callie. Tu n'étais plus une chose sans nom, sans réalité. Tu n'étais plus un idéal romantique ou une simple manière de punir mon père. Tu étais une vraie personne. Et tu avais besoin de moi pour survivre.
Callie Rose. Ma chair et mon sang. À moitié Callum, à moitié moi, et cent pour cent toi. Pas une poupée, pas un symbole, ni une idée, mais une vraie personne avec une vie toute neuve qui s'ouvrait à elle.
Et sous mon entière responsabilité.

Le Choix d'aimer
de Malorie Blackman

Traduit de l'anglais
par Amélie Sarn

Imaginez un monde. Un monde où tout est noir ou blanc. Où ce qui est noir est riche, puissant et dominant. Où ce qui est blanc est pauvre, opprimé et méprisé.
Dans ce monde, une enfant métisse est pourtant née, Callie Rose. Une vie entre le blanc et le noir. Entre l'amour et la haine. Entre des adultes prisonniers de leur propres vies, de leurs propres destins.
Viendra alors son tour de faire un choix. Le choix d'aimer, malgré tous, malgré tout…

Extrait-:
Voilà les choses de ma vie dont je suis sûre :
Je m'appelle Callie Rose. Je n'ai pas de nom de famille.
J'ai seize ans aujourd'hui. Bon anniversaire, Callie Rose.
Ma mère s'appelle Perséphone Hadley, fille de Kamal Hadley.
Kamal Hadley est le chef de l'opposition – et c'est un salaud intégral. Ma mère est une prima – elle fait donc partie de la soi-disant élite dirigeante.
Mon père s'appelait Callum MacGrégor. Mon père était un Nihil. Mon père était un meurtrier. Mon père était un violeur. Mon père était un terroriste. Mon père brûle en enfer.

L'affaire Jennifer Jones
d'Anne Cassidy

Traduit de l'anglais
par Nathalie M.-C. Laverroux

Alice Tully. 17 ans, jolie, cheveux coupés très court. Étudiante, serveuse dans un bistrot. Et Frankie, toujours là pour elle.
Une vie sans histoire.
Mais une vie trop lisse, sans passé, sans famille, sans ami. Comme si elle se cachait. Comme si un secret indicible la traquait…

Extrait :
Au moment du meurtre, tous les journaux en avaient parlé pendant des mois. Des dizaines d'articles avaient analysé l'affaire sous tous les angles. Les événements de ce jour terrible à Berwick Waters. Le contexte. Les familles des enfants. Les rapports scolaires. Les réactions des habitants. Les lois concernant les enfants meurtriers. Alice Tully n'avait rien lu à l'époque. Elle était trop jeune. Cependant, depuis six mois, elle ne laissait passer aucun article, et la question sous-jacente restait la même : comment une petite fille de dix ans pouvait-elle tuer un autre enfant ?

Prisonnière de la lune

de Monika Feth

Traduit de l'allemand
par Suzanne Kabok

Il y a les Enfants de la lune. Comme Maria et Jana. Elles suivent les règles, aveuglément. Pour elles, pas de bonheur possible hors de la communauté.
Et il y a les autres. Ceux du dehors. Comme Marlon, un garçon normal, avec une vie normale.
Des jeunes gens destinés à ne jamais se rencontrer.
À ne jamais s'aimer…

Extrait :
– Que doit faire un Enfant de la lune qui s'est écarté de la Loi-? demanda Luna avec son sourire compréhensif.
– Se repentir, répondit Maria.
– Et qu'est-ce qui favorise le repentir-? poursuivit Luna.
– La punition, dit Maria.
Les membres du Cercle restreint entourèrent Luna.
– Je vais maintenant t'annoncer ta punition, dit Luna. Es-tu prête-?
– Oui, répondit Maria d'une voix étrangement absente.
– Trente jours de pénitencier, annonça Luna. Use de ce temps à bon escient.

La promesse d'Hanna

de Mirjam Pressler

Traduit de l'allemand
par Nelly Lemaire

Pologne, 1943. Malka Mai avait tout pour être heureuse. Une mère médecin, Hanna, une grande sœur complice, Minna, une vie calme et sans histoire, dans un paisible village. Bonheur fragile, car la famille Mai est juive. Et lorsque les Allemands arrivent pour rafler les juifs, tout bascule. Mère et filles doivent fuir en Hongrie, à pied, à travers la montagne, vers une promesse de liberté. Mais Malka est brutalement séparée de sa mère et doit revenir de force en Pologne. Un seul refuge possible : le ghetto.

Extrait :

La rafle eut lieu le lendemain. Au petit matin, des voitures passèrent dans le ghetto avec des haut-parleurs, et des voix retentissantes donnèrent l'ordre à tous de rester à la maison. Les Goldfaden rassemblèrent toute la nourriture possible et ficelèrent leurs couvertures. Malka les regardait faire.

– Nous ne pouvons pas te prendre avec nous, dit Mme Goldfaden en évitant de la regarder. Nous n'avons pas assez de place ni assez de nourriture. Sors d'ici, tu entends, sors d'ici et va te cacher quelque part.

Pacte de sang
de Wendelin Van Draanen

Traduit de l'anglais (États-Unis)
par Nathalie M.-C. Laverroux

Joey ne devrait pas être inquiet. Il sait qu'un véritable ami ne trahit jamais un secret. Même un secret terrible, qui les ronge peu à peu…

Extrait :
J'ai l'impression que Joey et moi, nous passions notre temps à sceller des pactes. Un nombre incroyable, qui nous a conduits à cet ultime serment. Joey me disait toujours :
– Rusty, j'te jure, si tu en parles à quelqu'un…
– Je ne dirai rien ! Juré !
Il tendait le poing et nous exécutions toujours le même rituel, qui consistait à cogner nos phalanges les unes contre les autres. Puis, après nous être entaillé un doigt avec un canif, nous mélangions nos sangs, et Joey poussait un soupir.
– Rusty, tu es un véritable ami.
Et notre pacte était scellé.
Pour la vie.

La Face cachée de Luna
de Julie Anne Peters

Traduit de l'anglais (États-Unis)
par Alice Marchand

Le frère de Regan, Liam, ne supporte pas ce qu'il est. Tout comme la lune, sa véritable nature ne se révèle que la nuit, en cachette. Depuis des années, Liam « emprunte » les habits de Regan, sa sœur. Dans le secret de leurs chambres, Liam devient Luna. Le garçon devient fille. Un secret inavouable. Pour la sœur, pour le frère, et pour Luna elle-même.

Extrait :
En me retournant, j'ai marmonné :
– T'es vraiment pas normale.
– Je sais, a-t-elle murmuré à mon oreille. Mais tu m'aimes, pas vrai ?
Ses lèvres ont effleuré ma joue.
Je l'ai repoussée d'une tape.
Quand je l'ai entendue s'éloigner d'un pas lourd vers mon bureau – où elle avait déballé son coffret à maquillage dans toute sa splendeur –, un soupir de résignation s'est échappé de mes lèvres. Ouais, je l'aimais. Je ne pouvais pas m'en empêcher. Cette fille, c'était mon frère.

XXL

de Julia Bell

Traduit de l'anglais
par Emmanuelle Pingault

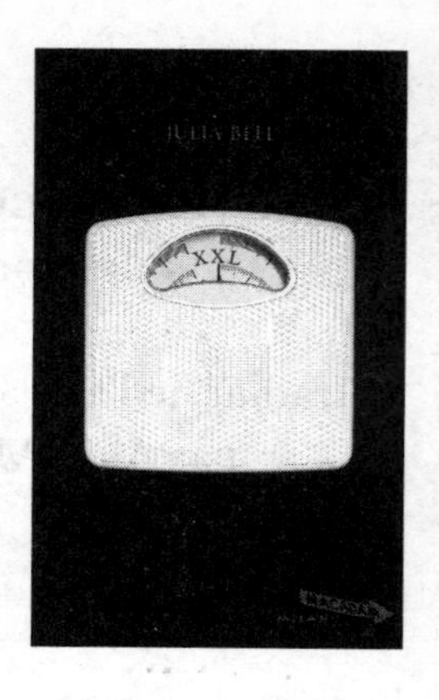

Le poids a toujours été un sujet épineux pour Carmen. Rien de surprenant : sa propre mère lui répète comme une litanie qu'être mince, c'est être belle ; c'est réussir dans la vie ; c'est obtenir tout ce que l'on veut... Alors c'est simple : Carmen sera mince. Quel qu'en soit le prix.

Extrait :

– *Si j'étais aussi grosse qu'elle, je me tuerais, dit Maman en montrant du doigt une photo de Marilyn Monroe dans son magazine.*

Je suis dans la cuisine, en train de faire griller du pain. Maman n'achète que du pain danois à faible teneur en sel, le genre qui contient plus d'air que de farine. Son nouveau régime l'autorise à en manger deux tranches au petit déjeuner.

– *Tu me préviendrais, hein ? Si j'étais grosse comme ça ?*

Je me tourne vers elle, je vois ses os à travers ses vêtements. Je mens :

– Évidemment.

11 h 47 Bus 9 pour Jérusalem
de Pnina Moed Kass

Traduit de l'anglais
par Alice Marchand

Le hasard. C'est le hasard qui les réunit, dans le même bus, à la même heure. Quelque part entre un aéroport et Jérusalem. Des voyageurs de passage, et un poseur de bombe. Chacun a son histoire, qui l'a conduit à cet endroit. À cette heure-là, à cette minute-là.

Achevé d'imprimer en France par France-Quercy, à Cahors
Dépôt légal : 4e trimestre 2006

N° d'impression : 62066/